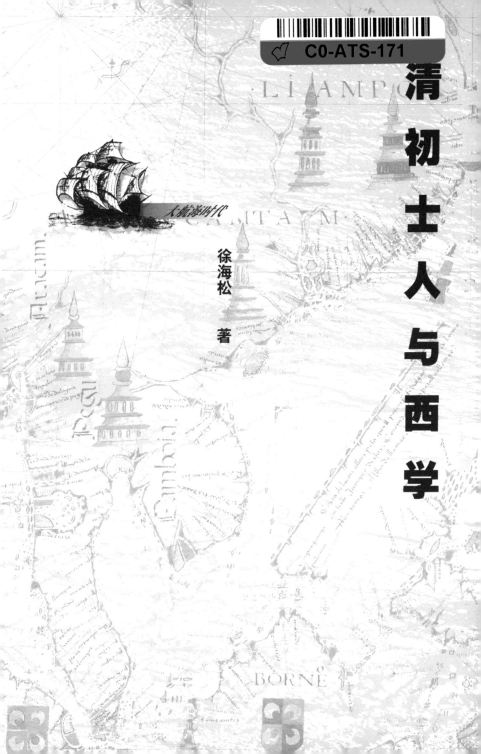

大航海时代

清初士人与西学

徐海松 著

责任编辑:夏 青
装帧设计:刘林林
版式设计:赵营珂

图书在版编目(CIP)数据

清初士人与西学/徐海松著.
-北京:东方出版社,2000.12
(大航海时代丛书/张西平 方鸣主编)
ISBN 7‑5060‑1352‑5

Ⅰ.清…
Ⅱ.徐…
Ⅲ.文化交流-中外关系-中国西方国家-清代
Ⅳ.G125

清初士人与西学

QINGCHU SHIREN YU XIXUE

徐海松 著

东方出版社 出版发行
(100706 北京朝阳门内大街 166 号)

北京新魏印刷厂印刷 新华书店经销

2000 年 12 月第 1 版 2000 年 12 月北京第 1 次印刷
开本:850 毫米×1168 毫米 1/32 印张:13.125
字数:277 千字 印数:1-5,000 册

ISBN 7‑5060‑1352‑5/K·275 定价:23.00 元

目　录

1

总序 重新回到平等对话的元点上

　　在远古的时代,东西双方在对方的眼中都是一个梦,一个神话。希腊人最早把中国人称"赛里斯人",他们认为赛里斯人"身高达十三肘尺","寿逾二百岁","皮与河马相近,故万箭不能入",中国人此时在西方人眼中真是半人半仙。在《吕氏春秋·古乐篇》、《逸周书·王会解》等先秦典籍中,我们的先祖也有了一些对西方的认识,如《山海经》中,我们的先祖把西部世界的人描绘成"其状如人,豹尾虎齿",由此可以看出,那时西方人在中国人眼中也是半仙半人。

　　在漫漫的历史长夜中,那一望无垠的大漠上的阵阵驼铃声连起了东方和西方,那时双方的交往大都还停留在器物交流的水平上。元代时东西交通畅通,威尼斯商人马可·波罗成为蒙古大汗的座上客,据说还被派到了扬州当了几年的"父母官",但他那本震惊西方的《马可·波罗游记》竟然一字未提孔子、儒家,难怪至今有人怀疑马可·波罗是否真的到过中国。或许是像黑格尔所说,那时人类的"自我意识"还没有达到宗教和哲学的阶段,因而根本谈不上实质性的思想和哲学的交流。

　　世界近代化的曙光是在碧蓝的大海上升起的,哥伦布这个被有些人称做"是个骗子、可耻的人、小偷和见了女人就追的人",拉开了世界近代化的序幕。"寻找契丹",寻找《马可·波罗游记》中那神奇、富饶的东方,是大航海的直接动因之一。哥伦布就是身怀着

1

西班牙国王所写的"致大汗书",肩负着寻找契丹的使命,带着他那到达香料堆积如山、白帆遮天蔽日的泉州港的梦想而踏上这历史性的航程的。但阴差阳错,不知道大西洋上的哪股风把他的船吹到了古巴。从此,大航海的时代到来了,地理大发现的时代到来了。

哥伦布没有到达中国,但东西双方宗教与哲学的交流,乃至近代以来整个中西文化的交流的奠基性人物还是由一个意大利人来完成的,这就是明万历年间入华的耶稣会传教士利玛窦(Matteo Ricci)。利玛窦1552年10月6日出生于意大利马切拉塔城(Macerata)的一个以红蓝色刺猬为其族徽的大户人家。据占星学家说,利玛窦出世的时候,"天平宫适在其上,土星刚刚上升",这预示着他是一个非凡的人物。

此事不知真假,但利玛窦这只"红蓝色刺猬"的东渡使东西方哲学、宗教思想真正相遇,从而使双方的思想都发生了重大的变化。就此而言,方豪先生称"利玛窦实为明季沟通中西文化之第一人"实不为过。在中西思想文化交流史上,他的成就恐怕是前无古人、后无来者。交流也就是对话,思想的对话才使文化交流达到它的高潮。

利玛窦及他以后的来华耶稣会士做了两件惊天动地的大事。

第一件就是"西学东渐",为中国近代思想的演进掀开了新的一页。利玛窦第一次向中国介绍了西方的天文学,《乾坤体义》被《四库全书》的编纂者称为"西学传入中国之始",继而又和明末大儒李之藻合著《浑盖通宪图说》。从此,对西方天文学的介绍一直是来华耶稣会士的重头戏,乃至明清间历局大部分为传教士所主持。

历学和算学二者历来不可分,利玛窦和徐光启所翻译的《几何原本》在中国产生了重大的影响,阮元认为传教士所介绍的各种西学书中"当以《几何原本》为最",所以,梁启超后来称这本书是"字字精金美玉,为千古不朽之作"。

利玛窦所绘制的《万国舆图》更是受到了许多人的喜爱,明清间先后被翻刻了12次之多,乃至万历皇帝也把这幅世界地图做成屏风,每日坐卧都要细细端看。

表面上利玛窦所介绍的这些似乎都是纯科学的知识,其实这些科学知识蕴含着西方的宇宙观、哲学观。历学虽仍是中世纪的,但理论对中国来说却完全是异质的,算学则把西方科学逻辑思维方法介绍到中国,而地学则是大航海以来西方新的世界观念的体现,它从根本上动摇了中国传统的夷夏观念。

利玛窦这只"红蓝色刺猬"是极为聪明的,科学不过是他传教的手段,而传教则是他的目的。像他自己所说:"象纬之学,特是少时偶所涉猎;献上方物,亦所携成器,以当羔雉,其以技巧见奖者,果非知窦之深者也。若止尔尔,则此等事,于敝国庠序中,是为微末,器物复为工人所造,八万里外,安知上图之无此?何用泛海三年出万死而致之阙下哉?所以然者,为奉天主至道……"

利玛窦和来华耶稣会士在传播西方哲学思想方面的成绩亦是很大的,利玛窦的《天主实义》是中西文化史上第一部比较哲学的著作,也是中西文化的第一次实质性的对话。该书言古经,谈天主,文采四溢,博学通达,一时赢得许多士大夫好评,明清间此书久印不衰。长期以来一些人认为利玛窦介绍来的这套天主教的东西是有害的东西,这种看法实在太肤浅。宗教传播历来是文化传播的重要途径,如果没有自玄奘以来的译经活动,中国哪里知道印度的文化。徐光启加入天主教直接的原因之一就是看到了一幅精美的圣母像,实际上他是被基督教文化所震撼。

直到今天许多人还认为亚里士多德、毕达哥拉斯、斯多葛、西塞罗等这些古希腊罗马的大哲学家是在五四时介绍到中国的,其实不然,别的不说,仅亚里士多德的书明清时就有多部被译成中文。被称为"西来孔子"的艾儒略认为西方哲学中的"落日加"即逻辑学位于首位,是"立诸学之根基";傅泛际和李之藻将亚里士多德的逻辑学的一部分译为中文,取名《名理探》;比利时传教士南怀仁则继而把他们未完成的后半部分整理出版,中文取名《穷理学》。这种逻辑思想的传入对中国传统思想产生了重大的影响,为处于阳明心学丧落中的中国思想界注入了一股清风。

明清间,从利玛窦入华到乾嘉厉行禁教时为止,"中西文化交流蔚为巨观。西洋近代天文学、历学、数学、物理、医学、哲学、地理、水利诸学、音乐、绘画等艺术,无不在此时传入"。这次西方文化的传播规模之大,影响之广,是中国历史上前所未有的。

特别引人注意的是此时士大夫阶层对西学的接受的态度。当时,尽管保守派并不少,并时时挑起争端,但大多数知识分子对西学采取接受态度。利玛窦在明末时交游的士大夫有一百四十多名,几乎朝中的主要官员、各地主要公卿大夫都与其有过来往。当时的不少士大夫对于利玛窦等人介绍来的西学既不趋之若鹜,盲目随和,也不拒之门外,孤芳自赏,而是心态平稳,该做自我批评时就反躬自问,虚心学习,该承认自己传统时,也不夜郎自大,旁若无人。如徐光启在《同算算指》序中对中国算学失传做深刻反省,认为原因之一在于"名理之儒,土苴天下实事",而利先生的西学之根本优点在于"其言道、言理,皆返本蹠实,绝去一切虚玄幻妄之说"。而只有学习西学才能把我们已丢失的黄帝、周公之算学继承下来。那时的读书人中既没有晚清知识分子因山河破碎所造成的在中西文化关系上的焦虑之感,也没有后来五四精英们的那种紧张感,如晚明名士冯应京所说:"东海西海,此心此理同也。"从容自如,大度气象一言尽之。这同五四时的那种东西方的二分法、非此即彼的文化态度形成明显的对比。

胡适后来在谈到中国近代思想的演进时有一句话说得极为重要:"中国近三百年来思想学问皆趋于精密细微科学化……全系受利玛窦来华影响。……""西学东渐",东西会通,中国文化开始向近代形态转变。

利玛窦和来华耶稣会士所做的第二件事就是将中国文化传向西方,简称"中学西传"。

由于利玛窦所确定的"合儒补儒"路线取得成功,明清间在华耶稣会士虽和中国文化时有冲突,但大体耶儒相通。这条路线的确定使传教士来华的第一件事就是学习方块字,学说中国话,用毛笔写中文书,这对后来的传教士产生重要影响。别的不说,仅利玛窦就有中文著作二十几部,这一点就是当今最大的汉学家也望尘莫及。

会说了中国话,能读了中文书,对中国文化就有了了解。于是一二百年间来华的耶稣会士要么写信,要么译书,要么著书,以各种西方文字把中国的书译成西文。来华耶稣会士在中学西传上耕笔之勤,兴趣之广,成就之大,令世人惊叹!《论语》、《道德经》、《诗经》、《书经》、《礼经》、《孟子》、《中庸》、《大学》这些统统都有西文译本,而且不止一个语言的译本,甚至连《洗冤录》这样的很专的中国最早的法医学著作都被他们翻译成了西方语言。

由于来华耶稣会士大多数是饱学之士,尤其是来华的法国耶稣会士更是个个学富五车,博通古今,文理皆是高手,他们还写下了一系列研究中国文化、中国科学的著作。

从利玛窦的《天主教进入中国史》开始,到曾德昭的《中国通史》、卫匡国的《中国上古史》、安文思的《中国新事》、卜弥格的《中国植物》、《中医脉诀》等来华耶稣会士的汉学著作一部接一部地在西方出版。如果说在他们前期的汉学著作中转述性、介绍性内容较多,那么到后期他们的学术水平已达到很高的成就。像宋君荣的《中国天文史略》和《中国天文纲要》两本书,通过考证《书经》中之日食、《诗经》中之日食、《春秋》中首见之日食来考察中国的纪年,其方法和今天中国进行的"三代断代工程"相差不多。

正是在利玛窦的"适应"政策之下,经过一二百年的努力,在西方的东方学中产生了一门新的学问——汉学。汉学实为中西文化会通之产物。来华耶稣会士对中国文化的介绍,难免有不实之处,他们中许多人就是"索隐派"的重要成员,但这丝毫不能降低他们在中西文化交流与对话中所做的重大贡献。

颇有趣味的是来华耶稣会士为了证明其"耶儒相合"路线的正确,争取欧洲对其在中国传教的支持,在他们的著作中护教成分较多,但这些文章和著作却在欧洲思想界引起轩然大波,他们的著作不仅没有起到"护教"的作用,却反而被进步的思想家所利用。培尔高度赞扬中国的宽容精神,以抨击教会对异己思想的排斥;伏尔泰则高举起孔子的仁爱精神,批评西欧中世纪文化的落后性;中国哲学的自然理性成为莱布尼茨走出神学的主要依据。这真是有意栽花花不开,无心插柳柳成荫。文化接受中的"误读"实在是一个极有趣味的问题。不论怎样误读,东方文化,中国精神,成为瓦解西欧中世纪城堡的一个重要因素,这是一个被普遍接受的结论。

那时的东西双方好像处在"初恋"之中,情人眼中出西施,各自都从自己的需要出发,学习对方,徐光启把"泰西"作为人类社会的理想,伏尔泰则时时以孔子弟子自居,对儒学顶礼膜拜。

相互的学习,相互的尊重,相互的倾慕,成为那个时代东西方的主要特征。从皇帝开始,康熙学西洋数学,听西洋音乐,让八旗子弟们演几何,学外语,明末清初的学术领袖们如徐光启、顾炎武等人,个个都读西洋之书,谈历学、算学。心学衰,实学兴,与西学有着直接的联系。而大西洋岸边的路易十四则专门将被传教士带到法国的中国人黄嘉略留在身边,喝中国茶,建中国亭,用中国漆器,看中国的皮影戏,一时间"中国热"遍及欧洲。那是一个会通的时代,尽管有着虚幻,有着矫情,但双方是平等的,心态是平稳的。

当然,那个时代并非是"莺歌燕舞"的时代。地理大发现是欧洲资本与文化扩张的时代,对许多第三世界国家来说是一个残酷而血腥的时代,但历史从来就是在"恶"中前进的,浪漫主义的历史观无法直面和说明真正的历史。正像资本具有着二重性一样,大发现时代也是一个充满矛盾的时代。我们今天所以要强调那个时代的意义,是因为我们过去更多的是看到这一历史进程中的"恶",而没有从更宏观的历史进程中看到大发现"不仅会推翻那个时代的整个欧洲社会及其制度,而且也会为各国的完全解放奠定基础"(恩格斯语)。

那个时代的东西方关系,尤其是中国和西方的关系与西方和北美洲的关系有很大的不同。西方面对一个国力比其还要强盛的大国,出于无奈,只能采取较为缓和、平等的政策。而入华的传教士虽以传教为宗旨,但面对比基督教文化悠久得多的中国文化,大多数传教士是震惊的,甚至是敬佩的。正是在向对方的学习中,西方走出了中世纪,借东方之火煮熟了自己的肉,而中国向西方学习的运动终末酿成社会大潮。乾嘉禁教之后,其间虽有嘉乾汉学之一搏,但终因晚清政府的闭关锁国政策已成定局,这星星之火未成燎原之势,中国知识分子的思想始终还是在自己的屋子里打圈圈,会通之路没有打通。拒绝了海洋,拒绝了交往,中世纪的城堡最终关闭了一切进步的因素,一个庞大的帝国终于彻底衰败了。

这期间当然也有些偶然的因素,例如"礼仪之争"就是一个重大的事件,这是中西方关系的转折点。就西方来说此事已暴露出基督教文化的排他性,缺少宽容性的一面。当代天主教神学家汉斯·昆说教皇在许多错误决定中,不允许中国教徒实行中国礼仪是一个最大的错误。四百年后西方才真正看到了利玛窦的智慧与价值。就中国来说,她错过了与世界同步发展的一个机会,思想界终未出现一个像伏尔泰那样敢于挖自己肉的英雄,悠久的文化成为一个沉重的包袱,当"西学东源说"登场时,中国思想界已失去了她的生命力,当思想僵死时,这个民族也就面临着极大的危机。

三百年一个轮回。1840年以后中西关系彻底颠倒了,西洋人的战舰使用着中国人发明的罗盘驶入了我们的海岸,用我们祖先发明的火药制造出了威力十足的大炮,轰塌了虎门的海关,在南京,晚清的大员们在自己祖先发明的纸上签下了第一个卖国条约,从此,中国江河日下。平等的对话再不存在,中国再不是西方慕恋的对象。

19世纪是西方人的世纪,是强者的世纪,是西方人欺凌、强暴东方人的世纪。晚清的败局刺激了每一个中国人,从此,"救亡图存"、"变法维新"成为中国的两面旗帜。而要达到这两条,只有学习西方。如梁启超所说"参西法以救中国",当"尽取西人之所学而学之"。毛泽东后来也描述过当时的情景,认为"要救国,只有维新,只有学外国"。在严酷的事实面前,东西方关系完全失衡了。在国家面临生死存亡之关头,人们似乎无别的路可走,这种局面实际上一直持续到五四。从此,在东西方关系上,东方与西方,现代与传统,成为一个打不破的定式。

百年烟云,沧海一粟。当今天东西方又重新回到一个平等的起点上时,当哥伦布所起航的世界一体化进程已成铺天大潮时,回顾近四百年的中西思想交流历程,我们应从整体上对中西关系做一新的说明,或者说我们应将中国放入世界近代化的进程中,把世界作为一个整体来重新考虑中国的文化和思想重建问题。

如果把20世纪的中国革命看做是晚清以来中国追求现代化的一个延续,那么,在中国已被卷入经济全球化的今天,在中国作为一个民族国家已自立于世界民族之林的今天,在现代化已成为我们大部分现实生活的今天，19世纪以来的中国人的"苦难情结"应该抛去，西方的"强权霸语"应该结束。晚清以降的东西双方各自形成的"西方观"和"中国观"应该重新检讨。

在一定的意义上，今日东西方的思想对话又重新回到了公元1500年—1800年这个起点上，这或许是黑格尔所说的否定之否定。历史具有极大的相似性和重复性，但至少可以说，公元1500年—1800年间中西方的思想文化交流在今天仍有其极大的历史魅力。

因从客观的历史进程来看，这一时期是今日世界的起点，是今日世界的胚胎，它包含着说明今日世界的一切因素。从这一丰富的历史过程中，我们至少可以对东西文化关系得出以下两点启示：

第一，在世界全球化的进程中，任何民族都无法脱离这种进程，无论这种进程以"恶"的形式还是以"善"的形式表现出来，你都无法拒绝。"大风泱泱兮大潮滂滂"，历史不可拒绝。在世界一体化中，任何一个民族的思想都不能再"独语"，任何一种文化都不能在自己原有的封闭系统中发展。正像经济活动使世界各个孤立的国家联结成一个统一的市场一样，政治和经济的交往也必然引起文化的交往与融合。我们应当以当年康熙帝、徐光启、李之藻那种容纳百川的宏大心态对待西方文化，以一种平静的心态看待自己，看待别人。徐光启说得好："会通以求超胜。"面对这种全球化的大潮，不必恐惧，老祖宗的东西该丢失的想留也留不住，不能丢失的，它一定会留下。中国传统的夷夏观念必须彻底地打破，凡属人类美好的东西我们都应学、都应用。不仅要以中国人的眼光看待东西方的文化，还要以人类的眼光看待东西方的文化；也不应再有五四时那种紧张感，似乎不把洋人的东西全拿来就毫无出路，似乎不把祖宗留下的那份遗产全扔掉就无法使国富民强。这倒不是去责备五四的健将们，那时的局势太紧迫，容不得他们去做更周全的考虑，矫枉必然过正，这样西方成了一切，东方是无足轻重的。一百多年来,我们总算有了可以喘息的机会,现在我们总算可以从更大更远的角度来考虑问题。以更深刻、更全面的方法来看这种世界全球化中的文化问题。晚清以来的一百多年都是特殊的年代,是中国历史上最悲惨、最壮烈的时代,但那毕竟是一个东西方关系不正常的年代,在宏大的历史叙事中,百年只不过是弹指一挥间。更重要的在于,无论东方还是西方,那时心态都是不正常的,在枪炮下的交往是扭曲的交往。在刀剑火影中的评判带有极端性。只有到了今天,当我们在因特网上读美国图书馆的文献时,当中国近二十年来经济的迅猛发展并使中国真正成为世界家庭的重要一员时,一切历史的本质东西才开始清晰起来。以往焦虑的呐喊、病态的呻吟、无知的狂躁都成为过去。"化中西为古今"此时才能对一百多年来形成的东方西方的定式给以重新考虑。我们仿佛又回到康熙时代,不! 这是一个更为崭新伟大的时代,密纳发的猫头鹰要到傍晚才起飞。哲学家该出场了,我们期待那飞翔的猫头鹰。

第二,西方该抛弃掉"霸权话语"。具有普世性的不仅是基督教文化,中国文化同样具有普世性。在全球化进程中的世界当然有它共同的话语,共同的价值。这些标准的确有些是来自西方,但这并不能证明,西方文化可以取代一切。每一滴水都能折射出七色的阳光,每一个生命都有自身的尊严,每个民族的文化都有着存在的依据,中国文化同样是人类普遍价值的源泉。

1840 年以后的中国人在西方人眼中失去了光彩,拖着长辫、衔着烟枪的中国人再不被西方人所喜爱,孔夫子在黑格尔笔下只不过是一个会讲伦理格言的俗老头,毫无精彩之处。近百年来西方的中国观是一个扭曲的中国观,他们忘记了"初恋"时对中国的钟情,昔日的"神"已变成了"鬼"。他们按照强权的西方话语编造了一个东方的故事。其实中国人既非"神"也非"鬼"。天同此道,人同此心,中国人和西方人一样有着自己的尊严,自己的价值,自己的梦想。大西洋,太平洋,潮水相连;阿尔卑斯山,唐古拉山,山山相连。世界万象,但殊途同归。自大航海时代开始的四百年间,不仅是东方学习西方的过程,也是西方学习东方的过程。美国学者拉克(LACH)在他的巨著(*Asia in the Making of Europe*)中已信服地证明了这一点。这里我们决不是回到晚清的"西学东源说",而是强调东西双方在文化态度上应回到一个平等的起点上,回到公元1500年这个起点上;西方应抛弃掉19世纪所确立的东方观,中国观,回到利玛窦所确立的路线上来。正像赛义德所说的西方应抛掉19世纪所形成的东方观,重新看待东方。

提出这一点丝毫不是认同晚清以来的"国粹派"和今天的"中国救世论",而是应让西方人知道,不能仅从西方文化看自身,还应从世界文化来反观西方文化。

西方所孕育出的商品文化是一种矛盾,它一方面为个性的发展提供了更为广阔的空间,但另一方面它却在使人平白化,单一化,从卢梭以来的西方浪漫思潮几百年来一直在西方文化内部进行着批判西方主流文化的工作。

历史是一个圆,在这个圆的任何一点上似乎都能看到一条直线,但相对于整个历史,那只是一个点。今天,我们必须走出点,而从整个圆来看历史。19世纪东西方所形成的东西观都应重新检讨,尤其是西方。文化交流与对话的前提是对对方的承认和尊重,丧失了这个前提就根本不存在对话。在这个意义上,中西双方应回到明清间的初识阶段,回到"大航海时代",重新梳理四百年来的中西关系史,回到平等对话的元点上来。

张西平于北京永定路游心书屋
一九九九年六月初稿
一九九九年十二月二十日澳门回归之日定稿

前　言

在人类又一次迈入新世纪,并且是千年纪的跨越之际,我们回首世界文化的兴衰存亡史,就会发现,多种异质文化间的"沟通与交融"乃是任何一种民族文化获取其生命力的源泉之一。

遥居欧亚大陆东西两极的人们,经历了从个别到群体、由间接到直接,上下数千年的交往,而在大航海时代以来的 16 至 18 世纪,中欧之间以传教士入华为契机,首次在文化上实现了面对面的接触,揭开了东西两大文化系统双向交流的历史序幕。期间,伴随着沟通中西的早期开拓者在异国他乡的足迹,他们体验到的远非只是旅途的漫长和艰险,更有经历中西异质文化的接触与冲突时所遭遇的艰难与痛苦。直接参与中西文化首轮对话的少数智者,在由表及里地认知东西方文化的本质时,几乎都有一种共同的心路历程:从惊异、疑惧甚至排斥,到相识、理解乃至借鉴。而最为可贵的是,他们已经开始觉察到中西方文化存在着互补性,因而提出了一个著名的思想主张——"会通中西"论。

回眸中西文化陌路相逢的第一幕,尽管走过的历程是那么艰辛曲折,交流的活动又如此复杂多姿,然而它向人们昭示了一个真理:"沟通与交融"中西两大异质文化乃是中西交往跨时代的主题。

展望新世纪的世界文化格局,中西两大文化仍将是国际舞台的主角。尽管它们各自都面临着生产与发展的诸多重大问题,但是中西沟通无疑是双方与时俱进的必由之路,必将成为双方共同关注的焦点之一。现代科学的传播手段虽然已经把国际文化交流的时空紧缩到只具地球村的概念,中西交往犹如走门串户那样便捷,特别是 20 世纪 90 年代以来方兴未艾的计算机全球交互网络系统,更使中西交流近在咫尺,但是中西文化之间的差异依然存在(无论物质或精神上),甚至冲突也时有发生。毋庸置疑,真正实现中西沟通与交融的目标依然任重道远。

让我们从回首中西初识的第一回开始,去审视中西交往的历史轨迹,或许能从凝重的历史中获取某种理性思考的智慧,为迎接新世纪中西文化更大规模的交流提供历史的借鉴。

一 耶稣会士的"学术传教"与西学东渐

自 1583 年意大利耶稣会士利玛窦(Matteo Ricci, 1552—1610)入居肇庆开始传教,❶ 迄于 1775 年在华耶稣会接获罗马教廷命令正式解散,约二百年间,伴随着欧洲天主教传教士企图使中国福音化的努力,西方文化开始大规模输入中国,这就是学术界习称的明清之际的"西学东渐",并由此引起了中西两大文化在历史上的首度直接交汇。

明清之际沟通中西的主要媒介即是入华传教的欧洲耶稣会士。据法国学者费赖之(Louis Pfiste, 1833—1891)所撰列传统计(至 1773 年),在华的耶稣会士为 481 位(含附传),除了中国籍耶稣会士 78 位及其他亚洲国籍和不明国籍者约 10 名以外,❷ 其余

---

❶ 何高济等译:《利玛窦中国札记》第二卷第四章,中华书局,1983 年。

❷ (法)费赖之著,冯承钧译:《在华耶稣会士列传及书目》(*Notices Biographiques et Bibliographiques sur des Jesuites de L'ancienne Mission de Chine 1552—1773*,上海,1934.),中华书局,1995 年。经本人查对,该书传记编号共 467 个,实含副号 14 个,中国籍 78 位(其中一位或为日本人)均系原作者注明。

来华的欧洲耶稣会士约为 400 人左右。而另一位法国学者荣振华（Joseph Dehergne，1903—1990）增补为 975 位❶（至 1800 年），其中澳门籍 64 人，中国籍 75 人，❷ 其他非欧洲国籍者为 10 余人，这是迄今最为权威的统计数字。除了死于途中等各种原因并未实际入华者，大约有 700 多位西方耶稣会士到过中国活动。他们来自欧洲十几个国家，如康熙时代（1662—1722）真正入华的欧洲耶稣会士有 280 余人，其国籍分布依次为葡萄牙、法国、意大利、德国、比利时、荷兰、奥地利、西班牙、瑞士、波兰等国。❸ 如果加上明末至顺治年间（1644—1661）的来华人数，清初到中国活动过的欧洲耶稣会士至少不下 300 人。

同时，我们还必须考虑到来华欧洲传教士并非耶稣会士一家，其他还有来自多明我会、方济各会等修会及罗马教廷传信部的传教士，诸如黎玉范（Juan Bautista de Morales，1597—1664，多明我会士）、利安当（Antonio de Sancta Maria，1602—1669，方济各会士）、马国贤（Matteo Ripa，1682—1745，传信部直辖在华传教士）等人，也在明清间中西文化的交汇中扮演过重要角色。❹ 然而，不可否认，引

---

❶ （法）荣振华著，耿昇译：《在华耶稣会士列传及书目补编》（*Repertoire des Jesuites de Chine* 1552—1800，巴黎，罗马，1973 年版。又译为《在华耶稣会士名录》），《译者的话》，页 4，中华书局，1995 年。

❷ 荣振华在该书"入华耶稣会士国籍统计表"（中译本下册页 973—987）中所列"中国人（包括澳门人）"共为 133 人，并未注明澳门人数。但经本人据中译本逐条查对应为 139 人（包括依荣振华例，将少数设疑"中国或××国人"也计入中国人）。

❸ 以上各项统计均据荣振华《补编》"入华耶稣会士国籍统计表"。

❹ 黎玉范于明末来华，1643 年到罗马递呈有关中国礼仪的十七个问题的报告，导致 1645 年秋教皇通谕禁止中国天主教徒参加祭祖敬孔礼仪，从而首次将"礼仪之争"在中国之外揭开；利安当，明崇祯至清康熙初年在华传教，所著《天儒印》为天主教适应儒家学说之名著；马国贤，康熙末年来华，擅长传授西洋画法，雍正元年回意大利后，创办那不勒斯中国学院，以专收中国留学生为目的。可参见方豪《中国天主教史人物传》（中华书局，1988 年）等资料。

发中西双方首度大规模接触的这二百年间，无论在文化交流的层面上，还是深度上，耶稣会士的作用无疑是其他欧洲传教士难与匹敌的，这是历史事实。

耶稣会士成为明清之际西学东渐的首要担当者，在很大程度上是因明末利玛窦开创的"学术传教"（或称"知识传教"）策略所奠定的。利氏采取此种策略，既是他在中国传教实践的经验总结，也是基于他对明末中国社会的深入了解。他在1596年写给罗马一位神父的信中，提到了在华传教活动采取策略性措施的必要性：

> 中国十分广大，大多读书识字，写好的文章，但对所有外国人十分敏感，好像所有外国人皆能强占他们的领土似的，不让任何洋人入境。因此对传教事业十分不利，我们不能聚集很多人给他们布道，也不能声明我们来这里是为传扬天主教，只能慢慢的，个别的讲道不可。❶

关于这种带有权宜性色彩的传教方式的特点，笔者综合中外有关文献的记载，概而言之：它是以外表上迎合中国文化习俗为前提，其内涵则是利用西方科学文化知识，争取士大夫们的广泛同情与好感，以便跻身中国的上层知识界，并伺机打入宫廷，甚至企图归化皇帝，以期获取在中国社会传布天主教的威望。正如利玛窦在1596年致罗马一位神父的信中所言："现在我们所希望的，是无论采取什么方式，务必先获得中国皇帝的青睐，准许我们自由传教，假使能办到这一项，我敢说，很快能归化几十万、几百万

---

❶ 罗渔译：《利玛窦书信集》上册，页219，（台湾）光启社、辅仁大学出版社，1986年。

4

人。"❶ 而利玛窦实践这一策略所利用的主要工具正是西学著作，如他所说："因为所有教派多以书籍，而不以口讲作宣传；获取高官厚禄也是利用撰写佳作，而不是利用口才获得。"❷ 此举对明末士大夫颇具吸引力：

> 人们争相拉拢我们，有的刻印我们的作品，有的重刻我们的书籍，有的撰述欧洲风土人情的书，有的在自己的著作中引用我们的意见。对我们的教会、伦理、哲学与数学无不钦佩；至论《世界地图》每年都有出版，或单独印刷，或附在讨论地理的书籍之中。❸

"学术传教"的效果是耶稣会士始料未及的。利玛窦曾多次请求教会、教友从欧洲寄来书籍，甚至与利玛窦的传教主张有分歧的龙华民（Nicolas Longobardi, 1559—1654, 意大利人）也感叹"神父所寄来的书籍给我们带来莫大的荣誉"，承认"通达数学者，通达中国文字是吸引中国人信教的途径"❹。利玛窦在 1609 年（去世前一年）致耶稣会远东副省会长巴范济（Francois Pasio, 1551—1612）神父的书简中，汇报了他所设计的传教策略："请求中国皇帝恩准自由传教之事，就是我日夜所思所念，也可以说，是我多年希望能够获得到的。"为此他建议：

---

❶ 罗渔译：《利玛窦书信集》上册，页 219，（台湾）光启社、辅仁大学出版社，1986 年。

❷ 同上书，页 324。

❸ 罗渔译：《利玛窦书信集》下册，页 369。

❹ 《龙华民神父致罗马总会长阿桂委瓦神父书，1610 年 11 月 23 日》，见罗渔译：《利玛窦书信集·附录》，页 544。

利用良好读物与推理,对读书人逐渐介绍我们的教义,以此原则我设法使知识分子皈依成为教友,对象不是大批的民众;假如有一批知识分子或进士、举人、秀才以及官吏等进教,由于知识分子能进教,自然可以铲除一般人可能对我们的误会。如果我们有相当多的教友,那么就不愁给皇帝上奏疏了。❶

此后,明末清初入华耶稣会士从艾儒略(Julio Aleni, 1582—1649)、汤若望(Johann Adam Schall Von Bell, 1591—1666)到南怀仁(Ferdinand Verbiest, 1623—1688)又出色地将这种策略一以贯之,终于在清初铺就"通天捷径",直接打入中国社会的最上层,迎来明清间西学东渐的"黄金时期"。

事实上,利玛窦"学术传教"策略的制定及实施,与瞿太素(汝夔)和徐光启为代表的明末士大夫的启迪和协助是分不开的。利玛窦曾接受徐光启的忠告:刊印西书"是在中国惟一的传教和建立教会的方法"❷。包括利氏在内的明末入华耶稣会士译编的大量中文西学书籍,主要也是由徐光启、李之藻、杨廷筠等士人参与翻译、刊印和传播的。崇祯二年(1629),李之藻在杭州编刊第一部西学丛书《天学初函》❸,辑录 20 部介绍西方宗教与科学文化的中文著作,此书"在明季流传极广,翻版者数本"❹。同年,明廷谕令徐光启主持历局(后由李天经接任),正式开始了长达五年的翻译并参照西方天文学改革传统历法的活动。直接参加这项工程的耶稣会士有邓玉函(Jean Terrenz, 1576—1630)、罗雅谷(Giacomo Rho,

---

❶ 罗渔译:《利玛窦书信集》下册,页 408、页 410。

❷ 同上书,页 291。

❸ 《天学初函》,(台湾)学生书局影印,1965 年。

❹ 陈垣:《重刊灵言蠡勺序》,《陈垣学术论文集》第 1 集,中华书局,1980 年。

1593—1638）、汤若望等。至崇祯七年（1634）十一月，译著历书45种，共137卷，分五次进呈，即为《崇祯历书》。其直接成果是引进了以第谷（Tycho Brahe, 1546—1601）宇宙体系为基础的西方天文学。虽然终明之世，《崇祯历书》未得朝廷采用，但此书已有刊本行世。《天学初函》与《崇祯历书》的编刊，标志着明末的西学东渐进入了高潮。骎骎而入的西来之学，号为"天学"或"西学"，流播朝野，竟成明末学界名噪一时的新异之学。正如明人邵辅忠《天学说》所云："自神宗朝泰西利玛窦始倡天主之教，其所立言以天文历数著，一时士大夫争慕向之，遂名天学云。"❶

明末清初以传教士为媒介的西学东渐，其具体的传播渠道主要包括他们的口头传授、译撰中文著作、携入或自制西洋科学仪器等。当然中译的西学图书是当时西方文化东传的主要载体，西书的刊传也是最有影响的西学传播途径，故学术界常以欧洲传教士译编中文西学书籍的数量作为西学流播的重要标志。在耶稣会解散约10年后，清朝官方编成《四库全书》，其采进书目中收入了西书23部，存目中著录西书37部。❷ 梁启超在《中国近三百年学术史》中指出，当时"中外学者合译或分撰的书籍，不下百数十种"，而附表所列耶稣会士在华译著西书共321部。❸ 费赖之《在华耶稣会士列传及书目》统计西教士的汉文著作约有360多种。徐宗泽《明清间在华耶稣会士译著提要》卷九"译著者传略"所列72名西士的译著共有216部。侯外庐主编《中国思想通史》统计西士的中

❶ 邵辅忠：《天学说》，天主教东传文献续编，第1册页3，（台湾）学生书局影印再版，1986年。
❷ 许文德：《四库全书收录西书之探析》，台湾《国立中央图书馆馆刊》第23卷第1期，1990年。
❸ 梁启超：《中国近三百年学术史》，《梁启超论清学史二种》，页99、页126—137，复旦大学出版社，1985年。

文著作约 370 种,其中科技类占 120 种左右。❶ 美籍学者钱存训据
费赖之《在华耶稣会士列传及书目》和裴化行《欧洲著作汉译书目》
两书,统计耶稣会士的中译西书凡 437 部,其中宗教书籍 251 种,
占半数以上;人文科学 55 种,包括哲学、伦理、教育、语言文字、地
理等;自然科学 131 种,包括数学、天文、物理、地质、生物、医学、军
事等。❷

二　传教士的双重角色：宗教与科学

传教士入华的动机和目的无疑是其肩负的宗教使命,然而中
国社会人文环境的特殊性,迫使他们走上了"学术传教"的道路。
不管"学术传教"策略带有多少权宜性的色彩,历史却的确让欧洲
传教士扮演了传播宗教与科学的双重角色。

这里,笔者无意探讨宗教与科学的因缘关系,而仅仅是要揭示
一种历史的真实:耶稣会士的在华科学传播活动。同时,本文也不
想赘述耶稣会士在天文历学、数学、地理、物理、生物、医药、建筑、
语言、音乐、美术等自然与人文科学方面传播的所有内容,但要特
别指出,他们输入的对明清之际中国社会影响最大的西方天文历
学、数学和地理学知识,究竟是否具有科学的内涵和时代的价值?

在天文学方面,利玛窦所著《乾坤体义》(1605 年刊于北京)被
认为是当时欧洲天文学的百科全书克拉维斯(Christopher Clavius,
1537—1612,德国耶稣会士科学家)的《萨克罗博斯科天球论注释》

❶　侯外庐主编:《中国思想通史》第四卷下册,页 1254,人民出版社,1960 年。
❷　钱存训:《近世译书对中国现代化的影响》,《文献》1986 年第 2 期。裴化行
　　(Henri Bernard):《欧洲著作汉译书目》原文 "Les adaptaion chinoises d'ouvrages
　　europeens, 1514—1668",刊于 "Monumenta Sorica"(《华裔学志》)X(1945),页 1—
　　57、页 309—388。

(1561)的译编本。❶ 伽利略（Galileo Galilei，1564—1642）用望远镜作出的天文学新成果发表于 1610 年的《星际使者》，而阳玛诺（Emmanuel Diaz Junior，1574—1659）于 1615 年在北京刊行的中文著作《天问略》已择要介绍。《崇祯历书》引进了其精度明显高于哥白尼（N. Copernicus，1473—1543）体系的第谷宇宙体系，它对修订历法更为实用，且该书也采纳了开普勒（J. Kepler，1571—1630）的多种著作成果，并介绍了直接译自哥白尼《天体运行论》的地动之说。汤若望《历法西传》中还为哥白尼作小传并为《天体运行论》作了提要。❷《崇祯历书》的星表星图参考了西方第谷星表、巴耶尔（J. Bayer，1572—1625）星图（1603 年出版）、格林伯格（C. Grienberqer）星表（1612 年出版），而第谷星表是 17 世纪初欧洲最权威的星表。尤为可贵的是《崇祯历书》星表中记录的南天增星数据不仅在中国是首次，在世界上也可能是首次，而它们很可能是由耶稣会士来华途中测量的。❸ 崇祯初年徐光启的《见界总星图》则是明末引进西方天文学后由中国学者参与绘制的第一幅星图，它是近代恒星天文学理论和实践的产物，使中国的古星图发生了革命性的变化。❹ 国内研究者还在原"北堂藏书"中找到了耶稣会士们亲手使用过的西方科学家第谷、哥白尼、开普勒、伽利略、格林伯格等的著作底本。❺ 在《崇祯历书》编成后的一个世纪中，它几乎成了中国天文学家学习西方天文学的惟一源泉。❻

---

❶ 樊洪业：《耶稣会士与中国科学》，中国人民大学出版社，1992 年。

❷ 江晓原：《通天捷径——明清之际耶稣会士在华传播的欧洲天文学说及其作用与意义》，朱维铮主编：《基督教与近代文化》，上海人民出版社，1994 年。

❸ 孙小淳：《〈崇祯历书〉星表和星图》，《自然科学史研究》，1995 年第 4 期。

❹ 潘鼐：《梵蒂冈藏徐光启〈见界总星图〉考证》，《文物》，1991 年第 1 期。

❺ 江晓原：《通天捷径——明清之际耶稣会士在华传播的欧洲天文学说及其作用与意义》；孙小淳：《〈崇祯历书〉星表和星图》。

❻ 江晓原：《开普勒天体引力思想在中国》，《自然科学史研究》1987 年第 2 期。

9

在数学方面,传教士输入的西方数学有平面几何学、对数和三角学等。影响最大的是利玛窦、徐光启合译《几何原本》前六卷(1607年)。明末《崇祯历书》的译编又进一步引进了作为第谷天体运动体系基础的西方几何学和三角学,并立即得到广泛的应用。❶ 1631年由罗雅谷译成呈进的《测量全义》所依据的底本中,包括意大利数学家玛金尼的《平面三角测量》(1604年著)和《球面三角学》(1609年著)、德国数学大师克拉维斯的《实用几何学》(1611年著)、第谷的《天文学》(1602年著)等。❷

在地理学方面,利玛窦初入肇庆即展出了他带来的世界地图,接着又亲自绘制了中文的世界地图,使中国人第一次闻知地圆及五大洲说,这是对中国传统地理观念的首次冲击。明天启三年(1623)艾儒略著《职方外纪》,这是更为有力的第二次冲击。明末部分知识分子开始接受西方地理观念,这对后来中国地理学的发展,特别是世界地理观念的形成,具有深远的影响。

如何看待耶稣会士传入中国的科学知识,如何测定其历史影响和意义,中外学术界迄今仍有分歧。争论的焦点问题之一,究竟耶稣会士传入的西方科学是过时落后的,还是先进的? 上述揭示的天文、数学、地理学入传知识的科学内涵,已经包含了国内外学者新的研究成果,在一定程度上可以说明耶稣会士传播科学的水平,然而国内至今仍有学者对某些已经求证的事实视而不见,在此有必要进一步引述国外学者自80年代以来的研究成果,以便更加客观地认识耶稣会士的科学传播者角色。

经常用来指责耶稣会士传播落后知识的一个主要理由是:他

---

❶ 梅荣照:《明清数学史概论》,梅荣照主编《明清数学史论文集》,江苏教育出版社,1990年。

❷ 白尚恕:《〈测量全义〉底本问题的初探》,《科学史集刊》第11辑。

们没有及时地把西方近代科学的基石——哥白尼的日心地动说与开普勒、牛顿（I. Newton，1642—1727）的万有引力理论引进中国。对此日本学者山田庆儿的举证颇具说服力，他指出：哥白尼的《天体运行论》出版于1543年，当时"地动说只不过是一个假说，而且对它的重大意义，几乎没有人觉察到"，耶稣会士对华传播的天文学宇宙体系是哥白尼与开普勒、牛顿、托勒密（Ptolemy 公元2世纪古希腊天文学家，地心说创立者。）体系的折衷——第谷体系，但是"第谷体系的出现是1583年"，是利玛窦来到中国以后的事情。利氏向中国介绍的第一幅世界地图《万国全图》，其中"地球（圆）说的证明和地理知识的扩大明明白白都是大航海时代的成果，而地球假说则是由古希腊人提出的（按：指托勒密说）"。而作为"在近代科学中具有第一个确实基石地位的开普勒的《新天文学》于1609年出版，伽利略的《星界的报告》（原注：意大利文译本，英译本名为《星际使者》）于1610年出版"，利氏于同年去世，他不可能知道这些。因此，山田庆儿的结论是：利玛窦并未完全掌握近代科学知识乃是理所当然的事。他所知道的科学是古代中世纪科学，可以认为：在此范围内他把当时最有权威、最好的科学知识提供给中国。明末中西文化的接触是从近代科学形成的前夜开始的。

　　山田庆儿还特别解释了1742年清朝编成的《历象考成后编》为何仍然没有提到地动说和万有引力理论。他认为要理解这一点则必须考虑哥白尼和牛顿学说在欧洲的传播情况。山田庆儿认为，这两种学说的诞生日期分别为1543年和1687年，但在欧洲普遍得到承认并确立不可动摇的权威地位，是从18世纪20年代到30年代，而《历象考成后编》的编著者耶稣会士戴进贤（Ignatus Kogler，1680—1746）和徐懋德（Andre Pereira，1690—1743）都是1716年来中国的。牛顿主义在法国取得胜利，仅在他们编成《历象考成后

11

编》前几年的事情。他归结道:"牛顿力学被普遍接受需要五十年,哥白尼学说需要一百六七十年。"❶ 基于同样的认识,比利时学者罗歇·A. 布隆多(Roger A. Blondeau)也撰文指出,死于1688年的南怀仁,不可能传播牛顿定律,并且他又特别强调,"我们不应该忘记即使在欧洲,职业天文家也只是在17世纪的最后二十五年才产生的",因此他的结论是:"南怀仁和17世纪的耶稣会士,把他们能够了解到的欧洲已有的一切(科学)都提供给了中国。"❷

针对有人指责利玛窦只同意与徐光启合译《几何原本》前六卷此举为"蓄意隐瞒",中外学者也予澄清。山田庆儿指出,利氏译出《几何原本》前六卷所依据的版本,"是当时最有权威的欧几里德译注书",并且是他离开欧洲前四年刚出版的教科书。❸ 而据欧洲学者研究,《几何原本》最早的德译本、西班牙译本和瑞典译本都是六卷本。❹

显然,指责耶稣会士所传西方科学都属过时落后甚至"蓄意隐瞒"西方先进科学的说法是有失公允的。同时,我们更应该具体考察传入的西方科学对当时中国科学的发展起到了怎样的实际作用。以《几何原本》为例,这部数学名著虽然是古希腊数学家欧几里德在公元前3世纪编成的,但有许多学者认为该书所代表的严密的逻辑推理方法,是近代科学产生的重要前提之一。因此它对

---

❶ (日)山田庆儿:《近代科学的形成与东渐》(该文原为作者1983年来华讲演底稿),《科学史译丛》1984年第2期。

❷ Roger A. Blondeau: "Did the Jesuits and Ferdinand Verbiest Import Outdated Science into China?", *Ferdinand Verbiest*, *S. J*:(*1623—1688*)*Jesuit Missionary*, *Scientist*, *Engineer and Diplomai*, pp.53—54, Edited by John W.Witek, S.J., Steyler Verlag· Nettetal, 1994.

❸ 山田庆儿:《近代科学的形成与东渐》。

❹ T. L. Heath: The Thirteen Books of Euclid's Elements, Vol.I, p.107, pp.112—113, Cambridge, 1956. 转引自《徐光启研究论文集》,页51,学林出版社,1986年。

明末清初中国学者的影响不仅仅在数学上，而且在思想方法方面。《几何原本》所体现出来的那种逻辑推理的说服力，曾令徐光启等学者推崇不已，指出"能精此书者无一书不可精，好学此书者无一事不可学"，故认为"举世无一人不当学"。❶

三 明末士人对西学的反应

充满异质文化气息的西学，对明末士大夫来说有其因"异"而"新"的吸引力。据现存资料统计，与利玛窦交游的明末士大夫达140多人，❷ 而长期在福建传教的艾儒略曾得到71位明季朝野士人的赠诗(见《熙朝崇正集》)。❸ 自然，这些与西士结交的明末士人不乏有"好异"的动因，但明末士人对西学的理解和反应远非止于"好异"或"猎奇"的层面，相当一部分士大夫根据他们各自的文化修养、人生体验和价值取向对中西方的宗教和科学进行了深入的比较与思考，而且在理解、接受或拒斥西学上各叙己见、各异其态。

其中，态度鲜明地接受或反对西学的两派士人，均对明末清初的中西文化交流产生重要影响。前者以徐光启、李之藻等人为代表，他们对引进和吸纳西学尤其是西方科技表现出巨大的兴趣，而徐光启发出的"欲求超胜，必先会通"❹ 的呼声，凸显其作为早期启蒙学者的远见卓识，恰是明清之际面临西方文化挑战的中国知识界所能唱出的时代最强音。明末士人排拒、反对西学的声浪则

❶ 王重民辑：《徐光启集》，页76，中华书局，1963年。
❷ 林金水著：《利玛窦与中国》，中国社会科学出版社，1996年。
❸ 《熙朝崇正集》，天主教东传文献，(台湾)学生书局影印再版，1982年。
❹ 王重民辑：《徐光启集》，页374，中华书局，1963年。

以万历末年沈潅(字铭缜,号仲雨❶)发动的南京教案为第一高潮,而以崇祯年间闽浙僧俗士人发起的"破邪"之论为第二高峰。沈潅于万历四十四年(1616)农历五月、八月和十二月(已入 1617 年)在南京三次上《参远夷疏》,以邪说惑众、阴谋不轨等理由,请求明廷驱逐西教士,由此造成明末最大一次逮捕、驱逐西教士的运动——"南京教案"❷,此事距利玛窦去世整六年。1637 年,黄贞将他搜集到的闽浙士人拒斥西学的重要文书,汇编成《破邪集》,志在树立起一面反西教、反西学的大旗。约二年后,续由浙江绅士徐昌治编刻为《圣朝破邪集》八卷问世,且看黄贞打出的旗号:"我今日当起而呼号,六合之内,共放破邪之炬,以光明万世,以消此滔天祸水。"❸果如其言,此书以洋洋 10 万余言,站在维护圣学道统的立场上,掀起了明末士人全面批判、排斥天主教和西洋科学的浪潮。值得注意的是,黄贞不辞辛劳"奔吴越之间,幸得沈仲雨等诸公旧疏于沉晦之秋",刻意把 20 年前沈潅的《参远夷疏》等排教檄文置于集中。这表明从沈潅到黄贞,明末士大夫的两次排教运动具有内在的联系。显然,仅用仇外心理来解释明末士人反西学的动机,不免失之简单化。考察明末两次反西学运动的特点,不难发现,他们共同担忧并欲彻底排除的是西学对儒学道统的巨大冲击。沈潅忧患于"其说浸淫人心,即士君子亦有信向之者",而黄贞可愤于"今日缙绅大老、士君子入其邪说",故沈潅斥责西学为"儒术之大贼",黄贞则抨击西士"媚儒、窃儒而害儒"之说。❹ 可

---

❶ 《明史》卷 219"沈潅"传仅记其字为"铭缜"而无号,陈懿典《南宫署牍序》(作于 1620 年)、黄贞《破邪集自叙》(作于 1639 年)均称沈氏为"沈仲雨",见黄贞辑、徐昌治订:《圣朝破邪集》卷一、卷三,国内翻印本(无日期)。

❷ 事见沈潅:《参远夷疏》凡三、《发遣远夷回奏疏》,《圣朝破邪集》卷一、卷二。

❸ 黄贞:《破邪集自叙》,《圣朝破邪集》卷三,页 22。

❹ 沈潅:《参远夷疏》之一,《圣朝破邪集》卷一,页 6、页 9;黄贞:《请颜壮其先生辟天主教书》、《尊儒亟镜叙》,《圣朝破邪集》卷三,页 10、页 12。

见,沈、黄拒斥西学是由中西两大文化冲突的客观形势决定的,它与主观上出于民族狭隘心理或一己私利而采取的盲目排外行动,应当有所区别。当然,由于从万历末年到崇祯末年,随着时间的推移,西学传播的形势也发生了很大的变化,其主要标志是崇祯年间明廷已正式同意利用西士与西法,改革传统旧历法,即在某种意义上,西学已经部分获得了合法的地位,这在明末正统士大夫看来是实足的"用夷变夏"。因此,沈、黄在实施排教的手段上各有侧重,如果说沈潅发动的"南京教案"依仗的是政治强力,那么《破邪集》派采用的则是口诛笔伐。前者以斥逐西学的传播者西教士为目标,后者则以排拒流传的西方文化为宗旨。因为在黄贞等人眼中,西方异质文化对儒学道统的威胁,已不再单单来源于欧洲传教士,而且还来自号为"西夷"之"爪牙"的迎奉西士的中国人,即所谓的"华夷"❶。这说明随着西学入传的深入,明末士大夫与志在"补儒"、"超儒"的西学之间,发生文化上的激烈对抗是不可避免的。

明末拒斥西学的浪潮几与西学东渐的高潮同步,这足以说明中西文化相遇后因其深刻的本质差异而引起的碰撞相当激烈。而明末的中西之争,甚至在明王朝覆亡之后,其余波仍一直流动在南明统治下的东南一隅。继起的清初士大夫踏着明末士人回应西学的足迹,又将中西文化交汇的规模和深度推向新的阶段。

四 本专题的国内研究概况

传承千年的中国文化与创造近代文明的欧洲文化在16—18世纪的首次相遇,无疑是近现代中西文化更大规模交流的开端,

---

❶ 黄贞:《尊儒亟镜叙》,《圣朝破邪集》卷三,页12。

15

尤其是进入 20 世纪以来，随着中国学术界自我觉醒意识的增强，开始总结与反思中西交往的历史，研究和分析西学东渐对中国学术文化的影响。从 20 世纪二三十年代开始，学术界已经作了不少研究。梁启超是最早关注这一课题并有卓然高见的学者之一，他在 1920 年著成的《清代学术概论》与 1923 年至 1925 年间所撰《中国近三百年学术史》中，首次提出西学东渐对明末清初的启蒙学者带来了一种新的"学问研究方法"，"其初惟治天算者宗之，后则渐应用于他学"。❶ 他且将欧洲历算学之输入视作明末"一场大公案，为中国学术史上应该大笔特书者"❷。其后，向达对东来西洋美术之流播，徐景贤、罗常培对西教士在音韵学上的贡献，张星烺、张荫麟、唐擘黄对输入西洋历算及其影响的述评，洪煨莲、陈观胜对利玛窦传播世界地图的考论，徐宗泽在传教史方面对西方天主教入华及西方文化对中国学术思想之影响的综述，❸ 均从中西文化首度交汇的主要接触点上探讨西学东渐的影响。陈受颐则对明末清初士人对西学的各种反应作了归类分析，而期间最为深入的研究成果当数陈垣先生的《汤若望与木陈

❶ 梁启超：《清代学术概论·九》，《梁启超论清学史二种》，页 23。

❷ 梁启超：《中国近三百年学术史·一》，《梁启超论清学史二种》，页 99。

❸ 向达：《明清之际中国美术所受西洋之影响》，《东方杂志》第 27 卷第 1 期，1930 年 10 月；徐景贤：《明季之欧化学术及罗马字注音考释》，《新月月刊》第 1 卷第 7 号，1928 年；罗常培：《耶稣会士在音韵学上的贡献》，《历史语言所集刊》第 1 本第 3 册，1930 年；张星烺：《欧化东渐史》，商务印书馆，1934 年；张荫麟：《明清之际西学输入中国考略》，《清华学报》第 1 卷第 1 期，1932 年；唐擘黄：《明末清初西来天算对于清代学术的影响》，《中山文化教育季刊》第 3 卷第 2 期，1936 年；洪煨莲：《考利玛窦的世界地图》，《禹贡》第 5 卷第 3、4 合刊，1936 年；陈观胜：《利玛窦对中国地理学之贡献及其影响》（同上）、《论利玛窦之万国全图》，《禹贡》第 1 卷第 7 期，1934 年；徐宗泽：《中国天主教传教史概论》，上海土山湾印书馆，1938 年。

态》、《吴渔山生平》、《雍乾间奉天主教之宗室》等论文。❶ 此后至
80 年代之前,则以方豪(台湾)的《中西交通史》、《六十自定稿》及
续编、《中国天主教史人物传》(1973 年,中华书局 1988 年重版)为
代表。

自 20 世纪 80 年代以来,随着东西方交流新局面的来临,中国
学术界认识到对明末清初两百年间展开的中西文化的冲突与融
合,从文化交汇的不同方面、不同领域进行深入的探讨,进而思考
和总结中西文化关系的历史经验和教训,颇具学术研究的理论意
义和现实意义。因此,这一课题成为国内学者乃至国际学术界讨
论的热点。❷

经笔者粗略统计,1980 年—1999 年间,仅大陆出版的有关论
著、译作(包含仅有专门篇章论及的著作)约在 150 部以上,论文则
在 1000 篇以上。❸ 特别值得一提的是大陆学术界在资料整理与
专题研究两个方面,取得了重要进展。如在资料的搜集、整理和翻
译出版方面的成果主要有:《康熙皇帝》,[法]白晋(Joachim Bouvet,
1656—1730)著,赵晨译,黑龙江人民出版社 1981 年版;《徐光启著
译集》,上海文管会主编,上海古籍出版社 1983 年版;《利玛窦中国
札记》,何高济等译,中华书局 1983 年版;《清代西人见闻录》,杜文

---

❶ 陈受颐:《明末清初耶稣会士的儒教观及其反应》,《国学季刊》第 5 卷第 2 期,
1930 年;《陈垣学术论文集》第 1 集,中华书局,1980 年、《陈垣史学论著选》,上
海人民出版社,1981 年。

❷ 有关这一课题的近期研究动态,可参见黄一农:《明末清初天主教传华史研究
的回顾与展望》,台湾《新史学》第 7 卷 1 期,1996 年;耿昇:《16—18 世纪的中学
西渐和中国对法国哲学思想形成的影响》,《中法关系史论》,杭州大学出版社,
1996 年;莫小也:《近年来传教士与西画东渐研究动态》,《中国史研究动态》
1996 年第 11 期。

❸ 参见拙编《耶稣会士与中西文化交流论著目录 1980—1999》(大陆中文类),刊
于《东西交流论谭》第 2 辑,上海文艺出版社。

凯编,人民大学出版社 1985 年版;《王徵遗著》,李之勤编,陕西人民出版社 1987 年版;《历史遗痕——利玛窦及明清西方传教士墓地》,林华等编,人民大学出版社 1994 年版;《洋教士看中国朝廷》,朱静编译,上海人民出版社 1995 年版;《在华耶稣会士列传及书目》,(法)费赖之著,冯承钧译,中华书局 1995 年版;《在华耶稣会士列传及书目补编》,(法)荣振华著,耿昇译,中华书局,1995 年版;谢方《职方外纪校释》,中华书局 1996 年版,等等。尤其是翻译出版了一批国际知名汉学家的研究成果,如《中国和基督教》,(法)谢和耐著,耿昇译,上海古籍出版社 1991 年版;《明清间入华耶稣会士和中西文化交流》,(法)安田朴·谢和耐等著,耿昇译,巴蜀书社 1993 年版等。近年更有大批正在进行或即将刊出的译作,如《耶稣会士中国书简集》等。

至于在专题研究方面,自 90 年代以来更是大有进展,出现了一批有学术分量的专著和论集:如在西洋科学的入传及其影响方面,有樊洪业著《耶稣会士与中国科学》,中国人民大学出版社 1992 年版;梅荣照主编《明清数学史论文集》,江苏教育出版社 1990 年版等。在中学西传方面,有范存忠著《中国文化在启蒙时期的英国》,上海外语教育出版社 1991 年版;谈谭著《法国重农学派学说的中国渊源》,上海人民出版社 1992 年版等。另外在过去研究不足的西洋艺术东传方面,也有不少新的成果。❶ 而对于明清之际中西文化交汇的深层次研究方面,最为突出的成果有:陈卫平著《第一页与胚胎——明清之际的中西文化比较》,上海人民出版社 1992 年版;孙尚扬著《基督教与明末儒学》,东方出版社 1994 年版;林金水著《利玛窦与中国》,中国社科出版社 1996 年版等。

---

❶ 莫小也:《近年来传教士与西画东渐研究动态》,《中国史研究动态》1996 年第 11 期。

值得特别指出的是,如何评价耶稣会士传入的西方科学的历史价值问题,曾长期困扰中外学术界。大陆学者自80年代以来对这一课题的研究已有相当进展,许多学者已不满足于仅从传播者的背景和动机中泛泛而论,而是从科学传播史的角度挖掘大量的实证材料进行考评。尤其是国内的科技史研究者,在有关耶稣会士传入西方科学的实际水平、对中国科学发展的实际影响方面,已有相当扎实和深入的研究,例如关于《崇祯历书》引进的西方天文历学的先进性问题,即有学者从追溯其西学源头与考察其在华流传两个方面入手,澄清并纠正了过去学术界的一些论点。❶ 诸如此类的个案研究,为正确评价西教士传入西方科学的历史意义提供了新的论据。

五　本书的研究宗旨

站在中国学者的立场上关注中西文化的首次正面碰撞,具有重要意义的、更值得研究的是西学东渐对明清之际中国社会产生的影响,而作为中华传统文化主要传承者的明清士大夫对西学的反应,无疑最能体现中西两种不同文化交汇时冲突与调和的程度。

明末清初的西学东渐正好发生在中国历史上一个被称为“天崩地解”的时代,其时政治、社会、思想、学术各方面均经历着剧烈的变动,清初更是这种大变动进入高潮并渐趋重新整合的时期。本书选取清初(康熙以前)士人与西学的关系为主题,其当初的动机是想探悉西方文化究竟对清初知识界产生了多大的冲击,而清初士大夫们又是如何迎接西方异质文化的挑战,清初士人对西学

---

❶　参见页9所引各论文。其他有关入传西方科学的研究成果,可从笔者编辑的《耶稣会士与中西文化交流论著目录》中找到线索。

的反响又在多大程度上影响到当时激荡着的学术文化思潮。

为此,本书将在前人研究的基础上,进一步搜集与发掘史料,期望在更加充分的占有客观史料的基础上,以一种求真的态度,力图更为确切地概述清初西方文化入传的背景与渠道,更为全面地揭示清初知识界的各层次人士对西学东渐的各种反应,并通过个案的比较与综合的分析,考察清初士人回应西学的立场、观点和方法之异同及其对清代社会学术文化所造成的影响,探知清初中西文化交汇的发展轨迹与历史启示。

当然,由于清初士大夫是一个庞大的群体,笔者不可能将所有接触过西学的士大夫一一加以研讨,可行的方法是选择其中的代表人物及其言论进行分析讨论。又因本书探讨的主体是与西学有关的中国士大夫,因而不可避免地需要从大量的丛书、文集、笔记、日记、年谱、方志和诗文别集等各类著述中爬梳史料,但是一个现实的困难是需要搜集的文献数量大到难以估量,而靠个人在一定时间内所能涉猎的范围显然是十分有限的;同时又由于本研究专题涉及西方异质文化对中国传统文化的冲击,故不少原始资料在历史上的流传过程中即因政治立场与文化观念等因素,被有意识地隐晦、删节甚至窜改,往往出现同一作者的同一种文献有关西学的资料,要经过多个版本的搜寻与比较才能得到,因此史料的甄别、辑录与考订显得十分必要。鉴于上述情况,尽可能广泛而仔细地搜集各种真实的史料,进而透过这些零散而有限的资料作出合理的分析,尽量得出有说服力的结论,这将是笔者努力追求的目标。

第一章 清初西学东渐与实学思潮

明清鼎革之际,在华耶稣会士的天学传播事业面临着时局变迁的挑战,西学东渐的主渠道到了非接续不可的关口。身处政局骤变中心北京城内的汤若望,在崇祯朝即获赐"钦褒天学"与"旌忠"两块匾额,❶ 业已成为明末西教士实践"学术传教"策略之骨干。他处变不惊,凭着十多年来对中国传统文化的了解,找准在中国有特殊政治文化功能的天文历算作为与新朝联系的主要接触点,主动争取到钦定的"通天"官职,❷ 成为中国历史上第一位钦天监的洋监正,并在特定的历史条件下充当了特殊的政治与宗教角色,因缘际会地成为明清之际西学东渐承前启后的桥梁。汤若望晚年选中的得力助手南怀仁,出色地担当了"通天"角色的继承者,利用其充当康熙帝西学启蒙师所取得的信任,积极地促成清朝廷在"历狱"事件后调整了对天主教的政策,重振其在华传教事业。接踵而至的法国耶稣会士白晋(Joachim Bouvet, 1656—1730)、张诚(Joannes Franciscus Gerbillon, 1645—1708)等欧洲传教士,踏着汤若望、南怀仁铺就的

---

❶ 黄伯禄:《正教奉褒》上册,页17,上海慈母堂第三次排印本,1904年;徐光启等编译:《新法算书·缘起八》卷八,页36,影印文渊阁四库全书,(台湾)商务印书馆,1986年。

❷ 林金水先生曾阐发"通天"之三重含义,江晓原《通天捷径——明清之际耶稣会士在华传播的欧洲天文学说及其作用与意义》则从天文学角度审论,参见朱维铮主编:《基督教与近代文化》,上海人民出版社,1994年。

"学术传教"(或"知识传教")通道,继续将西方科学文化源源输入东方古国,迎合着清初高涨的实学思潮与一代明君康熙帝的西学旨趣,终于造就了康熙朝约四十多年西学传播的"黄金季节"。

一 汤若望的"通天"角色与"学术传教"

面对明末政局不可避免的更迭之势,西教士因时制宜,积极把握社会剧变与重组的机遇,纷纷投靠几个分立并争的政坛新主,寻求实现其宗教使命的出路。期间,以汤若望为代表的西教士们,审时度势,充分展示了他们对中国政治形势的适应能力。

1. 选择效命新主

原在成都宣教的利类思(Louis Buglio, 1606—1682)与安文思(Gabriel de Magalhaens, 1609—1677),因信服张献忠"其才足以治国",憧憬他许诺"将来吾当为尔等建筑教堂,奉祀天地大主"❶之前景,而甘心为大西政权制作天文仪器与翻译历书,获赐"天学国师"的尊衔。❷ 瞿安德(纱微)(Andre—Xavier Koffler, 1613—1651)为南明永历政权掌钦天监事,且在永历奉教权臣庞天寿的协助下,使数位皇族成员领洗入教,而他以西法编制的新历于永历三年(1649)正月获准颁行,❸ 这是入华耶稣会士第一部正式获得中国政权认可的西历。永历四年十月,王皇太后(教名烈纳)还遣耶稣会士卜弥格(Michel Borm, 1612—1659)携其致教皇和耶稣会总会长

---

❶ (法)古洛东著:《圣教入川记》,页23,四川人民出版社,1981年。

❷ 魏特著、杨丙辰译:《汤若望传》,页227,(台湾)商务印书馆,1949年;费赖之著、冯承均译:《在华耶稣会士列传及书目》,中华书局,1995年。

❸ 方豪:《中国天主教史人物传》上册,页302—304,中华书局,1988年;王夫之:《永历实录》卷一,上海古籍出版社,1987年。

的信函出使罗马。❶ 从两封国书的行文中均自称南明"主臣等悉知敬真主耶稣",并要求多派会士到中国传教来看,耶稣会士在南明的扬教活动颇有成效。然而,因大西农民领袖对洋教士的疑忌与南明小朝廷的短祚,使得西教士在这些政权中草创的传教基业付诸东流。

汤若望早在明廷覆亡前夕就说:"如果这个皇帝不在了,会再来一个,对我也许比他更好。"❷ 这份自信既来自于他对中国社会政治体制的深刻理解,也源于他对利玛窦的在华传教策略已能把握自如。由此看来,他坚守北京天主教堂,除了看护教堂财产以外,其主要动机当为择机投靠新朝。

1644 年 3 月,尽管攻占北京的李自成农民军表示了对"远臣"的某种宽厚,但汤若望对这位政坛新主却并无好感,私下以"强盗们"来称呼农民军,以"土皇帝"讥称李自成,❸ 因此可以推想,他对天主教会与大顺农民政权建立良好关系并不抱什么希望。

顺治元年五月二日清军入主北京,数月来一直镇定自若的汤若望,在多尔衮下达强制北京城内居民全部搬迁的谕令后,坐不住了,立即作出了反应,于五月十一日具奏亲呈。❹ 奏文措辞得体,很可能经过中国士人的润色,但却真实地表达了汤若望的心迹:拥

---

❶ 方豪:《中国天主教史人物传》上册"王太后"等传、"卜弥格"传;沙不列撰、冯承钧译:《卜弥格传》,(台湾)商务印书馆 1950 年。

❷ 张力、刘鉴唐:《中国教案史》,页 53,四川社会科学院出版社,1987 年。

❸ 魏特著、杨丙辰译:《汤若望传》,页 212—213。

❹ 见中国科学院图书馆藏《汤若望奏疏》第 6 册,页 1—3,共 8 册,明末治历疏稿编为 5 册,自崇祯二年九月十三日敕谕徐光启治历,至崇祯十七年李天经奏疏,入清汤氏历法奏疏编为三册(第 6、7、8 册),自顺治元年五月十一日,迄顺治十七年二月初一日,但缺顺治三年至五年奏疏,第 6 册页码单列,第 7、8 册连续。以下引文未注或只注上疏时间者均出此本。个别内容校以北京图书馆藏《西洋新法历书》第 1 册、第 2 册汤若望"奏疏"。

护新主,请留原处,自荐效命。他称满族入主为"此乃天主上帝宠之四方,隆以君师之任,救天下苍生于水火者也"。又颇有胆略地亮明他曾为前朝遗臣走卒的身份和经历,"于崇祯二年间,因旧历舛讹,奉前朝敕旨修政历法,推测日月交食、五星躔度,悉合天行。著有历书表法一百四十余卷,并测天仪器等件向进内庭,拟欲颁行",而他又特别陈述了其现实处境:

> 臣八万里萍踪,一身之外,并无亲戚可倚,殊为孤孑堪怜。且堂中所供圣像,龛座重大,而西方带来经书不下三千余部,内及性命微言,外及历算、屯农、水利,一切生财大道,莫不备载。至于翻译已刻修历书板,数架充栋,诚恐仓猝那移,必多散失。而臣数十年拮据勤劳,无由效用矣。

从字里行间不难看出,汤若望借陈请留住教堂之由,巧妙地提醒新主特别关注备载一切生财之道的西书西学,主动表白了欲以西方科技为新朝"效用"的诚意。令汤若望幸运的是,首先接待他的是力主清朝入关后保护并且适应汉族文明的满族大学士范文程(字宪斗,1597—1666)。范在阅完奏疏后,又向汤若望作了"关于教堂和他的天算工作的问讯"❶。对于这样一位主动输诚且有一技之长的先朝远臣,范文程自然乐于笼络。他让汤氏在第二天就领到了由摄政王颁给的清字令旨一道,"张谕本堂门前"。随即清廷内院又应若望之请,赐发告示,允其张贴于天主堂及教会各处房产,终使北京传教会"巩固了她的存在"❷。

---

❶ 魏特著、杨丙辰译:《汤若望传》,页221。
❷ 《明清史料》丙编第三本,页255,魏特《汤若望传》,页222。

满族新贵的善待，促使汤若望积极地争取在清朝继续推行"学术传教"事业。五月二十三日，汤若望再次上疏（页4—5），具陈历局在崇祯朝的译书、制器、测算之功，吁请清廷采行新法历书，"幸恭遇大清一代之兴，必更一代万年之历"，并将在编历局官生职衔列册进呈，恳求准其"在局照常修改，推算施行"。多尔衮当日即作批复，为历局官生"开粮"。自此，汤若望借其西洋历算知识开始为清廷效命。

2. 竭力争取"通天"角色

众所周知，中国历代王朝之更替，往往视定都、颁历为新朝定鼎的首要标志。顺治元年六月十一日，多尔衮（1612—1650）与诸王贵族大臣会议建都燕京，入主中原，❶ 授时定历遂成为标榜清朝"奉天承运"之急务。汤若望明了，西洋历法要取得清廷的信任与采纳，还必须要做大力的宣扬，尤其是与旧历的比试验证工作，因此他在开始几个月的奏疏中曾反复强调西法之优越性，称西法推测"悉合天行"，"全书（按：指《崇祯历书》）阐明千古未发之秘"（五月十一日疏，页1—3），诸种仪器经前朝"内庭亲测，在天行度屡与新法吻合"（五月二十三日疏，页4—5），所推日月交食、五星躔度，"业蒙内庭亲测，洞鉴新法屡屡密合于天矣"（六月二十二日疏，页6—9）。汤若望的竭力宣讲，确实使清廷留下良好印象，在其所颁令旨中即称"旧历岁久差讹，西洋新法屡屡密合，知道了"（同上疏）。七月初四日，摄政王颁谕：

> 治历明时，帝王首重，今用新法正历，以敬迓天休，诚为大典，宜名时宪历，用称朝廷宪天义民至意，自明岁顺

---

❶ 《清世祖实录》卷六，顺治元年六月丁卯，中华书局影印本1985年。

25

治二年为始,即用新历颁行天下,监局各官仍公同证订新
法注历,作速缮写装潢呈览。❶

清廷虽已决定颁行《时宪》新历,但仍未明确采用西法定历。
不过汤若望宣扬的西法密合天行既已给清朝新贵留下了深刻的印
象,多尔衮又宣布从明年开始颁行新制历书,且要求当时主旧法的
钦天监与主西法的历局共同"征订新法注历",可见统治者已略显
倾向于采行西法。

汤若望遂抓住时机,进一步向清廷举证西洋历法的精确。他
以顺治元年八月初一丙辰朔食为实例,先于六月二十二日具奏:依
西洋新法所推八月初一日京师应见日食时限和起复方位,以及十
六个地区(含高丽)将见日食多少先后之数据,一并开列进呈,且请
多尔衮届时遣官测验。当他得知新历取名《时宪历》后,即于七月
初九日具疏表示要夜以继日地推算新法民历样本,数日内即可先
行进呈,并将新法测天仪器浑天银星球一座、镀金地平日晷与窥远
镜各一具及舆地屏图六幅、诸器用法一册,恭进多尔衮"鉴览"。次
日即获旨:"这测天仪器准留览,应用诸历,一依新法推算。其颁行
式样作速催竣,进呈礼部知道。"(页13—14)至此以西洋新法造
《时宪历》已获清朝钦定的合法性。但清廷仍未完全摒弃《大统》、
《回回》旧历。

汤若望随即率历局官生从速推算新历,为争取时间,若望曾不
惜垫支官生的食宿费及制历书样本所需费用(据八月十一日疏,页
31)。至七月十九日,终将推注之新法民历式样一册"装潢告成"恭
进,两天后得旨称此新历"果为精确"(七月二十日奏疏,页15—

❶ 《清世祖实录》卷六,顺治元年七月丁亥,同见《奏疏》第6册,页10—11,"移
文"。

16)。紧接着，他又数日"连赴礼部，共讨历法新旧之异同"，抨击《大统》、《回回》旧历之种种"矛盾"与"谬错"(七月二十五日奏疏附礼部移文，页19—23)。七月二十八日，冯铨奉旨率李正茂前赴观象台，督历局官生公同测验(页24—25)。八月初七日，多尔衮据冯铨督察西法、大统、回回三历实测八月初一日食的结果，颁旨称：

> 览卿本，知远臣汤若望所用西洋新法测验日食时刻、分秒、方位，一一精确，密合天行，尽善尽美。见今定造《时宪》新历，颁行天下，宜悉依此法为准，以钦崇天道，敬受人时。该监旧法岁久自差，非由各官推算之误，以后都着精习新法，不得怠玩。(冯氏八月初二奏，初七旨，页28—30)

至此，摄政王多尔衮已经摒弃了钦天监内大统、回回历科的制历权，且令旧法历官也必须学习西洋新法，可见西洋新法的官方地位正式确立。初八日，礼部奉旨令"汤若望即督率监局官生，用心精造新法，以传永久"(该条不见中科院本，此据北图本)。它标志着汤若望正式获得了清朝的治历之权。

挟西洋新法为清廷首肯之声望，汤若望又获得了一个进一步巩固新法地位的良机。八月中旬清廷命内院大学士冯铨出面，以是否精习新法为准，考究裁汰钦天监各科并回回科官生，八月二十一日冯领旨督办(八月二十五日奏疏，页37—41)。当时应参加考试的官生共约八十余人，结果有新旧历法均茫然不知而避考不到者，当即裁汰。部分年暮体衰者，则考其子弟精勤者替补。其余未精西法的潘国祥等多数官生，均获宽限三月学习以备再考。经过此次整顿，虽然并未使钦天监成为清一色的西法派，但西洋新法在这一清朝官方治历机构中的独尊地位业已确立。

顺治元年九月十六日，多尔衮谕令汤若望率监局官生为登极大礼与告祭太庙社稷礼选择吉期（页42）。二十日，汤若望即奏报预择三个吉期，内院选定十月初一日行登极大典（页43—45）。这是汤若望首次承担中国传统天文官"通天"择日之职责。十月初二日，清帝正式传令钦天监递呈顺治二年《时宪历》"给赐百官，颁行天下"❶。汤若望竟然在清朝入主北京刚满五个月之际，即成功地实现了西教士在明末崇祯朝以西法改历十五六年却未终了的宿愿。

为了维护西洋历法在新朝中初创的地位，汤若望一方面着手详订明末编译的《崇祯历书》，经过一年寒暑，将其改编成《西洋新法历书》一百卷，且于顺治二年十一月十九日呈上由他捐资刊刻的十三套新法历书，同时奏请"伏望宣付史馆，用著本朝历法度越前代，为亿万年历数无疆，永以为训"。十二月二十一圣旨称誉历书"考据精详，理明数著"，"创立新法，勤劳懋著"，并准其所请，传令天文官生"用心肄习，永远遵守"❷。另一方面，则有意培育钦天监官生作为传播西学的骨干。顺治元年十月末十一月初，汤若望以"正朔新颁，适会圣主登极"为由（十月二十三日疏，页51—53），恳请皇上大颁恩诏，主动为21名参与新历制定者请功，意在利用朝廷叙劳行赏，奖掖传习西学的监生。提请首叙者5名，其中朱光大、宋发、李祖白等人，均系历局中拥护西法派的要员。次叙者9名中朱光显、刘有庆、贾良琦3人曾从耶稣会士学习西法，是钦天监中最早通新法者。其余宋可成等数人及附叙者7员，大多为原历局官生。这批受奖人员，后来有不少成为西洋天学的坚定奉护者，因而亦为清初反西学士大夫重点排击的对象，在康熙三年爆发

❶ 《清世祖实录》卷九，顺治元年十月。
❷ 《汤若望奏疏》卷首，中科院本。

"历狱"后，于次年（1665）被杀的5名钦天监奉教官生有4名即是此次首叙与次叙中的人员（李祖白、宋发、宋可成、朱光显）。

顺治元年十一月二十六日，清帝下旨"钦天监印信著汤若望掌管，凡该监官员俱为若望所属，一切进历、占候、选择等项，悉听掌印官举行，不许紊越"（十一月二十五日疏，页66—69）。至三十日礼部移文照办（页71），次日若望即因出家人立志"誓绝婚宦，决无服官之理"而坚决疏辞，然圣旨未准（十二月初一疏，页72—73）。若望又于十二月初七日再疏则语气大为婉转：

> 今既复奉圣旨，臣又念历法创新，监规允宜整顿，叠奉恩纶义不敢后，合无请给臣督理钦天监关防一颗，或复古太史院敕谕一道，暂为料理，而该监印信缴部收贮，庶治历之责与学道之志可以并行而不悖矣（页75—76）。

此疏最为意味深长之处，莫过于若望让清廷授以"关防"代替"监印"。所谓的关防之制起于明初，是指发给临时派遣官员所用的一种长方形官印。后来，清朝之地方督抚、钦差等官皆用关防。❶
"关防"与"监印"的区别仅仅是官员授任的名分之别（即临时与正式官差之别），朝廷命官的性质并无改变。若望之意图显然是想以临时掌理历法之名，淡化"官"的色彩，但即便如此，也不能真正化解其与"绝仕"教规的冲突。如此看来，若望之请求岂非近乎自欺的掩饰。显然，汤若望不会不知道"关防"的性质，由此推知，他请换印信的建议，实质上无非是给清廷表达一种姿态：其所奉"绝宦"之信条是可以变通的！然而，清廷并没有满足汤若望的变通要求，这或许多半也是在他意料之中的结果。因为当他不能一厢情愿地

---

❶ 顾炎武：《日知录》卷九"关防"；《大清会典事例》卷321—323"礼部铸印"。

求得他所设想的"治历之责与学道之志可以并行而不悖"时,他只得舍末求本,为了其矢志不渝的传教事业不惜悖离"绝宦"之教规,居然走马上任,接受了朝廷命官之职——钦天监监正,并且还是自己保管"监印"。❶ 事实上,当时在北京的耶稣会传教会会长傅泛济(Francois Furtado, 1587—1653),出于教会的利益,也曾明确支持汤若望接受这一官职。❷ 不久,汤若望即以监正身份,受命"整顿监规",重新将钦天监编制、职衔造册呈进,经顺治二年二月内院审定,他把原历局人员大多纳入到钦天监历科的正式编制内。❸ 至此,西教士与奉教天文官生已全面掌控清朝官方历法机构,从而为汤若望在清初充当其特殊的"通天"角色奠定了基础。

3. 藉"通天"以"通神"

受"天人感应"说的深刻影响,中国古代观测天象的主要目的是希望从天体的运行变化中体察人间世事的吉凶祸福。主要承担观测天象、推算历法任务的中国历代皇家天文机构,尽管取得过不少天文学上的科学成果,但就其实质而言,它从一开始就不是一个科学机构,而是政治机构,是统治阶级通天通神体系中最重要的组成部分之一,因而历法和星占术一样,只是通天、通神的一种手段。❹ 汤若望在明清易代之非常时期,把握新朝登基例颁新历、改奉正朔之良机,主动向王朝新主验证西洋历算之精确,终于被统治者选中充任通天、通神的角色。而汤若望担当这一角色的特殊性,

---

❶ 据谈迁:《北游录·纪闻上》记云:"大欧罗巴国人汤若望,今官太常寺卿,管钦天监印务",时为顺治十二年(1655),页 277,中华书局,1960 年。

❷ 魏特著、杨丙辰译:《汤若望传》,页 239。

❸ 黄一农:《汤若望与清初西历之正统化》,收入吴嘉丽等主编《新编中国科技史》下册,(台湾)台北银禾文化事业公司,1990 年。

❹ 江晓原:《中国古代历法与星占术》,《大自然探索》1988 年第 3 期。

30

不仅在于他以一名外国人的身份,用外来的历法,掌理中国封建王朝中具有特殊政治地位的通天机构,而且更指他借助"通天"角色的政治声望,铺就一条在天朝上国传播天主教义的"通天捷径"。

汤若望对他肩负的角色意义十分明了,并始终谨慎地协调其政治与宗教的双重角色。从他在清初获得的荣典可以证实,他扮演的通天角色相当成功。他从顺治元年正五品的钦天监监正开始,到顺治十二年已加至二品通政使司通政使,而其封阶则从顺治八年的正三品通议大夫,一直升至康熙元年(1662)的一品光禄大夫。与此同时,他又多次获赐嘉名与恩施,先后有顺治七年的赐地重建天主圣堂,顺治九年的御赐天主堂"钦崇天道"匾额,顺治十年敕赐的"通玄教师"名号,以及顺治十四年的御制"天主堂碑记"并御书"通玄佳境"堂额。❶ 汤若望在顺治朝所得的各项礼遇,是清廷在封赠与考课制度下因其通天之功依例赐给的,这也是汤若望所期望的通天角色的政治价值。

特别值得指出的是,汤若望不仅对其来之不易的政治地位十分珍视,而且其获取也并非一概被动接受,更不能说成是强予的。❷ 1648 年(顺治六年),汤若望为了保全其政治声誉,没有出面解救被清军俘虏的利类思、安文思二神父。利、安对此一直耿耿于怀,第二年五月二十日即由安文思起草了一份列数汤若望十一条罪状的敦促书,其中之一即指责他接受为教会和修会所禁止的官差官职,并要求若望辞职,甚至推荐卫匡国(Martinus Martini,1614—1661)接替汤若望。此时,曾一度支持若望的傅泛济也受各种误见的影响,而以北方传教会长的名义签署了这份文件。如果

---

❶ 黄伯禄:《正教奉褒》上册。因避讳,其中"通玄教师"及"通玄佳境"之"玄"字均改为"微";又《清史稿》卷二七二"汤若望传"。

❷ 陈垣:《三版主制群徵跋》称汤若望所获三代一品封典乃清廷强予之,《陈垣学术论文集》第 1 集,中华书局,1980 年。

说当初若望不为利、安说情是不得已而为之的话，那么对于此次触及其苦心经营的"通天"、"通神"基业的攻击，他显然是被惹怒了，因而予以主动回击。有学者指出，随后发生的清廷将傅泛济、卫匡国驱逐出京，利、安于 1650 年 5 月被罚作充当奴仆，均与若望的态度直接有关。❶

更有材料表明，汤若望还主动请求在顺治十年敕赐"通玄教师"诰命中，对其主持钦天监治历之功，特表褒扬之意。❷ 当若望得知顺治帝有意赐恩：

> 就决断恳求皇帝敕赐一道关于钦天监之诏谕，免得他二十余年的工作竟致丧失，并求皇上恩准钦天监管理之权常留传教士之手中。……如果钦天监监正之职，能常归传教士管理，已经足可为教之光荣，而在国内足可为传教士们，处处辟自由的道路了。❸

另有学者考证，顺治十五年，吏部以若望为二品官，原拟诰赠两代，但若望援引顺治十四年颁行的新法"凡恩诏内有加级者，均以新加之级给封典"，认为按他的头衔"用二品顶带加一级"而论，应该是以一品官而不是以二品官之身份享受封典，故他上疏要求依一品之例封赠三代（至曾祖，二品只能封二代）。经吏部疏请圣

---

❶ 魏特著、杨丙辰译：《汤若望传》，页 396、页 405—406。
❷ 此一诰命全文现收于《清世祖实录》卷七十三(顺治十年三月条)、黄伯禄《正教奉褒》页 26、魏特著《汤若望传》中译本页 313—314，此三者文字无差。然不少论者引《清史稿·汤若望传》中所录此诰命却有约 90 字的删削，笔者认为这已略损原旨之褒意，如在"为朕修大清时宪历，迄于有成"后删"可谓勤矣"，在"洁身持行，尽心乃事"句后删"董率群官，可谓忠矣。比之古洛下闳诸人，不既优乎"。原称若望"圣贤"也改称"贤人"。
❸ 魏特著、杨丙辰译：《汤若望传》，页 3。

裁，于顺治十六年二月奉旨准封三代。❶ 细究汤若望这两次主动邀赏的动机，人们可以发现其主要动因即是为了推进其藉"通天"以"通神"的事业。在顺治后期，表面上恩荣有加的汤若望，却在传教事业上面临着内外压力，一则是他劝化皇帝皈依天主之举，希望落空已日趋明朗，顺治帝曾明确表示"西洋之书、天主之教，朕素未览阅，焉能知其说哉"❷。顺治末年皇帝更是心向佛教，甚至发展到削发出家的地步，"如果没有他的理性深厚的母后和汤若望加以阻止时，他一定会充当僧徒的"❸；二则同会教士却并不理解汤若望的苦衷，以至公开诘难他劝皇帝奉教不力。❹ 平心而论，他一直在千方百计引导皇帝入教，❺ 事与愿违的根本原因显然在于双方信仰原则的背隔。既然通天通神之路不可能到达极点——归化皇帝，那么汤若望就只能去努力争取清廷的优宠了。

　　准确地理解汤若望的这种表面上类似于邀功请赏，甚至是争名夺利之举的动因，是十分必要的。首先，承认汤若望邀赏的事实，非但不会低估他的宗教使命感，反而使我们更加深刻地体会到他在清初推行"学术传教"策略的苦心孤诣。其次，汤若望在官场上的邀赏与他在天文历学上的投入，其动机是一致的。如果说汤若望竭力争夺西洋历学官方地位的目的，可以被视作"是利用西方科学的威力来支持并抬高西方宗教的地位"，因为"每一次正确的交食预报都被用来间接证明基督教神学是惟一的真理"❻，那么，

---

❶ 黄一农：《耶稣会士汤若望在华恩荣考》，《中国文化》1992 年总第 7 期。

❷ 黄伯禄：《正教奉褒》上册，页 31。

❸ 魏特著、杨丙辰译：《汤若望传》，页 323。有关考证详见陈垣《汤若望与木陈忞》、《顺治皇帝出家》，《陈垣学术论文集》第 1 集。

❹ 魏特著、杨丙辰译：《汤若望传》，页 296。

❺ 同上书，页 297—309。

❻ (英)李约瑟著：《中国科学技术史》第 4 卷第 2 分册，中译本，页 673，科学出版社，1975 年。

他在官场上的邀赏,则是鉴于每一次钦赐的恩荣,都可以被他的传教同伴们解释为朝廷对天学的褒奖,多一份政治的荣耀,也就多一份"神学真理"的力证! 来自波兰的同会传教士穆尼各(Nicolas Smogolenski,1611—1656)对汤氏的评论,可谓是对他藉"通天"以"通神"策略的最好注解:"汤若望手中操有皇帝种种宠遇之佐券……我们一切传教士们都是在他名姓底荫影之下,宣讲宗教底福音的。"❶

事实上,汤若望的事业虽然未能到达他预期的顶峰,但已经获得了相当的成功,因为清初的天主教传播事业确实获得了蓬勃发展。据南怀仁统计,每年新入教者总数在万名以上。❷ 清初反西教先锋杨光先(1597—1669)在康熙三年(1664)的指控足以为据,他称天主教徒已遍布"济南、淮安、扬州……京师,共三十堂","每堂每年六十余会,每会收徒二三十人"。❸ 这种局面的出现,显然与汤若望"通天通神"角色的扶持是分不开的,诚如陈垣先生称汤氏"实明末清初圣教绝续安危之所系"❹。

综上所述,在明清鼎革之际,汤若望蒙清廷怀柔政策之利,凭借其精于西方科技的能力与强烈的宗教使命感,主动争得了朝廷命官的政治地位,并且藉"通天"角色以"通神",为西教士的天学传播事业在清初得以延续乃至兴盛发挥了不可替代的特殊作用,从而出色地继承了利玛窦开创的"学术传教"策略。与此相随,西学东渐的渠道即由汤若望为首的耶稣会士接续传递到清初,并使西方异质文化源源输入正处变革潮流中的清初学术文化界。以此观知,汤若望在清初担当的通天角色,实乃兼具政治、宗教与中西文

---

❷ 同上书,页 348。

❸ 杨光先:《不得已》上卷"请诛邪教状",页 1077—1078,天主教东传文献续编,(台湾)学生书局影印再版,1986 年。

❹ 陈垣:〈三版主制群徵跋〉,《陈垣学术论文集》第 1 集,页 81。

化交流的多重意义。

二 康熙时代的西学东渐及其特点

由汤若望开创的清初学术传教局面,在顺治十五年前可谓蒸蒸日上,但从顺治十六、十七年开始,却遭遇了以布衣杨光先为首的保守派士人的强烈挑战。杨氏连番撰文呈疏,攻击汤若望新法"十谬"、暗窃正朔、阴行邪教。这场围绕着天主教和天文历法而展开的中西之争,至康熙初年终于酿成清初最大一次教难——"康熙历狱"(详见下章论述)。

此案的审理自康熙三年八月(1664)开始,前后经过礼、吏、兵、刑、三法司等衙门,以及议政王、贝勒、大臣等的反复会审,至康熙四年(1665)七月底才告审结。年老体衰的汤若望经此牢狱之难,旋于康熙五年去世。但是,中西历法之争并未停止。若望生前选定的得力助手南怀仁(1660年5月入钦天监),在危难之际挑起了继任"通天"角色的重担。他仍以西洋历法及科技知识为手段,向年轻的康熙帝验证了西法的正确,至康熙八年初,成功地使清廷复用西洋新法,决定自次年(康熙九年)始采用南怀仁所推九十六刻之法。❶ 同年三月,南怀仁以钦天监监副之职,取代杨光先等旧法派,重掌治历大权。❷

有关清初这场历讼之所以引发的背景与其中展现的中西文化冲突及其影响,将在下一章讨论。不过争执双方都始料未及的一个重要后果是,由此激发了年轻的康熙帝对西学的浓厚兴趣,并直

---

❶ 《清圣祖实录》卷二八,康熙八年二月庚午条。
❷ 南怀仁:《熙朝定案》"康熙八年二月十九日礼部题本",天主教东传文献,(台湾)学生书局影印,1982年再版本。

接影响到清廷对天主教的政策,乃至康熙时代西学东渐的面貌。

　　年轻的康熙帝于康熙六年(1667)亲政,康熙七年底开始亲自过问历法之争,且以实测公验作为评判是非的手段。当年十一月二十四至二十六日三天内,他连续传谕内院大学士李蔚、礼部尚书布颜等大臣,率监正杨光先、监副吴明烜与南怀仁等两派测验日影。十二月二十六日,又差图海等二十名大臣赴观象台实测。❶作为具有独裁一切的封建帝王,敢于采用实测手段来验证中西历法之优劣,无疑是值得称道的开明之举。更为难能可贵的是,康熙帝透过历法之争这一事件,看到了中西双方在天文历法研究方面的差距。从他晚年的回忆中,我们可以体会到他当时的思考深度:

　　　　康熙初年时,以历法争讼,互为讦告至于死者不知其几。康熙七年闰月,颁历之后,钦天监再题欲加十二月又闰,因而众论纷纷,人心不服,皆谓从古有知历以来,未闻一岁中再闰。因而诸王九卿等再三考察,举朝无有知历者。朕目睹其事,心中痛恨,凡万几余暇,即专志于天文历法二十余年,所以略知其大概,不至于混乱。❷

可见,历法之争令康熙感触至深的不光是西法优于中法的事实,更有朝中官员对天文历学的无知。而康熙帝受此激发,积极倡导钻研西洋科学,并亲自做出表率,成为推动清初西学东渐的重要因素。此后,这位开明志高的皇帝为求科学新知而拜师西洋传教士,

---

❶ 有关康熙帝谕令实测公验的具体过程,可参见原始文献:南怀仁《熙朝定案》"康熙七年十二月奏疏",又《清圣祖实录》,中华书局 1985 年影印本,页 383,黄伯禄《正教奉褒》,页 49—50,互见。

❷ 《康熙御制文集》三集卷十九"三角形推算法论",康熙五十三年内府刻本,浙江图书馆藏;又见影印文渊阁四库全书本,第 1299 册。

又为节取其知识技能而给西士封官晋爵,以至优容其天主教的归化事业,从而使康熙朝在"礼仪之争"❶ 恶化之前的约 40 年间,成为在华耶稣会士传播西学的"黄金时代"。

值得一提的是,当时来华的传教士即已清楚地看到:由历法之争触发的康熙帝对西洋科学的兴趣,乃是促进清初西学传播的重要推动力之一。1687 年来到中国传教的法国耶稣会士白晋,在1697 年回欧洲后进呈法王路易十四的奏折《康熙帝传》中,即特别指出:

> 最初使康熙帝对西洋科学产生信心的,是由于教士南怀仁与中国钦天监杨光先的论战……康熙帝谕命用中国天文学和西洋天文学,分别推算出日蚀和月蚀来。关于这项实测,不仅礼部官员都参加,就连其他朝臣也都列席了。结果,证明西洋天文学的推测,与实际天象完全吻合。于是康熙帝就沿着顺治帝时代汤若望汉译西洋历法的前例,谕命中国今后正式采用此种西洋历法。这项谕命,一直到现在还在奉行着。❷

---

❶ 所谓"礼仪之争",原指明末清初入华西方传教士内部,主要就如何确定"天主"的中文译名与如何对待中国教徒的祭祖敬孔习俗问题展开的争论,后争论扩大至罗马天主教会,并导致康熙与罗马教廷间的激烈冲突。此即康熙四十四年(1705)五月,罗马教廷特使多罗(Carlo Tommaso Maillard de Tournon)抵华,至次年透露其此行目的是为宣布教廷对中国教徒祀孔祭祖之禁令,即遭康熙拒绝,于康熙四十五年底宣布对西教士施行"信票"制,凡不领票者,视作不尊重中国礼仪,一律驱逐出境。这是导致清廷全面禁教之始。

❷ 白晋著,冯作民译:《康熙帝传》(Histoire de L'Empereur de la Chine),页 92—93,见《清康乾两帝与天主教传教史》,(台湾)光启出版社,1966 年,以下简称冯译本。另有马绪祥据 1699 年海牙版古法语本重译(简称马译本),见《清史资料》第一辑,中华书局,1980 年。后又有赵晨自日文本转译的《康熙皇帝》,黑龙江人民出版社,1981 年。

康熙帝的西学启蒙老师，就是在历法之争中初显才学的耶稣会士南怀仁。"历狱"大致平息后，康熙帝便经常宣南怀仁进宫讲学，"在首次召见中，康熙即派人把过去耶稣会士用中文写成的有关天文和数学的所有著作都取了来，他希望（南怀仁）把这些书的内容都介绍给他"❶。就这样，康熙帝足足研究了两年。"在这两年中间，南怀仁把主要的天文机器及数学仪器的使用方法都教给了康熙帝，尤其是把关于几何学、静力学、天文学中最扼要的内容，也全都教给了康熙帝。后来，这部教康熙帝的讲义，竟成了一部数理教科书。"❷

继南怀仁后，有更多的西方传教士以其西洋科学之专长为康熙帝召用。如康熙二十七年二月二十九日奉旨："闵明我谙练历法，着顶补南怀仁治理历法"，并声明在闵明我（Philippus - Maria Grimaldi，1639—1712）因公出差时，有关治理天文历法事务，即请徐日昇（Thomas Pereira，1645—1708）、安多（Antoine Thomas，1644—1709）二位教士"照南怀仁管察"❸。安多、张诚、白晋又奉旨编写西洋科学教材，其中安多负责数学，张、白负责欧几里德基本定理和几何学。❹ 1690 年初，康熙传谕白晋、张诚等教士用满语进讲欧几里德几何学原理，同时还要用各种数学仪器进行运算。他在掌握了几何学原理后，还要请白、张用满文编写实用几何学纲要，又

❶ Eloise Talcott Hibbert：*K' ang Hsi*，*Emperor of China*，Part Ⅱ，p.80，London，1940.

❷ 白晋：《康熙帝传》，冯译本，页 94。

❸ 《熙朝定案》第二种，天主教东传文献续编，页 1740—1741，（台湾）学生书局影印再版，1986 年。

❹ 耿昇译：《法国北京传教团的创始》（法国耶稣会士洪若翰于 1703 年 2 月 15 日从浙江舟山发给法王路易十四的忏悔师拉雪兹的信），《清史资料》第六辑，页 161，中华书局，1985 年。

命安多编写一本算术和几何学运算纲要。❶ 不久,张诚等决定改用更为高深的法国数学家巴蒂所编的《实用及理论几何学》作为进讲教材。❷ 这些进讲的数学著作,又均从满文译成了汉文,并由康熙帝亲自为每部书写了序言,随后"再用两种文字在帝国内公开发表"❸。现故宫博物院即藏有满文和汉文本《几何原本》各七卷,其中满文抄本是国内外惟一的欧几里得《几何原本》的满文编译本。❹

康熙对西方科学的兴趣很广,他所涉略的科学知识领域,包括西方天文、数学、地理、医学、音乐、机械工程等。据白晋记述,当时的康熙帝曾制定过把欧洲科学介绍到中国来并在帝国内加以推广的计划。❺ 其中康熙帝指令实施的一项措施可以视作执行该计划的一个步骤,即1693年康熙帝派白晋重返欧洲去招募更多的耶稣会士科学家来华。白晋不辱使命,特选十名教士搭乘商船"安菲特利特"号于1699年2月到达广州,3月抵京。这批新来教士中就有后来致力于会通天儒的名家马若瑟(Joseph - Henrg - Marie de Premare,1666—1735年,详见第四章)和以精通满汉文与深入比较中西科学差异而著称的巴多明(Dominicus Parrenin,1665—1741)。❻ 尤为可贵的是,即使从1705年起清朝与罗马教廷的礼仪冲突公开化之后,康熙帝仍继续任用、引进遵守"利玛窦规矩"的传教士协助钦天监天文历法事务、测绘全国地图等工

---

❶ 白晋:《康熙帝传》,马译本,页224。

❷ 《张诚日记》1690年3月26日,商务印书馆1973年译本。

❸ 白晋:《康熙帝传》,马译本,页227。

❹ 李兆华:《〈几何原本〉满文抄本的来源》,《故宫博物院院刊》1984年第2期。

❺ 白晋:《康熙帝传》,马译本,页227。

❻ 参见巴多明致法国巴黎科学院院长道尔都·德·梅朗先生的三封信(1730年8月11日、1735年9月28日、1740年9月20日发自北京),载朱静编译《洋教士看中国朝廷》,上海人民出版社,1995年。

作。❶ 受康熙热衷西学的影响,传教士们更加积极地输入西方科学。康熙五十四年(1715),由罗马传信部指派来华的传教士,德里格(Theodoricus Pedrini, 1670—1747)与马国贤(Matteo Ripa, 1682—1745)在上罗马教皇书中呼吁:"今特求教化王选极有学问,天文、律吕、算法、画工、内科、外科几人,来中国以效力。"❷ 西教士们的这种特别请求,显然是为了其在华的传教事业而刻意迎合康熙帝所好。

康熙帝对西洋科学的主动求习,无疑为西方传教士继续推行"学术传教"策略,扭转因"历狱"事件而跌入低谷的天主教传播事业提供了良机。南怀仁即因其为康熙帝的西学启蒙师而获得格外的宠遇,康熙与南怀仁之交谊,比之顺治与汤若望有过之而无不及。康熙八年三月,南怀仁以钦天监监副治理历法,九月即应南怀仁等疏请,为汤若望冤狱平反,并特谕"其天主教除南怀仁等照常自行外,恐直隶各省复立堂设教,仍着严行晓谕禁止"❸。这就是通常被人们习称的康熙八年禁教令。然而正确理解此谕必须注意两点:其一,禁令的主旨是不准南怀仁以外的教士传教和中国人信教,既然允许有条件的例外,则意味着并非完全因"教"而禁,而是因人而异;其二,从历狱期间的捕押、驱逐传教士到现在的特许南怀仁照常自行其教,实际上已经跨出了传教弛禁的实质性一步。由此可见,与其将此"特谕"理解为禁教令,还不如说它是限教令更为贴切。此后,至康熙十年九月,清廷又应南怀仁疏请,对押解在

<hr />

❶ 康熙四十七年奉命参加全国大地测量的西教士有白晋、雷孝思(J. B. Regis)、杜德美(Petrus Jartoux)、费隐(Xavier Fridelli),续后参预其事者有冯秉正(J. F. M. A de M. De Mailla)、德玛诺(R. Kenderer)、山遥瞻(G. Bonjour),至康熙五十七年(1718)完成《皇舆全览图》。1717年,康熙又特召德国耶稣会士戴进贤(Ignatius Kogler)进京,佐理历政。

❷ 陈垣辑:《康熙与罗马使节关系文书》,影印本第六件。

❸ 《清圣祖实录》卷三十一,康熙八年八月条。

广东的 25 名传教士做出处理，"将通晓历法之恩理格（Christian Herdtricht，1624—1684）、闵明我二名送京，不晓历法之汪汝望（Jean Valat，1599—1696）等十九名送各本堂"❶。不难看出，康熙此举无异于默认西教士在各地传教。

利用传授欧洲科学知识的机会，向康熙帝灌输天主教义，乃至使他皈依基督是耶稣会士传教策略所追求的最高目标。对此，南怀仁及后来的法国传教士都有充分的认识。南怀仁在为康熙进讲科学知识时，乘机与皇帝进行了各种谈话，"向康熙帝灌输了天主教的初步知识"❷，并且自信欧洲天文学给康熙留下的深刻印象，"一定会把他的目光导向科学背后的信仰"❸。白晋认为："一个多世纪以来的经验使人们认识到，要在中国引入和传播基督教，宣传科学是一切必由之途中的最主要一种"，而"一旦皇帝信奉了基督教，他的改宗将产生巨大的影响，并很可能影响到整个地域辽阔的、人口超过欧洲的帝国，甚至有可能影响到周围其他国家。"❹然而，尽管康熙也因"对西洋科学的好奇心，而诱发出了他对天主教的研究心"❺，但他终究接受不了"天主论"或"原罪论"之类的异教信仰。当时留在南怀仁身边的一位原荷兰使团的随从弗兰斯·弗勒廷格（Frans Flettinger，1686 年 7 月来华）军士，在其 1687 年 4 月 9 日的日记中写道："皇帝向传教士询问一个关于上帝的名字、崇拜和权力问题，当他们回答这些时，皇帝用嘲弄、诋毁的口气结束了谈话"。6 月 21 日又记曰："皇帝向南怀仁询问罪恶，耶稣是

❶ 黄伯禄：《正教奉褒》，页 69。
❷ 白晋：《康熙帝传》，冯译本，页 99。
❸ Jonathan Spence: *To Chang China*: *Western Advisers in China 1620—1960*，p.28，Boston，1969.
❹ 白晋：《康熙帝传》，冯译本，页 249—251。
❺ 白晋：《康熙帝传》，冯译本，页 99。

否因罪恶而死？耶稣作为上帝之子是否不能原谅我们不死？这些问题回答后，皇帝仍理解不了。"❶

南怀仁生前(1688年1月去世)虽然未能归化康熙帝，但却使康熙帝对天主教采取了一种比较宽容的政策。著名的事例如康熙二十六年(1687)四月十三日(5月23日)，应南怀仁疏请，康熙帝复旨纠正山东、河南等地将天主教视同白莲教等"邪教"而加以禁止的做法："上曰：'天主教应行禁止，部议极当。但见地方官禁止条约内，将天主教同于白莲教谋叛字样，此言太过，着删去。'"❷ 虽然康熙帝表面上重申禁止天主教，但他明确将天主教区别于"邪教"。而事实上，在此之前西教士在各地的传教活动，基本上是处在清廷的默认状态之下。山东、河南等地欲将其列为"邪教"禁止，正从反面证实了这一点。

笔者又从上述弗勒廷格军士的日记中，发现了有关康熙帝优容南怀仁与天主教的佐证。据这位军士记载，康熙帝曾在1687年8月3日(即康熙二十六年六月二十六日)，召见南怀仁和徐日昇教士参加朝会，并当朝宣布"他们今后在帝国享受的特权：第一，南怀仁教士即使不上朝也仍继续担任官职，享受有关荣誉和利益直到死；第二，天主教可在全帝国内公开无阻地随意传教，为此教士们持着盖有南怀仁教士印章的证件就允许自由通行"，两天后，此次朝会发布了特别公告，"传教士把一份皇帝亲手签字的正式原文张贴在教堂里"❸。由于没有发现相应的中文文献作印证，日记所

---

❶ (美)约翰·小韦尔斯(John E. Wills)：《关于1662—1687年耶稣会士中国传教团的一些荷兰史料》(*Some Dutch Sources on the Jesuit China Mission*, 1662—1687)，丁向阳译文见《清史研究集》第七辑，页373—377，光明日报出版社，1990年。

❷ 中国第一历史档案馆整理：《康熙起居注》，页1617，中华书局，1984年；南怀仁：《熙朝定案》第二种，天主教东传文献续编，页1723—1724。

❸ 《清史研究集》第七辑，页376。

42

载的这两项特权犹可怀疑,但尚无确证否认其真实性。美国学者约翰·小韦尔斯即对弗勒廷格的这条笔记表示"很令人不解",指出"他叙述1687年8月3日—5日允许了一些1692年才最后允许的特权",因此他怀疑"弗勒廷格误把耶稣会士向皇帝建议的叙述当作他们已经取得的叙述"❶。不过笔者认为,1687年许诺的两项特权与1692年允许的特权(详见后述)是有明显区别的,前者是对南怀仁个人的恩赐,后者则是对全体西洋教士的宽容。尤其对康熙帝1687年8月许诺的第二项特权的理解,必须注意它是有限制性前提的,它实际上是说只有以南怀仁的名义才能享受公开传教的特权。再看第一项特权的含义,其核心内容显然在于允许官至工部右侍郎(1682年任)的朝廷命官南怀仁可以"不上朝"而继续当官。那么究竟是什么原因使康熙帝要特别恩赐南怀仁"不上朝"的特权?笔者考虑到此次召见的时机,距南怀仁去世的康熙二十六年十二月二十六日,仅差六个月,而在同年十一月南怀仁病情加重时,康熙帝曾屡遣太医诊视,故推想在8月3日(即六月二十六日)的朝会上,效命清廷多年的南怀仁必已现年老体衰之状,上述两项特权应是康熙帝为体恤垂暮之年的南怀仁而赐予的特别恩赏,显然不能把它理解为是面向全体在华西教士的天主教传播事业的解禁令。

被传教士宣扬为清朝官方下达的正式容教令,是指在南怀仁去世四年以后的康熙三十一年(1692)二月初三日,由康熙帝授意礼部顾八代等官员发布的诏令:

> 该臣等会议得,查得西洋人仰慕圣化,由万里航海而
> 来,现今治理历法,用兵之际,力造军器、火炮,差往阿罗

---

❶ 《清史研究》第七辑,页365—366。

素,诚心效力,克成其事,劳绩甚多。各省居住西洋人并无为恶乱行之处,又并非左道惑众,异端生事。喇嘛僧道等寺庙尚容人烧香行走,西洋人并无违法之事,反行禁止,似属不宜。相应将各处天主堂俱照旧存留,凡进香供奉之人,仍许照常行走,不必禁止。俟命下之日,通行直隶各省可也。❶

二日后"奉旨依议"。这便是鸦片战争前西方传教士作为在清朝"正教奉传"的惟一合法依据,它标志着明末清初耶稣会士天学传播事业的顶峰。

法国耶稣会士洪若翰(Jean de Fontaney,1643—1710),在入华传教 15 年后,即以其亲身感受,回顾与总结了入清以来耶稣会士最终取得合法传教地位的历程和经验:

神父们多年来自由传教的愿望就这样终于实现了,他们曾为此目的而在欧洲和中国多处奔走,八方相求。我们在到达中国之前努力钻研的科学知识是促使皇帝给予这一恩赐的决定因素,对于这样的途径万万不能忽略,但也不能将此看作万无一失和绝对必要的,因为教化不信基督者始终是上帝的恩泽。❷

如其所言,恰好点明了左右清初西学东渐局面的两方面关键因素:一是耶稣会士的传教策略;二是清朝政治因素的干预。其中,"学术传教"手段始终是明末清初天学传播事业兴衰的决定性因素。

---

❶ 南怀仁:《熙朝定案》第二种,天主教东传文献续编,页 1789—1792。
❷ 耿昇译:《法国北京传教团的创始》,《清史资料》第六辑,页 167。

它不仅被利玛窦、汤若望、南怀仁奉为对华传教的指针,而且也为开明的清初君臣所理解,甚至被康熙帝作为接纳西教士的原则。当朝的满人大学士明珠曾对南怀仁说过:"你不仅为传播你的天文学开辟了道路,而且为传扬你的宗教打开了通道。"❶康熙帝更于康熙四十六年三月(1707,即与教廷直接发生礼仪冲突不久之后)颁旨"谕众西洋人,自今以后,若不遵利玛窦的规矩,断不准在中国住,必逐回去"❷。由此观之,"学术传教"策略还必须在清朝统治者的理解与认可下方能有效实施,而政治的多变性又无疑会导致"学术传教"局面的不稳定性。南怀仁在1683年致欧洲会友的一封信中曾坦言:"皇帝的意志对我们处处有限制,如违背他的意志,或者对此有任何轻微的表现,都会立刻危害我们的整个传教事业。"❸ 在这个皇权至上、君主意志支配一切的东方社会里,"学术传教"手段当然如洪若翰所言难保"万无一失和绝对必要的",因而对于肩负宗教使命的欧洲传教士而言,只能如上述洪若翰所言,将归化异教徒事业的不确定性,无奈地寄托于上帝的恩泽了。

总结以上所述,清初从汤若望到南怀仁贯彻实施的"学术传教"策略与康熙帝对西洋科学的强烈渴求,构成为推动清初西学东渐的两大要素。同时,这两个要素也在很大程度上决定了清初入传西学的结构与特征:

第一,随着顺、康二帝对传教士的接纳,清初西学得以在明末入传的基础上继续引进,并朝着更深、更广的方向发展。

第二,为迎合中国政治文化的特点,从汤若望到南怀仁的传教

❶ John E. Wills, Jr: *Embassies and Illusions*, Apendix B, p. 239, Harvard University Press, 1984.

❷ 陈垣辑:《康熙与罗马使节关系文书》,影印本第四件。

❸ 南怀仁著、张美华译:《扈从康熙皇帝巡幸西鞑靼记》,《清史研究通讯》1987年第1期。

策略,均以天文历算之学作为其"通天"之举的主要手段。因而,清初输入的西方科学以天文学和数学最为突出,并成为当时中西文化交会的主要接触点。

第三,康熙帝对西学的个人兴趣也在相当程度上影响了清初西学东渐的知识结构。受康熙帝特别关注的西学,除天文历算外,还有地理、医学、音乐及与科学仪器相关的机械物理等西洋科技知识,它们都或多或少地因康熙的热衷而得到较快、较多地输入。但是,康熙帝对西学明显地表现出节取科技、舍弃宗教的倾向,这种态度对康乾时期中西文化的交融与冲突产生了深远的影响。

第四,清初入传西学之科学水平,尽管多少受传播媒介耶稣会士们的宗教身份与科学素养的影响,但不能一概而论,切不可过分夸大其局限性,而应作具体、科学和历史的评析。清初耶稣会士从事的科学工作,既不乏对欧洲最新科学知识的介绍,而且进行过世界一流的科学实践。白晋、张诚曾向康熙帝进讲过若干天文现象的最新解释,并介绍了法籍天文、数学家卡西尼(J. D. Cassini, 1625—1712)和德拉伊尔(P. de Lahiere, 1640—1718)观测日食和月食的新方法,且绘图说明。[1] 因此有学者指出,"康熙帝已经接触到当时欧洲第一流天文学家的最新研究成果"[2]。而南怀仁于1678年左右在北京的燃气轮机之试验与设想,"实较西洋同时期者为远大";康熙帝派遣传教士采用西法测绘的《皇舆全览图》,则是首次在世界上完成如此大规模的全国性三角测量,并为证实当时英国学者牛顿的地球扁圆说提供了有力的实测数据,实属世界一流的成果。[3]

---

[1] 白晋:《康熙帝传》,马译本,页238。

[2] 潘吉星:《康熙帝与西洋科学》,《自然科学史研究》1984年第2期。

[3] 杜石然等编:《中国科技史稿》下册,页209—213,科学出版社,1982年。

三　实学思潮高涨与西学东渐

明末清初西学输入和传播之际,正值中国学术文化界实学思潮高涨之时。❶ 西学在晚明学界已被视作一门单独的新异之学,恰与实学思潮际会于同一时空,这并非偶然。概而言之,实学思潮在治学方法与旨趣上为西学入传提供了一定的土壤和条件,而耶稣会士带来的西方科学技术又为经世实学的高涨起了积极的刺激和催化作用。

明清实学思潮是与晚明王学末流的空疏相对立,而以"崇实黜虚"、"经世应务"为宗旨。它初起于明代中叶,此后自东林学派至复社士子,把经世实学之风大为推进。在晚明方兴未艾的经世思潮中,最早倡导接纳西学的徐光启就是其中的杰出代表。他在批判"名理之儒,土苴天下之实事"的虚浮学风的同时,将其毕生的学术志向确立为"率天下之人而归于实用",并向统治者力陈"方今事势,实须真才;真才必须实学","造就人才,务求实用"的救世之策。❷ 而耶稣会士输入的"泰西"之学,"皆返本庶实,绝去一切虚玄幻妄之说",其"实心、实行、实学"❸ 之特质正与徐光启的旨趣相投。

明末另一位提倡西学的著名士人李之藻,他对西学的理解与推崇,更加充分地说明了 17 世纪以后的中国知识界,是站在经世

---

❶　学术界关于"实学"的定义,以及可否用"实学"一词来概称明末清初的学术思潮,仍存在分歧。本书采用的"实学"概念,既指反对空虚、讲求实证的务实学风,又指关注国计民生、经世致用的实用之学。

❷　王重民辑:《徐光启集》上册,页 80、页 77;下册,页 473、页 438,中华书局,1963年。

❸　王重民辑:《徐光启集》上册,页 80、页 66。

实学思想的立场上引进与接纳西方科学的。他在《请译西洋历法等书疏》中，除重点推荐西洋历术之外，又一一列举了水法、算术、测望、仪象、医理乃至格物穷理等近十种西方实学，并直陈其引进西方科学、补我经世实学之见解：

> 今诸陪臣真修实学，所传书籍，又非回回历等书可比；其书非特历术，又有水法之书，机巧绝伦，用之灌田济运，可得大益。又有算法之书，不用算珠，举笔便成。又有测望之书，能测山岳江河远近高深，及七政之大小高下。有仪象之书，能极论天地之体，与其变化之理。有日轨之书，能立表于地，刻定二十四气之影线；能立表于墙面，随其三百六址向，皆能兼定节气；种种制造不同，皆与天合。有万国图志之书，能载各国风俗山川险夷远近。有医理之书，能论人身形体血脉之故，与其医治之方。有乐器之书，凡各钟琴笙管，皆别有一种机巧。有格物穷理之书，备论物理事理，用以开导初学。有几何原本之书，专究方圆平直，以为制作工器之本领。以上诸书，多非中国书传所有，想在别国亦有圣作明述，别自成家。总皆有资实学，有补世用。❶

徐、李等西学派的经世思想与学术旨趣又直接影响了明末实学派士人。复社领袖张溥、陈子龙，皆因钦佩徐光启"其生平所学，博究天人而皆主于实用"，他们或向光启"问当世之务"❷，或就天

---

❶ 徐宗泽：《明清间耶稣会士译著提要》，页 255—256，中华书局，1989 年影印本。
❷ 陈子龙：《农政全书凡例》，载石声汉《农政全书校注》，上海古籍出版社，1979年。

文历法"径问所疑"❶。崇祯十一年（1638），陈子龙将所编《徐文定公集》六卷（选录遗文 33 篇）收入《皇明经世文编》卷 488—493。"志在征实"、"济于实用"❷的《皇明经世文编》的刊行，乃是晚明经世思潮高涨的标志之一。与此相随，以《天学初函》与《崇祯历书》的编刊为标志，明末的西学东渐也掀起了高潮。

晚明实学思潮与西学东渐的并起，显然不仅仅止于时空上的巧合，更有其内在的呼应。以徐光启为首的务实派学者，无疑是见证明清之际实学与西学内在关联的典型代表。事实上，明末清初士人对徐光启治学风格的认定，也从一个侧面反映了实学与西学的关系。在当时的士大夫眼里，徐光启治学所讲求的即是引入了西方科技的实用之学。明末松江府推官李瑞和，于崇祯十四年（1641，光启卒后 8 年）撰文记光启与西学曰："是时徐文定公光启假归里居，讲求经国实用之学，而西士郭仰凤、黎宁石二先生者不远来谒文定，与语契合……。"❸ 又清初顺治十七年（1660）上海知县涂赟记曰：

> 其（此指西士）所论列天文、地理以及制器利用之学，靡不精诣于时，朝端卿尹，咸切景从，而上海徐文定公信服特甚。盖文定学术弘密，其生平讲求，皆裨实务，故崇奉最先。❹

---

❶ 张溥:《农政全书序》。

❷ 陈子龙:《农政全书凡例》。

❸ 康熙《上海县志》卷七"天学"，引自方豪《中国天主教史人物传》中册，页 58。引文中所称西士郭居静（Lazare Cattaneo, 1560—1640）字仰凤，意大利耶稣会士；黎宁石（Pierre Ribeiro, 1572—1640）字攻玉，葡萄牙耶稣会士。

❹ 康熙《上海县志》卷七"天学"，引自方豪《中国天主教史人物传》中册，页 59。

明清易代，以满洲贵族入主中原而告终。这给汉族知识分子以巨大的震动，尤其是以经世应务为己任的晚明实学派士人，难以接受一夜之间沦为"夷族"臣民的事实。他们抱着家国天下系吾身的激情，纷纷投笔从戎，加入抗清斗争的行列。在这场民族和阶级斗争交织的血与火的洗礼中，思想家们以前所未有的深刻程度，对他们认为导致民族衰败、学风堕落的封建专制主义和蒙昧主义，进行了检讨和批判，并把矛头直指作为封建正统思想的宋明理学，从而使实学思潮汇入了清初以启蒙学派为代表的各种进步思想潮流中。

在清初思想学术界深沉反思、推陈出新的时代潮流中，崇实致用始终是进步学者们的共识。他们抨击明末的空疏学风，或痛斥"天崩地解，落然无与吾事"❶ 的痼习，或力主讲求"当世之务"❷ 的经世实学，或专以"实文、实行、实体、实用"❸ 为倡。学以经世致用成为清初学术思想的主流，学术研究的旨趣。从专注于个人的心性涵养，拓展到关系国计民生的实用之学，其研究的范围已扩大到自然、社会和文化各个领域。顾炎武说："士当求实学，凡天文地理兵农水火及一代典章之故，不可不熟究。"❹ 一些接触过西学的清初学者，更是把西学作为反省近世实学衰落原因的参照，如方中通（字位伯，号陪翁，1634—1698）说："实学之失，患在才人不讲，更患在博物君子，标其大纲陈迹，而不穷其所以然，令周公、商高之法，不尽传于今，中学隐而西学辨。"❺

---

❶ 黄宗羲：《留别海昌同学序》，《黄宗羲全集》第 10 册，浙江古籍出版社，1985—1994 年。
❷ 顾炎武：《亭林文集》卷四"与人书四"。
❸ 颜元：《颜元集·存学编卷一》"上太仓陆桴亭先生书（甲寅）"，《习斋记余》卷三同见，点校本，页 47、页 426，中华书局，1987 年。
❹ 顾炎武：《亭林余集·三朝纪事阙文序》。
❺ 方中通：《陪集·陪古》卷一"中西算学通序"，康熙继声堂刻本。

清初实学思潮高涨造就的文化氛围,无疑为西方科学跻身于清初经世学术之林提供了机遇,而西学的特长与中学之阙失形成的反差,更使西学与经世实学具有亲和力而易被吸收。这主要从以下两方面来理解:

一是西学负载的大量新知识为探求经世实学的明清学人开拓了视野,树立了标杆,并激励知识界倡导务实的新学风。明末西学的传输,逐渐赢得了士人学者的信任,从李贽、陈第到东林、复社士子,均沾染上西学之风,徐光启更将"泰西"之学付诸"富国强兵"的追求(如他提出的"度数旁通十事"等)。清初学界,从启蒙学派的领袖顾炎武、黄宗羲、王夫之到志存经世的理学名士江东二陆(陆世仪、陆陇其)等,也都受到明末实学之风的薰染,而将西学纳入他们的学术视野,从而把务实致用的新学风推向高潮。

二是西方科学重实证、讲逻辑的思维方法可补中国传统学术之缺失。明末以《名理探》、《几何原本》的译传为标志,引进了西方严密的逻辑思维方法。徐光启最早从中西科学的比较中指出西学之长在于"一一从其所以然之故,指示确然不易之理,较我中国往籍,多所未闻",并将西方科学方法比喻为绣鸳鸯的金针,倡导要让学者得其金针,"使人人真能自绣鸳鸯"❶。李之藻也从西方的度数之学中看到了"其所以然之理",提出了"缘数寻理"的思想方法。❷ 清初传教士南怀仁则以一个外国人的眼光,看到了中国学者思维方式的不足,于是专门译编介绍亚里士多德(Aristoteles,前384—前322)哲学的《穷理学》一书进呈,向清初士人推荐西学中的理推之法,其《进呈穷理学书奏》说:"今习历者,惟知其数,而不知

---

❶ 王重民辑:《徐光启集》,上册页78、下册页344。

❷ 李之藻:《请译西洋历法等疏》、《同文算指序》,见徐宗泽《明清耶稣会士译著提要》,页255、页267。

51

其理;其所以不知历理者,缘不知理推之法故耳。……设不知其推法,则如金宝藏于地脉,而不知开矿之门路矣。"❶ 南怀仁所介绍的"理推之法"即为西方的形式逻辑方法,故《穷理学》是继《名理探》之后把西方逻辑学方法更加完整地介绍给了中国。清初以王锡阐和梅文鼎为代表的科学家,在比较中西历算之学时,已经认识到中西之学的差异不仅在学问内容上,更在思维方法上是讲求"当然之理"还是"所以然之理",因而有意识地吸收西方的数理逻辑思维方法,如王氏提出"欲求精密则必以数推之,数非理也,而因理生数,即数可以悟理也"❷,梅氏认为"西历所推者,其所以然之源,此其可取者也",而"由于中法之未备,又有以补其缺"❸。可见,在王、梅等人会通中西科学的实践中,已经开始尝试运用西方的逻辑思维方法。

　　总结本章所述可以看到,观察清初西学东渐的动因,必须考虑三大基本要素:其一,作为西学传播主体的耶稣会士从汤若望到南怀仁实施的"学术传教"策略;其二,作为西学受传对象之一的封建君主的文化心态;其三,作为西学受传主体清初知识分子的治学风尚与志趣。但是,影响西学在多大规模、多大程度上融入清初社会的因素,最根本的则是取决于清初的学术文化思潮对西学有多大的需求与包容性。

---

❶ 《穷理学》于康熙二十二年(1683)进呈,见徐宗泽《明清耶稣会士译著提要》,页191—192。

❷ 王锡阐:《晓庵遗书》之四"杂著·历说一",光绪十七年刻本;又见凌淦编:《松陵文录》卷一,同治十二年刻本。

❸ 梅文鼎:《历学疑问·论中西二法之同》,梅氏丛书辑要本,乾隆二十二年承学堂刊本。

第二章　清初士人与西学
的接触和传播

清初耶稣会士顺应新朝的政治文化形势,成功地接续了明末利玛窦开创的学术传教事业,从而使西学东渐在明末的基础上继续拓展,并走向高潮。从文化传播学的角度来看,西学的传播方式与受众的知识基础,以及从直接到间接传播的级数,都是考察西学在清初社会流播广度和深度的重要因素。据笔者考察,就西学对中国社会的实际影响而言,清初顺康年间的西学流播,显然要超过明末时期。

推动清初西学流播的要素,除了前一章述及的清初西教士成功推行"学术传教"策略,与当时学术文化界实学思潮高涨而产生的对"泰西实学"的更大需求这两个基本因素之外,主要还有两方面原因特别值得一提:其一是明末西学东渐打下的基础,尤其是明崇祯年间以《天学初函》和《崇祯历书》为代表的西学书籍的编刊,为清初士人接触西学提供了便利条件;其二是因明清易代造成的政治文化形势,使得大批沦为明朝遗民的汉族知识分子,从反思亡国之痛的深度,呼唤黜虚崇实之学,因而更加关注西学;而清初遗民士人又往往因共同的生活遭遇与学术旨趣而结成一个社交圈子,无形中为西学的加速传播造就了一张网络。

本章将通过考察西方传教士与士大夫的结交、西学书籍在知识界的流传,以及清初学界的西学风尚,来揭示清初士人接触西学的途径和方式以及西学的流传范围和特点,俾使我们对清初西学东渐的影响层面有一较确切的了解。

一 士人交际网络与西学流播

欧洲耶稣会士入华之初,为了实现其归化中国人的宗教使命,经过了一番从佛僧到儒士的包装曲折之后,终于找准了进入中国主流社会的切入点,即选定儒学士大夫,作为其实施"学术传教"策略的突破口。这一策略的创始者利玛窦,"在掌握了中国经典",到达肇庆12年之后,首次于1595年5月以身着儒装、博学通经的"西士"露面。❶ 他在同年11月致耶稣会会长阿桂委瓦的信中说:"所谓儒者,目前在中国到处都有,我们以此名义出入文人学士的场合。显贵或官吏多喜欢和我们往来,而不太容易和僧人交往。"❷ 事实上,利玛窦首创的"学术传教"策略,是他入华10多年传教实践的经验总结,尤其是建立在对士大夫在中国社会的角色意义深刻理解的基础之上:一方面是基于对士大夫在中国社会里所拥有的特殊政治地位的认识;另一方面则是对士大夫在中国社会中担当独特的文化传播角色的重视。

作为中国传统文化的主要传承者封建士大夫,交游访学、以文会友,历来是他们崇尚的行为方式。他们往往藉师友、亲戚、同学、同乡、同事等关系,结成一个个社交群体,在有意无意间充当了各种学术文化信息的传播者,构成了一张张学术交流网络。学而优则仕的传统,又使得他们的交往具有政治和文化的双重影响力。

❶ (法)谢和耐著、耿昇译:《中国与基督教》,页24,上海古籍出版社,1991年。
❷ 罗渔译:《利玛窦书信集》上册,页202—203,(台湾)光启社、辅仁大学出版社,1985年。

利玛窦可谓熟谙明末士人的交友之道,他在 1595 年刊行的《交友论》,以一个西方人的身份来阐述"视友如己"的交友观,❶更从理念上赢得了素奉"士为知己者死"信条的中国士大夫的共鸣,令一代名士冯应京也感叹"东海西海,此心此理同也"❷。一时间"四方人士,无不知有利先生者。诸博雅名流,亦无不延颈愿望见焉"❸,甚至"公卿以下,重其人,咸与晋接"❹。据统计,利氏在明末交游的中国士大夫即达 140 余名。❺ 显然利玛窦是想通过结交大批士大夫,直接争取他们对天学的同情和理解。与此同时,他又十分重视利用译刊汉文西学书籍,来实施其"学术传教"策略,因为他对士大夫以文会友的习惯与书籍在中国社会上的文化传播功能已有深刻的认识。他在 1606 年致罗马耶稣会总长阿桂委瓦的信中汇报说:

> 在这里用书籍传教是最方便的方法,因为书籍可以在任何地方畅行无阻;这里很多人皆可看书,很多事皆可由书籍传授,讲话便没有那样方便,这是我们的多年经验之谈。❻

为此,他在信中向耶稣会总会长特别请示,将印刷许可证赐予他所在的北京传教区,不必经由印度教区审查,即可快速出版西学书

---

❶ 《交友论》初刊于 1595 年南昌,后又辑入李之藻《天学初函·理编》,现有(台湾)学生书局影印本,1965 年初版,1986 年再版。
❷ 冯应京:《刻交友论序》。
❸ 徐光启:《跋二十五言》,《徐光启集》页 89。
❹ 《明史》卷三百二十六"意大里亚传"。
❺ 林金水:《利玛窦与中国》附录一,页 286—316,中国社会科学出版社,1996 年。
❻ 罗渔译:《利玛窦书信集》下册,页 324。

籍。❶ 从以后的实际情况看,利玛窦等在华耶稣会士很可能获得了这种出版许可。因此有的学者称利玛窦等人利用著作传教的方法为"哑式传教法"❷。

清初从汤若望到南怀仁等耶稣会士,深刻领悟了利玛窦传教策略的真谛,以结交文人学士与译著西学书籍为手段,介入士人集团的学术交流网络,有效地推动了清初的西学东渐。

汤若望自明崇祯三年(1630)进京后,因参与编译《崇祯历书》和引进、监制西洋火炮有功,先后获赐御题"钦褒天学"和"旌忠"匾额,一时间成为传播西学的中心人物,士人学者纷纷与之结交。明清更替,汤若望一举成为清初实施"学术传教"策略的主角,而他欲重点结交的汉族士大夫一夜之间都已成了明朝的遗民。他们中有相当一部分人出于故国之情,不愿与清廷合作,或绝仕隐居,或埋头学问,故除非他们亲自登门造访,否则汤若望难得与之相识;但是也有一些遗民士人,顺应清廷对汉人士大夫采取的笼络政策,改变了态度,出仕清朝,当了所谓的"贰臣",遂与汤若望同朝为官,他们便成为入清后除钦天监与原历局监生之外,首批接触并传播西学的汉族士人群体。

以顺治十八年(1661)合刻的《赠言》为例,❸ 从该册内留有诗文酬赠汤若望的 20 名汉人士大夫来看,汤氏在清初结交的士大夫主要是遗民士人群体,其中既有仕清的"贰臣",也有身为平民的遗民学者。这 20 位士人是金之俊(1593—1670)、魏裔介(1616—1686)、龚鼎孳(1616—1673)、王崇简(1602—1678)、胡世安(1593—1663)、薛所蕴(? —1667)、王铎(1593—1652)、徐元文(1634—

---

❶ 罗渔译:《利玛窦书信集》下册,页 412。

❷ 裴化行:《天主教十六世纪在华传教志》,页 261。

❸ 《赠言合刻》原藏上海徐家汇书楼,笔者所引为 1919 年陈垣先生钞录本,附刊于《三版主制群徵》之末。

1691)、沈光裕（崇祯十三年进士）、霍叔瑾、吕缵祖（顺治三年榜眼）、庄冏生（顺治四年进士）、邵夒、吴统持、陈许庭、钱路加、艾吾鼎（崇祯十五年进士）、潘治、谈迁（1594—1658）、董朝仪。在这个群体中，前列从金之俊至徐元文 8 人即为清初著名的"贰臣"，而谈迁则为清初的平民史学家。由这个士人群体生发，内联外延，可以编织成一张庞大的士人交际网络，几乎网罗了清朝初年汉人士大夫的精英集团。

《赠言》所收诗文基本上作于清顺治朝汤若望效职清廷期间，其中署明撰写日期的诗文，即为顺治十八年金、魏、龚致汤若望七十大寿的贺文。❶ 同年稍后，康熙帝（于顺治十八年正月初九登极，改明年为康熙元年）恩诏汤若望荣荫义孙汤士弘入国子监监生，王崇简、胡世安即著文相贺。❷ 虽然这些诗文作于庆寿、贺恩的特定氛围中，难免多有溢美之辞，但亦可想见汤若望平日结交士大夫的良苦用心。

进一步追踪他们的士人交游圈子以及与西人、西学的接触情况，便可发现清初西学流播与士人交际网络的关联。

上述金、魏、龚、王、胡 5 位名士之间的交谊及诗文往来，均有其文集、年谱等文献为证，兹不赘述。❸ 他们与《赠言》内留名的士人薛所蕴、王铎互相交谊。王崇简、胡世安曾与薛所蕴

---

❶ 《赠言·文》；同见于黄伯禄：《正教奉褒》上册，页 34—44。

❷ 黄伯禄：《正教奉褒》，顺治帝曾念汤若望终身不娶，孤独无依，而令其抚养一幼童以终老，士弘原为若望门人潘尽孝之子，见页 43—45；胡世安贺文中亦称"今皇上继天立极，推恩格外，特允送其抚养孙男读书太学"。

❸ 笔者翻阅金之俊《金文通公集》（雍正元年刻本，北图）、魏裔介《兼济堂文集》及《魏贞庵先生年谱》（畿辅丛书本）、龚鼎孳《定山堂文集·诗集》（光绪重刊本）、王崇简《青箱堂文集·诗集》（清初刻本，又四库全书存目丛书·集部第 203 册，齐鲁书社 1997 年）、胡世安《秀岩集》（四库全书存目丛书·集部第 196 册，康熙修补本）均未见赠汤若望贺文。

相交,❶ 而这 3 位加上金之俊、龚鼎孳更与王铎交好。❷ 由他们结交的其他著名"贰臣"又有陈名夏(1601—1654)、钱谦益(1582—1664)、丁耀亢(1599—1669)等。❸ 至于这批"贰臣"结交的其他清初遗民士人,更是难计其数。如龚鼎孳就以乐于助人、广交文士闻名于时,"朱彝尊、陈维崧游京师,贫甚,资给之"❹,以至"康熙初,士人挟诗文游京师,必谒龚端毅公(鼎孳)"❺,可见龚氏在清初士林中深负名望。

以上由 20 位《赠言》士人为中心构成的清初文人交际圈,在如何接触与传播西学方面颇为复杂。其中王铎与汤若望的交往,始于明末。❻ 王铎为河南孟津人,字觉斯,一字觉之。他以长于书法和诗文名闻明末清初学界,亦以仕明降清之宦途,被归入贰臣之列。他于崇祯十三年(1640)官至南京礼部尚书,后入南明弘光政权任大学士。顺治二年(1645)五月,多铎(1614—1649,多尔衮同

---

❶ 薛所蕴:《澹友轩文集》卷三有"王敬哉(崇简字)诗序"(四库存目丛书·集部第196—197 册,所收顺治刻本);胡世安:《秀岩石集》有薛氏序,卷二十八有"桴庵诗序"。

❷ 王铎:《拟山园选集》,北图有顺治刻本八十一卷、七十五卷两个版本;而上述王崇简、龚鼎孳、胡世安文集中也均有赠王铎诗文。

❸ 陈名夏与金之俊交笃,自称"两人官同、心同,而伤心事亦同",见《金文通公集》卷十七;钱谦益与龚鼎孳为知己,清人龚炜《巢林笔谈》卷三记曰"虞山(指钱)与合肥(指龚),其兄弟也,其才望同,其官位同,其出处亦同"。上述胡世安文集有钱氏序,钱谦益又为王铎好友,曾在南明弘光朝受王铎推重,后钱氏为王铎撰墓志铭,见《牧斋有学集》卷三。丁耀亢与王铎相交,又与龚鼎孳有同学之谊,参见《丁野鹤集》八种(清初刻本,北图),其中丁氏《陆舫诗草》卷首有王铎撰"丁野鹤诗序",而《逍遥游》与《江干草》卷首则分别有龚鼎孳丁亥、癸丑年所作序。

❹ 《清史稿》卷四八四"文苑一·龚鼎孳(附钱谦益传之后)"。

❺ 王士禛:《香祖笔记》卷八,页 150,上海古籍出版社,1982 年。

❻ 有关研究,初揭于方豪《明末清初旅华西人与士大夫之晋接》,见《方豪六十自定稿》;详见于黄一农《王铎书赠汤若望诗翰研究》,(台湾)《故宫学术季刊》第12 卷第 1 期。

母弟)率清军攻占南京,王铎与礼部尚书钱谦益等文武百官数百人奉表投降。❶ 顺治三年,清廷授王铎原礼部尚书衔管内翰林弘文院学士事,顺治五年加太子太保,顺治六年授礼部左侍郎,同年晋少保,顺治九年卒于家。

王铎与汤若望相交于崇祯中期,因顺治初年王铎作诗《东西洋汤子》有句曰:"别后十年泣塞鸿,遥传震旦与天通。"❷ 顺治二年王铎降清抵京后,又曾书赠汤若望诗册《过访道未汤先生亭上登览闻海外诸奇》四首七律。其中第一首又录于《拟山园选集》卷六,题为《过访西洋汤子道未登览闻海外诸奇》。上述《赠言》一帙,录入王铎赠汤若望诗四首。赠诗中除表达对西方天算、西药的赞赏外,第三首又以"八万里遐程燕蓟中,如云弟子问鸿蒙"句,特别表明了若望交游中士之广。据学者考证,王铎此诗原作于大约崇祯十年至十三年间。❸ 清初王铎书赠旧诗之动机,盖因汤若望已于前一年十二月接掌清廷钦天监监正,意在手书一卷,重续交谊。不料,此一手书竟至遭窃。王铎便又重书一卷,且装裱成册。其诗跋云:

> 道未先生学通天人,养多玄秘,心服其为人中龙象也。予曾书一卷,被盗窃去,因再书此,今裱成,再奉以赎遗失之愆,知道翁必大笑也,河南王铎具草求正之。

而从其跋言中得知,他当时正处贫病交加之中:"月来病,力疾勉书,时绝粮,书数条卖之,得五斗粟,买墨,墨不嘉耳,奈何?"此情此景,足见王铎十分珍视与若望之交谊。

---

❶ 《清史列传》卷七九《贰臣传·王铎》。
❷ 王铎:《拟山园选集》卷六十七,引自前揭黄一农文。
❸ 高文龙:《中国书法全集·王铎卷·作品考释·赠汤若望诗册》,荣宝斋 1993 年。

胡世安与薛所蕴同朝为官,且同任礼部正副职(胡为尚书,薛为侍郎),时应汤若望之邀,共饮御赐贡酒"和兰酒"。据查,荷兰使者第一次入京在顺治十三年(1656),使节彼得高耶(Pieter de Goyer,旧译杯突高啮)与雅各布特凯泽(Jacob de Keyser,旧译惹诺皆色)曾贡"和兰酒",❶ 而汤若望正是中荷首次外交活动的"通事"。不过,汤氏在此次外交活动中扮演的角色颇不光彩,因他曾利用其对顺治帝的重要影响力,大进谗言,竭力保护作为传教团生命线的澳门对华贸易不受荷兰人的竞争。❷ 汤若望得御赐贡酒当为清廷对其协助外交工作的奖赏,而汤氏借酒交好朝廷要员,也是其布教策略的意料中事。《赠言》收录胡、薛各赋诗一首记其共饮之事,胡诗名《道未先生邀同行屋贰公饮和兰酒》,"行屋"为薛所蕴字,"贰公"乃指薛氏为礼部副贰。薛诗名《汤先生招饮上赐和兰贡酒》,细叙招饮盛事,其诗首曰:"声教被遐荒,和兰重译至",次述贡酒"维酒青且烈,各国酿有制",再叙招饮事"异人汤先生,上前全拜赐。持归通微堂,馨闻庄逵暨。叩友三二人,相延就客次。启罂欢命酌,开樽心已醉。"

经查核,胡、薛文集中均未见录入此二诗,但笔者意外地发现他们另有诗文记叙与汤若望交往之事。薛所蕴另有一诗,名曰《汤道未先生园中水石歌》,❸ 该诗从描叙汤氏所居庭园的景观入言,其中"时来问道先生侧,便如跳出长安陌"一句,应指他与汤氏谈论过天主教理之意;再言"先生一身备天体,仰探星经之奥,俯穷地纪之理,开辟以来,日月指诸掌……",显然是在叙说汤若望传播西洋

---

❶ 《清世祖实录》卷一百零三,顺治十三年六月丁亥条。

❷ John E. Wills, Jr: *Embassies and Illusions*, Ⅱ p. 43, Harvard University Press, 1984. 包乐史(Leonard Blusse)、庄国土《〈荷使初访中国记〉研究》p. 41—42,厦门大学出版社,1989 年。

❸ 薛所蕴:《桴庵诗》卷二,顺治刻本,四库全书存目丛书·集部第 197 册。

天文地理学说之功；而歌末曰"何时顿了婚嫁缘，常侍先生水石边"，犹知薛氏似乎已对若望的说教有所感悟。

胡世安文集中也另作有《太常卿汤道未先生修新法历文》，专为赞扬汤若望改订新历之功，文曰：

> 自三代以来七政渐谬……后订惟西儒道未汤先生，沉酣天学，涉猎象占……亲载宝籍而燕游，适正朔之廷议……略举数端，章明新法，咸畴人未及津逮，固灵台所应珍藏……匪蠡测管窥之浅，略等一世于百世，洵可法而可传。❶

同时还叙及汤氏受赐"通玄教师"之荣恩。此文显见胡氏对西洋天文历学颇为关注。其实胡氏与西学的关系并非止于上述两篇诗文。仅从徐宗泽所著《译著提要》中得知，胡氏曾为汤若望著《民历铺注解惑》及利类思译著《超性学要》作序。❷ 这两篇序文又为我们提供了一个重要信息：胡世安除了接触西洋天文历学之外，还涉猎到了欧洲的神哲学。据知，利氏所译《超性学要》即为欧洲神学家圣托马斯·阿奎那(S-t. Thomas Aqiunas, 1225—1274)所著《神学大全》(*Summa Theologica*)之节译本，胡氏所见应为节译本第一部分：《天主性体》六卷。《神学大全》乃是天主教神学理论的集大成者，书中阐述的神哲学思想，标志着欧洲经院哲学发展的高峰。尤其引人注目的是，该书初刊于顺治十一年，其时胡世安身为清廷礼部尚书大员，利类思请胡氏作序，这多少意味着西教士已敢于向朝廷

---

❶ 《秀岩集》卷二十九。

❷ 徐宗泽：《明清间耶稣会士译著提要》，页 285、页 189，中华书局影印本，1989年。

要员公开宣扬天主教理,而胡氏也居然表示认同天主教与儒学有相通之处:

> 今观超性学要译义,娓娓数千言,疏引驳正……昌明天学吃紧为人;撮其要领,与吾儒小心昭事,求福不回之指归,其揆未尝不一。第吾儒之言维皇者不可形埒,而西儒言天主者,确有宗传,斯不无差别耳。语曰东西海有圣人出焉,此心此理同也,南北海有圣人出焉,此心此理同也,亶其然与。

于此可以窥见,顺治年间西教士"学术传教"策略运用得相当出色。至于胡氏作序的汤若望《民历铺注解惑》一书,今见版本刊于康熙二十二年(北京图书馆藏),系南怀仁校订本,但汤氏撰成该书在顺治初年,而胡世安卒于康熙二年,这又意味着胡氏作序的《民历铺注解惑》,或许有初刻本也未可知,但无论这种推断是否正确,均可显现汤若望利用结交清初名公巨卿以扬教之良苦用心。

其他相交的贰臣,如钱谦益、丁耀亢、陈名夏亦与西学各有接触。钱谦益与王铎、龚鼎孳为知己好友,而钱氏对西书、西教颇为关注。他在家乡常熟修筑的藏书楼"绛云楼",闻名遐迩,而查阅钱氏《绛云楼书目》,知其藏有不少西学图书,仅卷二历算类即著录西书十部,如利玛窦《几何原本》、艾儒略(J. Aleni)《西学凡》、阳玛诺(Em. Diaz)《天问略》等,大多为《天学初函》所收的西方科学著作。❶ 钱氏晚年还公开抨击"西人之教"为"世间大妖孽"❷。

丁耀亢与汤若望也有过交往,他在顺治九年(壬辰)作诗《同张

---

❶ 《绛云楼书目》,丛书集成初编本。

❷ 钱氏致黄宗羲尺牍,《南雷诗文集附录·交游尺牍》。

尚书过天主堂访西儒汤道未太常》❶。诗云：

> 鬞鬞窈停垂双耳，渡海东来八万里。相传印度浮屠
> 外，别有宗门号天氏。天氏称天人主教，自谓星辰手所
> 造。因缘亦与儒释同，不识天人原一道。璇玑法历转铜
> 轮，西洋之镜移我神……

诗中透露，丁氏对入传天主教与西洋奇器，怀有好异与赞赏之情。

至于陈名夏与西学的接触，颇有几分传奇色彩。据清初著名史学家谈迁记载："崇祯甲申年（1644）三月，京城陷，陈避天主堂，欲投缳，（若望）力沮之"❷，从中得知西士汤若望竟是陈名夏的救命恩人。又据谈迁记载，陈名夏还曾向汤若望学习过炼金术，却"欲传之不得也"。又据笔者进一步调查，发现陈名夏与汤若望在顺治年间的交往还相当密切。如在陈名夏《石云居诗集》❸中，笔者就检出了四首诗记其与汤若望的交往事迹。其中三首见于卷一，为"寄汤道未先生"、"赠汤道未太常"、"过汤道未园中"，另一首为收于卷六的"西洋汤道未先生来"，足见两人交往已非泛泛。如第一首"寄"诗云：

> 齪齪滞风尘，谁知海外人。舟行南北极，教异释玄身。
> 六合犹堪论，十洲尚可怜。汉廷太史令，定历正星辰。

诗中透露，陈氏对汤若望的传教与治历工作深表钦佩之意。

---

❶ 丁耀亢：《陆舫诗草》卷四。该诗在卷目与集内之诗名，均将汤若望之字"道未"误为"道末"。

❷ 谈迁：《北游录·纪闻上》，页 278，中华书局，1960 年。

❸ 陈名夏：《石云居诗集》，清初刻本，四库全书存目丛书·集部第 201 册。

著名布衣学者谈迁（浙江海宁人），则是主动向西教士求习西学的清初遗民士人之一。顺治十年（1653），谈迁应友人朱之锡（1624—1666）相助，始得机会居留北京两年多。朱氏原为浙江义乌人，时任弘文院编修，他应谈迁的意愿，特聘他担任记室，随同北上。谈迁渴望进京的动机，主要是为了修订《国榷》书稿，寻找明朝遗民遗臣。在京期间，他结识了同乡浙江秀水人、著名的藏书家曹溶（1613—1685），并由曹溶介绍认识了遗民高士吴伟业（1609—1672）等。值得一提的是，曹溶曾在自编丛书《学海类编》中收录了著名的西学著作《西方要纪》。丛书在当时虽未刊行，但表明曹氏必定对西学有所瞩目。

谈迁在到达北京的第二年，即顺治十一年（1654）正月，就主动登门拜访了汤若望。谈迁本人记录了此次会见的过程：

> （甲午正月）癸巳，晨入宣武门，稍左天主堂，访西人汤道未若望，大西洋欧罗巴国人……今汤官太常寺卿，领钦天监事，敕封"通玄教师"，年六十有三。

尤其珍贵的是，他从一个学者的角度，并以史学家的笔调，详细记述了他在汤若望处耳闻目睹与亲身感受之事物：

> 供耶稣画像，望之如塑，右像圣母，母冶少，手一儿，耶稣也。耶稣译言救世者，一曰陡斯，汉哀帝元寿二年庚申生如德亚国。圣母玛利亚，本王族，童贞不嫁，忽娠天主，六十三卒，后三日复生，升天。天主年三十三上升，其教耶稣曰契利斯督，法王曰俾斯玻，传法者曰撒责而铎德，如利玛窦等，奉教者曰契利斯当，祭陡斯以七日，曰米撒。其降生升天等日，曰大米撒。玛窦亡，其友庞迪我、

64

龙华民辈，代主其教，今汤氏尤见重。登其楼，简平仪、候钟、远镜、天琴之属……其书叠架，茧纸精莹，劈鹅翎注墨横书，自左而右，汉人不能辨。❶

从谈迁的记叙中不难看出，汤若望热情接待了他，对他宣讲了一些天主教的基本教理，并让他参观了教堂内陈设的各种西洋仪器设备。

笔者还发现，谈迁在《北游录》中曾多次谈到西洋书和西洋画。其中有一处记道：

> 其国作书，自左而右，衡视之……所画天主像，用粗布，远睇之，目光如注，近之则未之奇也。汤架上书颇富，医方器具之法皆备，……他制颇多，不具述。❷

这里的叙述语气，明显是一种亲身观感，因此不排除这是谈迁多次前往教堂的闻见录。即便是追忆甲午正月访问汤若望的旧闻，那也表明，西书、西画，乃至西方医学、物理器用之学，在谈迁的头脑中留下了深刻的印象。

总结以上所述，以《赠言》集士人为中心结成的清初遗民士人群体，他们之所以能接触西学，首先是与汤若望等耶稣会士推行的"学术传教"策略有密切的关系。而西教士们或亲身参与，或间接利用了清初士人的交际网络。西士与"贰臣"们的诗酒交往，包括约请名士撰写书序之类，虽然含有许多礼节性或名义上的成分，但鉴于这些贰臣大多为当朝的名公臣卿，故对于提升西学的名望，减

---

❶ 谈迁:《北游录·纪邮上》，页45—46。
❷ 《北游录·纪闻上》，页277—278。

少西学在清初社会传播的阻力,仍不失为明智之举。

其次,遗民士人群体与西学的联系和分离又呈现出复杂的局面。部分士卿如胡世安等,确实对西方科学乃至天主教理有所认识,并撰有诗文为西学作了二度宣扬。在清初政界名望颇高的魏裔介,学宗朱子,"海内言理学者咸推"❶ 之,然而他在致仕十余年后,竟然最终走向接纳西学的极点——皈依天主教(详见第六章)。他与贰臣钱谦益正好站到了迎接西学的两个端点上。而曾经撰文祝贺汤若望荣恩的王崇简,却在"康熙历狱"末期,又撰诗称赞反西教先锋杨光先的"卫道"精神(详见第三章)。可见,同样与西士、西学接触的清初遗民士人,即便是政治上同道的"贰臣"也有不同的反应和不同的取向,甚至同一位士人看待同样的西学也会产生阶段性的差异。这种现象,不正是西学流播深入清初士林的标志吗!

当然西学的实质性流播,更在于西方文化知识的传递。清初士人通过人际关系网,无疑有更多的机会,更好的条件(包括生活上、图书资料上),更容易接近西学和传播西学。上述谈迁与汤若望的直接交往还表明,清初西教士善于利用一切与士人交往的机会宣扬天主教理;而对谈迁一类的清初学者而言,虽然他们与西学的接触,多少带有猎奇的动因,但是真正令他们感兴趣的东西是西学中有别于中学的异质文化成分。不过应当承认,清初士人接触西学的机缘更多的是系于士大夫的交游习尚,要不然,生活清贫的布衣学者谈迁,将难得有机会进京直接会晤汤若望。

以下特别例举以方氏父子为主线结成的接触和传播西学的师生、友人士人群体,这将有助于我们更为真切地认识到清初士人交际与西学流播的关系。

方以智(1611—1671)早在明末年轻时就接触过西学(详见第

---

❶ 《魏贞庵先生年谱》,页15,畿辅丛书本。

七章），他读过西学丛书《天学初函》❶，并有机会拜见熊明遇（约1580—约1645）。被方以智称为"熊公"的熊明遇对西学颇有研究，曾为耶稣会士熊三拔所著《表度说》作序，为另一位西士庞迪我著《七克》作序，名《七克引》❷，显见熊氏于西学有直传。熊氏另著《格致草》也大量引用西学知识。❸ 方氏流寓南京（崇祯七年至十二年，1634—1639）时，曾拜访过意大利耶稣会士毕方济（F.Sambiasi，字今梁，崇祯四年至十六年在南京），有方氏《赠毕今梁》诗为证。❹然而，方以智仍然觉得对西方科学不甚了了。直到崇祯十三年至十七年（1640—1644），方以智仕宦北京期间，始与汤若望交善而精西学。❺据方氏自述，汤若望曾亲自为他传授过西方科学知识："其取硇水法，以琉璃窑烧一长管，以炼砂取其气，道未公为余言之。"❻ 入清后，方以智对其大量吸收西学的两部代表作《物理小识》和《通雅》均作了修改、整理，并于康熙初年刊印行世，对于推进西学流播清初士林，功不可没。

方以智与上述遗明士人集团中的钱谦益、龚鼎孳、王崇简、陈名夏等皆为文友。《博依集》（方以智作于22岁前的诗集）中收有《呈钱牧斋宫尹》七绝诗一首。❼ 清顺治十年（1653），钱氏又为密

---

❶ 《桐城方氏七代遗书》本，页25—26。

❷ 徐宗泽：《明清间耶稣会士译著提要》，页283；《天学初函》本《七克》卷首，（台湾）学生书局影印。

❸ 熊明遇：《格致草》上下2册，收入《函宇通》内，清初熊志学刻本，北京图书馆善本室藏。

❹ 《流寓草》卷四，诗曰："先生何处至，长揖若神仙。言语能通俗，衣冠更异禅。不知几万里，尝说数千年。我厌南方苦，相从好问天。"

❺ 方中通：《陪诗》卷二"与西洋汤道未先生论历法"，引言曰："先生崇祯时已入中国，所刊历法故名《崇祯历书》。与家君交最善，家君亦精天学。"

❻ 《物理小识》卷七"金石类"。

❼ 清抄本《方密之诗钞》卷上《博依集下》，北京图书馆藏。

之《借庐语》诗集作序。❶ 龚鼎孳《怀方密之诗序》叙述了他们在武昌结交的情形：

> 当密之尊中丞开俯江汉时，则余幸得奉下风，称奔走吏，乃密之顾独好余，时时声相闻。……密之与余始终交谊，患难不渝有如此者。❷

而王崇简也与密之过从，曾于辛巳年（1641）作诗《送方密之》。❸ 陈名夏也作有诗歌《怀方密之》、《闻密之南还适符夜梦喜而赋诗》，❹ 可证两人交谊之深。

　　名士瞿式耜（别号稼轩，1590—1651）与方以智则相交于明末，入清后又一度共仕南明桂王政权，多有诗文唱和，引为知己。永历三年（1649），密之作歌贺瞿氏六十寿辰，后又作文《稼轩瞿相公传》❺。瞿、方往来诗文多见于《瞿式耜集》❻。众所皆知，瞿式耜一家与耶稣会士颇多往来，其伯父瞿汝夔（太素）是利玛窦最亲密的中国友人之一。通说瞿式耜于天启间在艾儒略领洗下入天主教，尽管有学者对其是否真正奉教发出质疑，❼ 但他热衷西学之事实应无疑议。如他曾为艾氏《性学觕述》作序，❽ 入相桂王政权时，

---

❶ 《浮山文集后编》卷二"借庐语"附，转引自任道斌《方以智年谱》，页182，安徽教育出版社，1983年。

❷ 龚鼎孳：《定山堂诗集》卷十六"七言律诗"。

❸ 王崇简：《青箱堂诗集》卷三。

❹ 陈名夏：《石云居诗集》卷二，四库存目丛书本，页658、页679。

❺ 方以智：《浮山文集前编》卷九"岭外稿"卷下。

❻ 江苏师院编：《瞿式耜集》卷二"桂林诗"，上海古籍出版社，1981年。

❼ 黄一农：《洋教心态与天主教传教史研究》，(台湾)《清华学报》1994年第3期。

❽ 徐宗泽：《明清间耶稣会士译著提要》，页211。

曾遣使庞天寿偕耶稣会士毕方济赴澳门借引葡兵、西炮等。❶ 清初方以智在修改《物理小识》时，瞿式耜即以医方见赠。❷ 有理由相信，西学是瞿、方两人共同感兴趣的话题。

自称方以智弟子的黄虞稷（字俞邰，1629—1691）❸，曾得方氏以《通雅》相托，并"以字学付俞邰"❹。而密之的"字学"直接受到过西士金尼阁（Nicolas Trigault, 1577—1628）《西儒耳目资》❺ 的影响，而该书是首批介绍拉丁字母汉语拼音方案的西书之一。方氏在《通雅》卷五十《切韵》中称赞金氏的方案"天然妙叶"，并以五韵归类汉字，偿试汉字"因音而成字"的改革。康熙初，揭暄（字子宣，约 1610—1702）撰《璇玑遗述》（又名《写天新语》），"易堂九子"之一邱邦士撰序称揭暄曾将此书"就正浮山大师（按：时人对方以智的称呼），师子位伯（方中通字），名之曰写天新语，订论尤详，分列之以为数十条。"❻ 至于该书的西学内涵，正如《四库全书总目提要》评曰"言天地大象，七曜运旋，兼采欧罗巴义"❼。方以智亲自为该书作序，亦称揭暄"连年与儿辈测质旁征"，其书"每发一条辄出大西诸儒之上"，❽ 可知揭暄曾多年师从方氏父子，受学西方天文历法。方氏父子与揭暄的关系，可以看成是清初西学流播渠道中的师传形式。

---

❶ 方豪：《中国天主教史人物传》上册，页 283。

❷ 《物理小识》卷四《医要类·瘴气》"桂林库有方书版，稼轩年伯印之见寄，具载此方之功"。

❸ 方以智：《浮山后集》卷二"借庐语"，参见任道斌《方以智年谱》，页 190。

❹ 《陪诗》卷一《迎亲集·黄俞邰就学竹关，老父以通雅相托》，《田间文集》卷十《黄俞邰以灯夕后一日三十初度，用汤圣弘原韵补祝》，引自任道斌：《方以智年谱》，页 186、页 190。

❺ 方以智说："今日得西儒耳目资，是金尼阁所著。"见《膝寓信笔》页 19。

❻ 揭暄：《璇玑遗述》邱邦士序，乾隆三十年会友堂刊本。

❼ 永瑢：《四库全书总目》"璇玑遗述"条，页 912，中华书局，1965 年。

❽ 揭暄：《璇玑遗述》方以智序。

方以智命其子方中通(1634—1692)从游耶稣会士穆尼阁(N. Smogolenski, 1645—1656年在华)"学乘除历算,略知梗概"❶。顺治十六年(1659),方中通步其父亲的足迹,赴北京问学汤若望。他历经多年钻研,终于著成《数度衍》。显然,方氏父子的西学知识有其传承关系。这种形式的西学流播当属"承其家学"❷类。

方氏父子与清初吸收西学的大师梅文鼎(1633—1721)的学术交流,又当别论。康熙十年(1671),密之寄书梅文鼎"征象数之学"❸。梅氏与方中通同好西学,且为诗文酬酢,交流学问。梅氏尝作《复柬方位伯》,其题识云:"方子精西学,愚病西儒排古算数,著《方程论》,谓虽利氏无以难,故欲质之方子。"❹ 值得关注的是,梅、方两家交流西学的目的在于会通中西,正如梅氏寄语中通"我亦中西兼考订,谁期与子共编摩","几欲遗书相讨论,凭君为我一参同"。❺ 这种基于会通中西的学术交流,可谓清初西学流播的高深层次。

而同为密之文友的清初学术三大家黄宗羲(1610—1695)、王夫之(1619—1692)、顾炎武(1613—1682)❻,他们通过阅读西学书籍接触西学,并形成自己独立的见解,反馈于士人交际网络,这更是清初西学流播范围扩大的标志(详见第七章)。黄宗羲研读过

---

❶ 方中通:《陪诗》卷二"与梅定九书"。

❷ 方中通:《陪诗》卷二"与西洋汤道未先生论历法"。

❸ 永瑢:《四库全书总目》"数度衍"条,页908。

❹ 梅文鼎:《绩学堂诗钞》卷一,乾隆二十二年(1757)刊本。

❺ 梅文鼎:《绩学堂诗钞》卷二"寄方位伯"。

❻ 据黄宗羲《思旧录·方以智》,方、黄订交于明末:"密之为我诊尺脉,……壬午年(1642),在京师,言河、洛之数另出新意。"方、王交于清初武冈或桂林,即顺治五年或七年,参见蒋国保:《方以智哲学思想研究》附录三"王夫之与方以智订交考",安徽人民出版社,1987年。康熙十年春夏,方氏作《寄亭林居士山水册》寄赠炎武,参见任道斌:《方以智年谱》,安徽教育出版社,1983年。

《崇祯历书》和薛凤祚(1600—1680)《天学会通》(薛氏师从西士穆尼阁所著)等西学书籍,著有《西历假如》等多部介绍西方科学的作品(详见第七章二·2),并允诺好友姜希辙刊行传世,以"使人人可以知之"❶。王夫之则在《搔首问》中称赞"密翁与其公子为质测之学,诚学思兼致之实功。盖格物者即物以穷理,惟质测为得之"❷,这显然是对方以智所持"泰西质测颇精,通几未举"❸ 观点的呼应。顾炎武著《日知录》,以经世、博洽之作名世,自述天文之学参考了当时流行于世的西洋历学知识,如曰:"日食,月掩日也;月食,地掩月也。今西洋天文说如此。"❹ 而于《菰中随笔》中,顾氏引述了"汤若望《新法历引》"有关"三余说"不同于传统"四余说"的论点(所谓四余是指传统星占学上所指罗睺、计都、月孛、紫气四颗虚拟的星体,西说无紫气)。❺ 黄、王、顾三大家与西学的接触,乃是清初西学借士人交际网络广为流播之表征。

总结本节所述,清初以汤若望为首的耶稣会士,通过结交士大夫和著译西学书籍,确实使西学成功地介入了清初社会的知识传播系统。借助清初士人由文友、同事、师生等交叉关系结成的网络,西学的触角开始深入到清初的整个知识界。此一士人群体,除了少数人直接受传于耶稣会士外,多数人是因置身于士人交际网络及其知识传播系统,以师传、家学、交流、阅读等形式,间接地接触了耶稣会士引进的西方文化。在考察清初士林流播西学的各种形式中,正如利玛窦当初利用译著西书实施"哑式传教法"所预料

---

❶ 黄宗羲:《历学假如》卷一《西历假如》、《历学假如》姜希辙序,《黄宗羲全集》第9册,浙江古籍出版社,1992年。

❷ 《搔首问》,《船山全书》第12册,岳麓书社,1992年。

❸ 《通雅》卷首。

❹ 顾炎武:《日知录》卷三十"月食"。

❺ 顾炎武:《菰中随笔》卷二下,敬跻堂丛书本。

的一样,西学书籍在士大夫中的传播功能特别显著。对此,我们将以清初士人学术视野里的西书西学为主题,再作进一步考察。

二 西学书籍在知识界的流传

清初自汤若望藉西洋天文历法成功获得官方"通天"角色,到继起的南怀仁及法国耶稣会士白晋、张诚等,先后被康熙帝招为御用西学教师,除康熙初年"历狱"期间,因杨光先掀起反西教、反西学运动而欲禁毁西学之外,西学书籍基本上可得自由流传。尤其是汤若望改编的《西洋新法历书》在顺治二年获得钦定刊行的地位之后,康熙帝诏命将耶稣会士引进的《几何原本》等西方科学书籍,采用满汉两种文字译本发行全国,❶ 这使西书的流传更加畅行无阻。清初西书流传士林的渠道大致有以下几种:

其一是耶稣会士直接赠送。如南怀仁在康熙乙卯年(1675)曾将其所著《赤道南北两总星图》、《不得已辨》送给陆陇其,戊午年(1678)送王天市《坤舆图说》、《熙朝定案》。❷

其二是购买。清初西书的刊印、销售较集中于耶稣会士活动中心地北京、杭州、南京等处(参见徐宗泽《译著提要》),而各地续有翻印、传销西书。据康熙十四年陆陇其记曰:"利(指利类思,笔者注)又云:要知历法,须尽看诸历书,西法诸历书板皆在天主堂,得数金便可全印",陆氏本人也在北京报国寺"买《日躔表》二本,乃西洋历书中之一种也"❸。而同一年梅文鼎在南京购得《崇祯历书》。❹

---

❶ 白晋著、马绪祥译:《康熙帝传》,页 227,《清史资料》第 1 辑。

❷ 陆陇其:《陆清献公日记》,道光辛丑胜溪草堂刻本。

❸ 陆陇其:《陆清献公日记》,乙卯年五月廿五。

❹ 梅文鼎:《勿庵历算书目》"勿庵度算"条。

其三是西书选入丛书刊行。清康熙三十六年(1697)，张潮(字山来，号心斋，1659—1707，安徽新安，今歙县人)辑刊的《昭代丛书》甲集卷二七即选入利类思、安文思、南怀仁撰《西方要纪》(第四帙)。同时期的曹溶也将《西方要纪》辑入《学海类编》，惜未刊印。刊于康熙四十一年(1702)的吴震方辑《说铃》前集，又收入了南怀仁的《坤舆外纪》。由于丛书在学界特有的影响力，清初编刊的辑有西学书籍的这类丛书，确实为清代学者提供了获取西学知识的一条便捷渠道，如康、雍间士人陆廷灿(字秩昭)，即曾明确说明他所了解的地圆说等西学知识，是从《昭代丛书》所辑《西方要纪》中获得的。据陆氏《南村随笔录》卷四"泰西"条记曰：

> 《昭代丛书》引泰西人言，以大地为圆球，上下四旁皆成世界，地下之人与中华脚板相对……按西儒南怀仁《西方要纪》云，舟师掌指南车定向、占风……其曰西洋乃西海也。泰西在西海之滨，地在极西，而中华在东耳。至其人颖异聪明，其器工巧奇妙，有非他国所能及者。❶

可见，陆廷灿对西人、西学的评价，主要是通过阅读随丛书流传的西学书籍而获得的。

其四是借阅传抄。陆陇其在乙卯年(1675)闰五月，曾请朱年翁从侍御黄敬玑家为其借得南怀仁《灵台仪象志》。❷ 梅文鼎曾从南京顾昭家借抄穆尼阁的《天步真原》与薛凤祚的《天学会通》二

---

❶ 陆廷灿:《南村随笔录》六卷，雍正十三年陆氏寿椿堂刻本，四库全书存目丛书·子部第 116 册，页 287，齐鲁书社，1995 年。陆氏与清初奉教士人吴历(字渔山，号墨井道人)交谊，曾有山水画及诗相赠，同见该书卷三"墨井道人"条，页 276。

❷ 陆陇其:《陆清献公日记》，乙卯闰五月初六。

书,戊午年(1678)又从黄虞稷家借抄罗雅谷的《比例规解》。❶ 然而考察士人们交游访学的传统,可知收藏丰富的私家藏书楼通常是他们问学拜读的去处。因此,从查阅现存清初士人的藏书目录入手,可以进一步考见西书实际流传学界的概况。

清初名闻士林的藏书楼,除前述钱谦益的"绛云楼"外,更有黄虞稷的"千顷堂"、徐乾学(1631—1694)的"传是楼"、钱曾(1629—1701)的"也是园"与"述古堂"、朱彝尊(1629—1709)的"潜采堂"等,它们均收藏有西学书籍。以下分别列其要目(括弧内标示的作者等内容为笔者加注,同出者不注):

《绛云楼书目》❷ 卷二历算类:《西学凡》(艾儒略)、《浑盖通宪图说》(李之藻)、《句股义》(徐光启撰)、《表度说》(熊三拔等译)、《圆容较义》(利玛窦、李之藻译)、《测量法义》(利玛窦、徐光启译)、《天问略》(阳玛诺等译)、《西洋测食略》(汤若望)、《几何原本》(利玛窦、徐光启译)、《同文算指通编》(利玛窦、李之藻译)。共 10 种,大多为《天学初函》器编所收。

《千顷堂书目》共录西书 20 余种,❸ 分录于卷六地理类、卷十二农家类、卷十三兵家类、天文类及历算类,除录有《天学初函》器编全部十种外,要者:庞迪我《海外舆图全说》,徐光启《农政全书》,张焘、孙学诗《西洋火炮攻图说》,李天经《浑天仪说》,艾儒略《几何要法》(适园丛书本录),徐光启《崇祯历书》(四库本注一百十卷,另本注百二十卷),以及黄氏称不知撰人者《西洋地震解》(或即西士龙华民著《地震论〈解〉》)、《乾坤体义》(利玛窦译)。

---

❶ 梅文鼎:《勿庵历算书目》"天学会通"条、"勿庵度算"条。

❷ 丛书集成初编本。

❸ 笔者所据版本为影印文渊阁四库全书本、(台湾)续丛书集成影印适园丛书本、好古敏求斋本,以及今人瞿凤起、潘景郑整理本(上海古籍出版社,1990 年)。

《传是楼书目》❶ 子部释家、天文、农家类共收西学著作约 27 部：明耶稣会士艾儒略述《天学初函》16 本，庞迪我《庞子遗诠》及《七克》，卫匡国述《天主理证》，利玛窦译《几何原本》，南怀仁《不得已辨》及《灵台仪象志》，汤若望《浑天仪说》及《崇祯历书》一百三卷，《浑仪说》，《新法历（书？）》等。

《也是园藏书目》❷ 卷一经部·数、卷五子部·律历，《述古堂藏书目》❸ 卷三天文历法、卷四数术，共录西书约 9 部（不含重复），要者：利玛窦《赤道南极北极图》及《测量法义》、《圆容较义》、《乾坤体义》、《同文算指通编》；以及《西洋测食略》、《西洋新历法书》一百卷（汤若望著，疑"历法"二字颠倒）、《浑盖通宪图说》（李之藻）等。

《潜采堂书目》四种❹ 之三、之四著录：有西洋书 43 本及方以智《物理小识》、《通雅》。

此外，另有一些清初文人的藏书目也屡见收录西学书籍。如曹寅（1658—1712）《楝亭书目》❺ 卷二经济类、卷三说部、杂部录有西书约 30 部：汤若望《西洋历书》一百二十卷（从其所列子目看即为《西洋新法历书》）；梅文鼎《历学疑问》、《三角法》、《勿庵历算书目》、《数表》；利玛窦《友论》；《天学初函》20 册（是书理、器二编共收西书正好 20 部）；方以智《物理小识》；黄百家（1643—1709）《句股矩测解》。另有杨光先的《不得已》等。王闻远（字声宏，朱彝尊常与其互借书籍）《孝慈堂书目》❻ 著录西学书：《圆容较义》、《奇器图说》（邓玉函）、《泰西水法》，以及黄宗羲、姜希辙《授时西历假

❶ 1915 年排印本。
❷ 《玉简斋丛书》本。
❸ 《粤雅堂丛书》本。
❹ 《晨风阁丛书》本。
❺ 《辽海丛书》本。
❻ 《郋园丛书》本。

如》。值得一提的是，黄宗羲建有藏书楼"续钞堂"，康熙五年（1648）曾大量购得散出的绍兴祁氏"澹生堂"藏书，为此与吕留良交恶。而据《澹生堂藏书目》❶ 卷六、八、十著录，该堂收藏 10 多部西书，主要有：利玛窦之《天主实义》、《畸人十篇》、《交友论》、《二十五言》、《测量法义》、《几何原本》等以及《七克》、《简平仪说》、《西洋火攻图说》等。从黄氏撰有包含西方科学内容的天文数学著作《西历假如》、《新推交食法》、《句股图说》、《割圆八线解》❷ 等来看，他极有可能购得澹生堂散出的西书。

从以上所述可以看出，在清初士人中流传最广的西学书籍，一类是明末李之藻于杭州辑刊的西学丛书《天学初函》理、器二编所收 20 种西方宗教与科学书籍；另一类是清初在华活动的耶稣会士如汤若望、南怀仁等所著的西学书籍。其中笔者又曾专门关注过两部介绍西方地理学的名著《职方外纪》和《坤舆图说》，在清初学界的流传状况，此可作为西书流播清初士林的一个缩影。

如清初傅维麟（？—1667）所著《明书·欧罗巴传》❸，与尤侗（1618—1704）著《外国传·欧罗巴》❹ 所述欧洲风俗，大多本于艾儒略《职方外纪》卷二"欧罗巴总说"❺。尤氏《外国竹枝词·欧罗巴》有"三学相传有四科"❻ 一句，即源于艾氏在该书中所介绍的欧罗巴一国一郡有大中小三学，即"三学"；大学分为医、治、教、道四科，即"四科"。查继佐（1601—1676）于康熙十一年（1672）成书的《罪惟录·外国列传》❼，陆次云（生卒年未详）于癸亥年（1683）所著《八

❶ 《绍兴先正遗书》本。

❷ 阮元：《畴人传》卷三十六"黄宗羲"、卷四十一"陈訏"。

❸ 《明书》卷一百五十六，丛书集成初编本。

❹ 《西堂全集》本。

❺ 艾儒略著，谢方校释：《职方外纪校释》，中华书局，1996 年。

❻ 《西堂全集》本。

❼ 《罪惟录》第 4 册，浙江古籍出版社，1986 年。

絃译史》及《译史纪余》卷一❶,所记海外地理知识也多采纳艾氏此著。与陆著同年所作的张潮《虞初新志》卷十九,则辑录了南怀仁的"七奇图说",❷显然是摘录自康熙十一年(1672)初刻的南怀仁《坤舆图说》。❸而王士禛记录康熙己巳年(1689)至辛巳年(1701)年见闻的杂记《居易录》及康熙三十年(1691)成书的笔记《池北偶谈》,也大量摘引南怀仁《坤舆图说》等多种西学书籍,内容涉及西洋奇器、物产习俗与天主教概况等,可知他对西书中描述的异国风情特别感兴趣。他称《坤舆图说》:"所记西洋诸国物产多异,其尤奇者有七(按:即指《坤舆图说》所记古代世界七大奇迹)。"❹查王士禛《池北书目》(即其自建藏书楼"池北书库"之书目),发现他果真藏有"西域南怀仁《坤舆图说》"❺刘凝(字二至)为其父刘冠寰所辑《隐居通义》校订,方豪曾提及刘凝校语中引西说极多,惟"读书斋丛书"本与"海山仙馆"本均被删削,嘉庆六年"爱余堂"本则完全保存。❻经笔者查阅爱余堂本,知刘凝校语中征引了利再可(利类思字)《不得已辨》(自叙初刻于康熙四年)、艾思及(艾儒略字)《职方外纪》、南敦伯(南怀仁字)《坤舆图说》等西书。❼若以刘凝为校订本《隐居通义》作序的时间康熙丁未(六年,1649)推论,利氏《不得已辨》的流播可谓迅速,但从其引用过《坤舆图说》来看,刘凝之校语至少当在序后五年续作而成。

　　以上可知,确实有部分介绍西方知识的西书特别吸引清初士

---

❶ 丛书集成初编本。尤侗、徐乾学、王士禛等曾于丙寅(1686)和甲子(1684)年为陆氏《澄江集》、《北墅绪言》作序,见四库全书存目丛书·集部第237册。

❷ 清代笔记丛刊本,又有标点本,页372—380,河北人民出版社,1985年。

❸ 影印文渊阁四库全书本。

❹ 《居易录》卷二十六,影印文渊阁四库全书本。

❺ 清道光十二年刘氏昧经书屋刘如海抄本,北京图书馆古籍善本部藏。

❻ 方豪:《明末清初天主教适应儒家学说之研究》,《方豪六十自定稿》。

❼ 刘冠寰辑:《隐居通义》卷二十八、卷二十九,爱余堂刊本。

大夫,它们甚至已经被作为一种学问为清初学者们引述、评论,这又使西学得以在更广的范围内流传。

三　清初士人的西学风尚

前述清初皇帝对西士的优宠和对西学的容纳,成为清初西学东渐的重要推动力。随着清初士人与西学多渠道的广泛接触,"西学"或"天学"这门自晚明兴起的新异之学,在清初几成时髦之学。流风所及,上至名公巨卿,如龚鼎孳、魏裔介、李光地(1642—1718)等;下及布衣学者,如王锡阐(1628—1682)、薛凤祚、梅文鼎等。既有站在时代前列的启蒙学者顾炎武、王夫之、黄宗羲,也有立足于儒家学统的理学名士陆世仪(1611—1672)、陆陇其等。尽管他们对西学的认知有较大的差异(有关的论述将在以下各章展开),然而西学成为清初士人谈论与研讨的一个重要对象,已是不争的事实。如一位清初学者所描述:"近有西洋学,与中国所谈加巧密,虽小异而未偿不大同,世以郯子比之,闽浙传其学者甚多。"❶

西学风尚在清初学界的出现,除了上一章已经述及的明清之际实学思潮高涨这一大的学术文化背景之外,其他因素大致还可举出以下几条:

首先,跨越明末清初而持续数十年的中西历法优劣之争与轰动一时的"康熙历狱"的最终结局,既使西方天文历算等科学知识至少获得了远较中学"精密"的社会声誉,同时也极大地刺激了中国士大夫们对西学的关注与研究的热情。无论赞成或反对西学者,都力图从中西学说的比较中找到攻击对方或固守己见的理由。而随着最高统治者康熙帝出面,以实测方法验证西学取胜,平息

---

❶　文德翼:《璇玑遗述》序,四库全书存目丛书·子部第55册。

"历狱",并且再度确认了西洋历法的钦定地位之后,西学备受清初学界的注目当在情理之中。

其二,明末清初刊行的大量西学书籍,尤其是汇辑了明末传入的西方宗教与科学的西学丛书《天学初函》,与堪称欧洲古典天文学百科全书的《崇祯历书》及其修订本《西洋新法历书》的刊行,为清初士人广泛传习西方科学提供了便利的资料来源。由上述列举的接触西学的清初士人来看,从黄宗羲到梅文鼎等许多学者都是通过阅读《崇祯历书》等西书,开始了解并研究西学的。

其三,康熙帝对西方科学的热衷与提倡乃是推动西学风尚的重要原因。康熙帝对西洋科学的兴趣已见上述,而且他对自己的西学知识颇事炫耀:

> 他拿出来几年前给他制作的小型星座图表,依据星的位置说出时刻来。这样,他便在其周围的贵人面前,能夸示自己的学问而得意。❶

因而受康熙宠遇的南怀仁曾不无得意地说:

> 几乎所有的人都知道,我不仅是遍用于中国各地的历法的制定者,而且善于传布基督教义,特别是杨光先被罢黜放逐后,我向中国再输入欧洲天文学,是人所共知的。❷

---

❶ 南怀仁著、薛虹译:《鞑靼旅行记》,《清代西人见闻录》,页79,中国人民大学出版社,1985年。

❷ 南怀仁著、薛虹译:《鞑靼旅行记》,《清代西人见闻录》,页80。

康熙还多次以西洋历算知识与群臣问对,1687年他与李光地召对乾清宫,曾问及西洋历法、西洋乐理和《几何原本》。[1] 1692年康熙与群臣讨论历算,熊赐履(1635—1709)、张玉书(1642—1711)、张英(1637—1708)等大学士俱不能答,他大为不满,竟至公开诘难:"你们汉人全然不晓得算法。惟江南有个姓梅的他知道些。他俱梦梦。"[2] 而康熙帝对梅文鼎兼通中西历算之学大加赞赏,且特书"绩学参微"[3] 四字表彰。康熙帝热衷西学的直接意义,不仅在于使西学沾上某种"帝王之学"的光环,而且对文人学士具有明显的导向作用,即所谓"上有所好,下必甚矣"的效应。对于这种效应,李光地心领神会,作了最好的注解:"固我皇上膺历在躬,妙极道数,故草野之下亦笃生异士,见知而与闻之。"[4]

面对西学东渐这股强有力的异质文化冲击波,相当一部分清初士人的学术视野被吸引过去了。而当他们关注西方实学的目光与当朝统治者的西学趣尚,因缘际会于同一时空,清初士林汇聚一股西学流风,自然不足为怪。

清初风靡一时的西学风尚,最突出的表现在于兴起了一股比较与研究中西天文历学之风,它几乎遍及整个学界。受西方科学传人的刺激,天文历学即已成为明末实学派倡导经世致用的专门之学,即如方中通所言"自太西氏入而天学(按:指天文历学)为专门"[5],而崇祯朝由西法改历激发的中西历法之争,更使天文历学在中国学术界的地位日益为人瞩目。承明末之势,清初学者往往兼治历算,而治历者又必谈西学。正如梁启超所概述:"自《崇祯历

❶ 李清馥纂辑:《榕村谱录合考》卷上,康熙二十六年条。
❷ 李光地著、陈祖武点校:《榕村续语录》卷十七"理气",中华书局,1995年。
❸ 李光地:《榕村集》卷十三,影印文渊阁四库全书本,页714。
❹ 李光地:《榕村集》卷十二,影印文渊阁四库全书本,页697。
❺ 方中通:《璇玑遗述》序,四库全书存目丛书·子部第55册。

书》刊行后,治历学者骤盛。若黄梨洲及其弟晦木;若毛西河,若阎百诗,皆有撰述",而"其间专以历算名家者"则有薛凤祚、揭暄、方中通、杜知耕(1681 年著《数学钥》,1700 年著《几何论约》)等学者。❶

另有几个生动的例子,更可以让人们窥知当时的西学流风。其一,康熙帝与普通士人陈厚耀(字泗源)的多次问对(事见《畴人传》卷四十一"陈厚耀"传),其主要内容均涉及西方历算、地理知识。如己丑年五月(1709)康熙提问地圆说的理由,陈氏即以西书《职方外纪》中阐述的论据作答。不久,康熙又召陈氏入南书房问测景之法,陈厚耀"即以西洋定位法虚拟法写示"。其二,民间书生刘湘奎(字允恭)"闻梅文鼎以历算名当世",竟致变卖家产,不远千余里投学梅文鼎(见《畴人传》卷四十)。其三,书生张雍敬(字简庵)"裹粮走千里",前往梅文鼎处辩论历法问题,特别就西方地圆说发生了激烈争论:"惟西人地圆如球之说则不合,与梅氏兄弟及汪乔年辈,往复辩难不下三四万言。"❷

以上这些事例表明,清初学界谈天文历算成风,并在相当程度上形成西学风尚。显然,入华耶稣会士施行的"学术传教"策略对于西学风尚的形成,功不可没。对此,清中叶学术大家江永(1681—1762)数语道破:"至今日而此学昌明,如日中天,重关谁为辟? 鸟道谁为开? 则远西诸家,其创始之劳,尤有不可忘者。"❸

综合本章所述,清初士人与西学的接触是多渠道、多层次展开的,总体而言西学的流播范围已经遍及各种士人集团。让我们引用清初兼通中西科学的大家梅文鼎的一段话来概述本章阐论的主

---

❶ 梁启超:《中国近三百年学术史·十一·科学之曙光》。
❷ 阮元:《畴人传》卷四十"张雍敬传"。
❸ 江永:《数学》"又序",丛书集成初编本。

旨——清初士人与西学流播的关系：

> 西人慕义来者益多，既兼采其法，以治历明时，而历
> 书百卷流通宇下，亦赖中国文人为之发挥编辑，而其旨逾
> 明，其精益出。❶

然而，由于各人的知识基础与治学宗尚的差异，以及政治文化
背景的变迁，清初接触过西学的士人对于西学的理解与反应，却相
当复杂。

---

❶ 梅文鼎:《测算刀圭序》，见《绩学堂文钞》卷二，乾隆刊本。

第三章 "康熙历狱"与天儒冲突

清初汤若望仅用短短数月时间就正式掌握了钦天监的治历大权，以一个西洋人的身份充当中国封建王朝历法机构中具有独特政治地位的"通天"、"通神"角色。随即，他又在监中刻意将中国传统历法和元、明以来参用的回回历法排挤出局，确立西洋天文历法的独尊地位。汤若望藉此钦命治历要职的政治威望，为西教士在新建王朝中立足和拓展其天主教传播事业，赢得了一个极为有利的支撑点。然而，此种由洋人掌理朝廷修历特权的局面，在背负上千年儒学文化传统的中国士大夫眼里，绝非仅仅是一种单纯的技术性变革，而是一场涉及封建道统与文化观念的巨大危机。因此，清初以杨光先(字长公，1597—1669)为代表的部分正统士大夫，遂奋起攻击汤若望和西洋历法，竭力渲染西人治历与西学流播所造成的政治后果与文化危害，掀起了清初最大一宗反西教案件——"康熙历狱"(亦称"钦天监教案")。❶

从一定意义上讲，这场历狱并非单纯的中西历法之争，而是清初保守士大夫与西方传教士之间展开的一场中西文化的正面较

---

❶ 有关历狱的早期研究可参见魏特著、杨丙辰译：《汤若望传》页471—518。近年的研究成果主要有，安双成：《汤若望案始末》，《历史档案》1992年第3期，该文利用了有关汤、杨法庭辩论记录的满文档案。黄一农：《杨光先家世与生平考》，(台湾)《国立编译馆馆刊》1990年第2期；《择日之争与康熙历狱》，(台湾)《清华学报》1991年第2期。李兰琴：《汤若望传》，东方出版社，1995年。

量。因为围绕历狱事件展开的既有士大夫与传教士之间的冲突，也有中国士大夫之间的争论；既有中西天文历法之争，更有天主教神学与传统儒学的辩驳。可知保守派士人意欲排斥的对象，并非单纯的哪一种西洋科技或具体哪一位西方传教士，而是入传中国的西方异质文化。因此，这场"历狱"的发生，实质上是清初士大夫对西学东渐作出的一种激烈回应。本章将把视角集中于在"历狱"中展开的中西文化之争，并以清初士人对这一事件的各种评论为线索，透视清初天儒冲突的深度及其影响。

一　夏夷之辨与清初历法之争

清初中西历法之争的序幕是在顺治末年揭开的。前述汤若望为了在钦天监确立西洋新法的独尊地位，早于顺治元年八月即以西洋新法考核监中官生，借此方式打压监内仍守旧法的天文官生。清初依明制例置的钦天监四科之一回回科(余为历科、天文科、漏刻科)，因其采用回历旧法，且该科官生均为信奉回教者，在治历方法与宗教信仰上势将成为汤若望重点排挤的对象。顺治十四年(1657)四月，已被革职的原回回科秋官正吴明炫，开始猛烈回击汤若望的压制，疏控汤若望强行剥夺回回科例行承担的天算工作，斥其所推新法《七政历》舛误，并请朝廷保留回回科，以存此"绝学"(指回回历法)。❶ 随即展开了回回历法与西洋新法的辩争。同年十二月，顺治帝命部院大臣就吴明炫与汤若望"辩水星伏见"一事同赴观象台测验，结果"水星不见"，回回法预推有误，吴明炫遂以

---

❶ 《世祖章皇帝实录》卷一百零九，页 853，顺治十四年四月庚辰条，中华书局影印本 1985 年。

"诈不以实律罪",幸得援赦免罪释放。❶ 此次中西历法之争,以吴明炫的失败而告终。而杨光先却以布衣身份接过了吴明炫首举的反西法旗帜。在顺治十六至十七年(1659—1660)间,杨光先撰写了《辟邪论》上中下、《摘谬论》、《选择议》、《正国体呈稿》等强烈反天主教和西洋历法的文章,❷ 且广为散布。但是,终顺治一朝,尽管反对汤若望与西洋新法的声浪日涨,却并未对他的地位构成实质性的威胁。

在康熙年幼即位,四辅臣秉政,清廷出现新的政治气氛之下,杨光先抓住时机,于康熙三年(1664)七月上《请诛邪教状》,控告钦天监内奉天主教的中外天文官"造传妖书惑众;邪教布党京省,邀结天下人心",而且敢于"暗窃正朔之权以尊西洋"。❸ 同时再次进呈顺治末年撰成的《摘谬论》与《选择议》,竭力向清廷新主陈说西洋历法之非与西教士治历之误,尤其将顺治帝与董鄂妃的相继去世,归咎于汤若望主持的钦天监选择荣亲王(顺治宠妃董鄂之子)葬期失当所致。康熙三年(1664)九月,汤若望、南怀仁、利类思、安文思等耶稣会士俱遭羁押审讯。随即发展为全国性排教案件,各地被拘押且欲解送北京的西教士即达 30 人。康熙四年三月因遇星变、地震等天灾,在同情西教士的太皇太后的要求下,若望等被拘耶士获恩赦出狱,其他受牵连的外省西教士 20 余人,俱押解广东安插。四月,诏令将钦天监内 5 位奉西教的中国籍天文官李祖白、宋可成、宋发、朱光显、刘有泰"俱著即处斩"❹。同

❶ 《世祖章皇帝实录》卷一百一十三,页 885,顺治十四年十二月壬申条。
❷ 有关杨光先反教著作写作日期的考定,参见黄一农:《杨光先著述论略》,(台湾)《书目季刊》23 卷第 4 期,1990 年。
❸ 杨光先:《不得已》上卷页 1075、页 1078,天主教东传文献续编,(台湾)学生书局影印再版,1986 年。
❹ 《清圣祖实录》卷十五,页 223,康熙四年四月己未条,中华书局影印本 1985 年。

月,杨光先被授钦天监右监副,然坚辞不受,于五月获准以布衣身份供事钦天监。● 九月,在力辞未准之下出任钦天监监正。❷ 受此案波及而遭罢黜的著名士人,还有许之渐(字仪吉,号青屿,1613—约1689年后)、许缵曾(字孝彦,号鹤沙,1627—约1696年后)、佟国器(字思远,号汇白,?—1684)三人,时在康熙四年(1665)十月。❸至于他们受牵连的原因,据许缵曾《宝纶堂稿·自序》乃"或系作序,或系捐银",意指他们曾为西教士和奉教者的著作写过序,或为天主教捐过款。缵曾本人曾为在上海松江传教的潘国光(Francois Brancati,1607—1671)所著《十诫劝论圣迹》十卷本作序(序名《天主十劝谕圣迹序》),❹ 许之渐曾为李祖白《天学传概》作序,佟国器在顺治十二年至十六年间(1655—1659)曾为耶稣会士何大化(Antoine de Gouvea,1592—1677)《天主圣教蒙引》、阳玛诺《十诫真诠》(再刻本)、贾宜睦(Jerome de Gravina,1603—1662)《提

● 杨光先:《不得已》下卷,天主教东传文献续编第3册,页1266。

❷ 同上书,页1300。

❸ 许缵曾:《宝纶堂稿·自序》"顺治乙巳(应为康熙乙巳,即四年、1665)冬十月,会徽人杨光先修衅于远西汤道昧,波连都御史佟、御史许、与余三人,或系作序,或系捐银,同时罢官。时都门诸老皆为余抱不平。"康熙三十五年稿本,四库全书存目丛书·集部第218册,齐鲁书社,1997年。

❹ 序文末署"河南等处提刑按察司使许缵曾题",见徐宗泽《译著提要》,页183。缵曾调任河南按察使在康熙三年(1664),至次年十月罢官,在任约一年。而据费赖之《列传》中译本页233,潘著一卷本于1650年刻于河南,徐宗泽《译著提要》页381则记潘著一卷本为1654年印。方豪于《人物传》中册页79对费说提出质疑,认为潘著初版不在河南,这是正确的,但他并未解释一个矛盾:如果许序不可能作于潘著初版14年之后,那为何题名"河南"?今从徐宗泽《译著提要》所记(页182),潘著《十诫劝论圣迹》为十卷本("每诫一卷,共十卷"),笔者据此怀疑,十卷本或为一卷本之后所增补,许氏此序乃为潘著十卷本而作,非为1650年或1654年一卷本所作。又方豪认为杨光先并不知缵曾为潘国光作序(页72),其理由也不充分。故笔者认为康熙三年许氏为潘著十卷本作序,而于次年遭杨光先弹劾之可能性是存在的。

正编》作序，❶ 并作"建福州天主堂碑记"❷。而捐银一事或指缵曾与国器为天主教堂捐款。其实在"历狱"发生期间，许之渐与佟国器均非天主教徒，许之渐只是一位"寄意"于"浮屠老子(按:即佛、道)"的儒士，❸ 晚年更皈依佛教，❹ 佟国器直到 1674 年始由葡萄牙籍耶稣会士成际理(Felicien Pacheco, 1622—1686)在南京受洗入教。❺ 而许缵曾虽自幼受洗，但信仰不坚，❻ 从他自述"时都门诸老皆为余抱不平"来看，缵曾本人也以为作序或捐银不能作为信奉西教之证。不过，他们三人被迫卷入"历狱"，似从一个侧面说明杨光先发动"历狱"的动机，不仅是为了打击、斥逐全体西方传教士，而且也有意清算中国籍的奉教、护教士人，甚至与西教士交游的同情者也在攻击之列。由此观之，杨光先反西教的终极目标是为了在中国社会中彻底铲除西方文化的影响。

自康熙七年底起，南怀仁、利类思和安文思等在京耶稣会士开始疏请为"历狱"翻案。至康熙八年二月，光先因南怀仁疏劾其所推历法谬误遭革职。三月，南怀仁获授监副。八月，光先更被怀仁等疏控"依附鳌拜，捏词陷人"罪拟斩，因康熙念其年老而得宽免。❼ 至此，为时 5 年多的"康熙历狱"始告平息(历狱中受杨光先参劾处罚及干系人员的官荫或财产给还等遗留事宜，至康熙十年

❶ (美)恒慕义(A.W.Hummel)主编、中国人民大学清史研究所译:《清代名人传略》(Eminent Chinese of the Ch'ing Period 1644—1912)"佟国器传"，上册页 357，青海人民出版社，1995 年。前二篇序文见徐宗泽:《明清间耶稣会士译著提要》，页 164—165(徐氏将"蒙引"误为"引蒙")、页 180。

❷ 影印本，收于天主教东传文献续编，第 2 册，页 963—980。

❸ 张宸(许氏友人):《平圃杂记》，页 1，庚辰丛编本。

❹ 陈垣:《从教外典籍见明末清初之天主教》，《陈垣学术论文集》第 1 集，页 200，中华书局，1980 年。

❺ 恒慕义主编:《清代名人传略》"佟国器传"，上册页 357。

❻ 参见陈垣:《华亭许缵曾传》，《陈垣学术论文集》第 1 集，页 126—131。

❼ 《清圣祖实录》卷三十一，页 417，康熙八年八月辛未条。

底才结案❶)。

在"历狱"期间,南、利等耶稣会士为早日翻案,针对杨光先、吴明烜❷ 对天主教和西洋天文历法的大肆攻讦,也积极采取辩驳应对措施。除了寻机与杨、吴等旧历派进行公开的实测较量之外,利类思于康熙四年(1665)著《不得已辩》❸ 以驳斥杨光先《不得已》书对天主教义的攻击。南怀仁则于康熙七、八年间作《妄推吉凶辩》、《妄占辩》、《妄择辩》,批驳杨光先主持的钦天监从事择日、星占等民历事务之虚妄,又著《测验纪略》宣扬西洋历法比中国旧历优越。❹

上述论著再加上"历狱"平息后编著的南怀仁《不得已辩》、《熙朝定案》等,乃是我们了解"历狱"期间中西文化交锋之焦点的基本文献,也是我们确切理解杨光先等保守士人对天主教义与中西历法之争所持态度的重要依据。

首先值得我们探讨的问题是,以杨光先为代表的正统儒士们,究竟基于何种立场、观点对西方文化作出如此强烈的反应。

综观清初"历狱"期间的中西文化碰撞,西学东渐与夏夷之辨始终是双方冲突的焦点。众所周知,在儒学文化氛围中世代衍息的中国士大夫,"夏夷之辨"的观念早自先秦以来,即已根深蒂固。它主要包含两层意思,即地理上与文化上的华夏中心论,以后逐渐演绎为一种成见:中国独居天下之中心,文化最为优越,而四周散

❶ 南怀仁:《熙朝定案》(第一种,康熙十年十一月二十一日礼部题本),天主教东传文献影印再版,(台湾)学生书局,1982年。

❷ 据黄一农先生考订吴明炫与吴明烜实为同一人,文见(台湾)《大陆杂志》第84卷第4期(1992年)《吴明炫与吴明烜》。吴明烜至迟在康熙七年七月前任钦天监监副,据《清圣祖实录》卷二十六,康熙七年七月壬子条,页365。

❸ 影印本收入天主教东传文献。

❹ 参见黄一农:《康熙朝涉及'历狱'的天主教中文著述考》,(台湾)《书目季刊》第25卷第1期1991年。

处的皆为野蛮落后的夷狄，夏夷之间有严格的优劣之别。因此，孟子表述的"吾闻用夏变夷者，未闻变于夷者也"（《孟子·滕文公上》）观念，经汉代独尊儒术后，已被作为儒学的基本思想原则代代相承。尽管"夏夷之辨"论在历史上曾被汉族知识分子作为一种反抗异族入侵的思想武器利用过，但不可否认，这种信念也养成了中国士大夫怀有天朝上国过分的自信心与儒家文化的优越感，而对周边与外来各族的文化则往往持鄙视的态度。直到明末清初，这种观念仍牢牢地支配着士大夫们。尤其当他们受到一种全新的外来文化的强烈冲击时，"夏夷之辨"自然成为他们下意识首先筑起的心理防线，并且作为排斥异质文化的思维定势。

事实上，当西方传教士一踏上中国的土地，就强烈地感受到了夏夷观念对他们巨大的排斥力。利玛窦首先注意到了中国人的这一传统观念，他记述道：

> 今天我们通常称呼这个国家为中国（Ciumquo）或中华（Ciumhoa）……两个词加在一起就被翻译为"位于中央"。我听说之所以叫这个名称是因为中国人认为天圆地方，而中国则位于这块平原的中央。❶
>
> 中国人认为所有各国中只有中国值得称羡。就国家的伟大、政治制度和学术名气而论，他们不仅把所有别的民族都看成是野蛮人，而且看成是没有理性的动物。他们看来，世上没有其他地方的国王、朝代或者文化值得夸耀。❷

---

❶ 何高济等译：《利玛窦中国札记》页6，中华书局，1983年。
❷ 同上书，页181。

正是基于这种地理和文化上的优越感,中国人对待外来民族和文化的态度便是:

> 中国人把所有的外国人都看作没有知识的野蛮人,并且就用这样的词句来称呼他们。他们甚至不屑从外国人的书里学习任何东西,因为他们相信只有他们自己才有真正的科学和知识。……甚至他们表示外国人这个词的书面语汇也和用于野兽的一样。❶

应当说,利玛窦描述的中国士人的夏夷观念是相当准确的。而他得以成功打入中国士人阶层的第一步,即是从表面上迎合儒士们的夏夷观念入手的:从他初入中国内地起,他便试图改变其"夷人"形象,由身披袈裟的"西僧"渐变为峨冠博带的"西儒";他在向中国士人展示世界地图时,又充分考虑到了他们的传统观念,"抹去了福岛的第一条子午线,在地图两边各留下一道边,使中国正好出现在中央。这更符合他们的想法,使得他们十分高兴而且满意"❷。通过这些努力,利玛窦为他开创"学术传教"的局面赢得了第一要件——士大夫的好感。

随着明末耶稣会士不断输入西方地理学的新知识,特别是他们介绍的西方地圆说、五大洲说以及欧洲文明,有力地冲击了中国士大夫的夏夷观念。如天启三年(1623)艾儒略《职方外纪》的刊行,使得部分明末知识分子开始接受西方的世界地理观念,这多少有利于从地理观念上破除"夏夷之辨"论。尽管总体上明末的西学东渐还不足以从根本上动摇"夏夷之辨"传统观念,但是正统士大

---

❶ 何高济等译:《利玛窦中国札记》,页94—95。

❷ 同上书,页180—181。

夫们无疑真切地感受到了西学东渐带来的冲击波。

明末的反西学士人，从沈淮（？—1624）于万历四十四年（1616）三上《参远夷疏》，到崇祯末年黄贞等人的破邪之论，正是从"夏夷之辨"的传统观念出发，猛烈回击传教士宣扬的西方宗教与文化。沈淮指出，西教士们"自称其国曰大西洋，自名其教曰天主教"，这就是对我"大明"国号与"天子"皇号的亵渎。❶ 言下之意是说西洋夷邦小国，没有资格用"大"或"天主"之类的尊号。魏濬指斥利玛窦的世界地图是对"中国当居正中"观念的挑战，其说"荒唐惑世"。❷ 张广湉则说得更为直接：

> 近有外夷自称天主教者，言从欧罗巴来，已非向所臣属之国。然其不奉召而至，潜入我国中，公然欲以彼国之邪教，移我华夏之民风，是敢以夷变夏者也。❸

他们尤其感觉到了明末输入的西方宗教和科技对儒学文化的强力冲击，因而疾呼西学流播之危害："今日天主教书名目多端，……纵横乱世，处处流通，盖欲扫灭中国贤圣教统"❹，"最惨而毁圣斩像，破主灭祀，皆以亵我君师，绝我祖父，举我纲常学脉而扫尽者也"❺。黄贞则明确指出，西教士来华的目的就是为了实现其"用夷变夏"的阴谋，他说："利玛窦辈，相继源源而来中华也。乃举国合谋，欲用夷变夏而括吾中国君师两大权耳。"❻ 而传教士输入

---

❶ 沈淮：《参远夷疏一》，黄贞辑、徐昌治订《圣朝破邪集》卷一。
❷ 魏濬：《利说荒唐惑世》，《圣朝破邪集》卷三。
❸ 张广湉：《辟邪摘要略议》，《圣朝破邪集》卷五。
❹ 黄贞：《请颜壮其先生辟天主教书》，《圣朝破邪集》卷三。
❺ 苏及寓：《邪毒实据》，《圣朝破邪集》卷三。
❻ 黄贞：《尊儒亟镜叙》，《圣朝破邪集》卷三。

的西洋科技，则被明末士大夫们斥之为"夷技"。他们称利玛窦的"星文律器"并非"未见未闻"，而是"原在吾儒覆载之中"，并且与"吾儒性命之说"相比，只不过是"外夷小技"。❶

鉴于明朝廷已经公开采用西法修历的严酷现实，明末士人即把西方天文历学列为重点排斥的"夷技"。他们认为"今西夷所以耸动中国，骄语公卿者，惟是历法"❷，而崇祯朝会同西人引用西法改历之举，更是彻头彻尾的"用夷变夏"，他们疾呼这是"举尧舜以来中国相传纲纪之最大者而欲变乱之"❸，并揭露西教士为明廷修历效劳，有其险恶的政治图谋："夫尧治世必以治历明时为国家之首务，此辈之擅入我大明即欲改移历法，此其变乱治统、觊图神器，极古今之大妄诞。"❹

显然，从沈淮到《破邪集》派的明末士大夫，他们反西教、反西学的立场和观点是基于传统的"夏夷之辨"论。

翻阅清初杨光先所作的《不得已》等论著，人们不难发现其排教论点与明末《破邪集》派士人有着惊人的相似。尽管目前尚无直接史料证实杨光先与《破邪集》派士人的关系，但笔者也同意有学者作这样的推论："从杨光先的论点与这部早期反西教名著的理论之间的密切关系来看，他可能读过《圣朝破邪集》，尽管他从未明确提及过。"❺ 不过，杨光先是否真的看过《破邪集》其实并不重要，我们所关注的是他们在面临同一种外来文化的冲击，在拒斥西学的立场、观点和方法上有何异同，从而对明清之际保守士大夫回应

---

❶ 李灿：《劈邪说》，《圣朝破邪集》卷五。

❷ 谢宫花：《历法论》，《圣朝破邪集》卷六。

❸ 沈淮：《参远夷疏一》，《圣朝破邪集》卷一。

❹ 林启陆：《诛夷论略》，《圣朝破邪集》卷六。

❺ Eugenio Menegon: *Yang Guangxian's Opposition to Adam Schall: Christianity and Western Science in his Work Bu de Yi*，陈村富主编《宗教与文化论丛》p.226，东方出版社，1994 年。

西方文化的态度有一确切的理解。

我们至少可以确认一点,杨光先的反西学言论采取了与《破邪集》派士大夫同样的思辨方法,即都以维护"圣学道统"为旗号,以"夏夷之辨"论为立论基石。所不同的是,杨光先面临的西方文化挑战要比明末严峻的多。因为随着清初西学东渐的进展,西洋历法业已成为钦定的皇历,西洋人汤若望更为朝廷命官,把持历法大权,而且得宠皇上,名满朝野。在保守士大夫们眼里,西洋教士实际上已经迈出了"用夷变夏"的步伐。因此,杨光先不仅接过了《破邪集》派手中"夏夷之辨"的大旗,对西士、西学口诛笔伐,而且变本加厉,付诸反西教的行动,竭力利用康熙初年"四辅臣"奉行"率祖制,复旧章"的执政方针而造成的复旧政治气候,一举掀起"历狱"。❶

早在明朝末年,杨光先初涉政治之时,即已显示其儒学卫道士的鲜明立场。崇祯九年至十年(1636—1637),他曾以布衣身份上疏弹劾权贵陈启新、温体仁,而他借托他人之口表述这一举动的政治意图即说:"不在于劾权要,而在于尊圣学。"❷ 从顺治末年开始策划反西教运动起,他便明白表示其捍卫圣学道统的宗旨:"兹欲距耶稣、息邪教、正人心、塞乱源,不能不仰望于主持世道之圣人。"❸ 在他康熙三年所作的反西教檄文《与许青屿侍御书》中,更是高举维护圣统的大旗,宣称:"我大清今日之天下,即三皇五帝之

---

❶ 关于康熙八年八月南怀仁等疏控杨光先"依附鳌拜,捏词陷人",同见(4);《清史稿·杨光先传》(卷272):"四辅臣执政,颇右光先","议政王等定狱,尽用光先说"。

❷ 《不得已》上卷《附始信录序》,页1183。此序署名为光先表侄王泰徵,但据南怀仁《熙朝定案》载康熙八年七月康亲王杰书等题本云该序"伊称自己作的"。今有满文《密本档》卷137证实。此据黄一农:《从〈始信录〉析杨光先的性格》,*Sino-Western Cultural Relation Journal*, XVI – 1994.

❸ 杨光先:《不得已》上卷"辟邪论上",页1119—1120。

天下也。接三皇五帝之正统,大清之太祖、太宗、世祖,今上也;接周公、孔子之道统,大清之辅相、师儒也。"❶

杨光先既以儒学圣统的坚定捍卫者自任,则他必然会以"夏夷大防"的传统观念来严格审视耶稣会士的在华活动。他对时人为西洋奇器所吸引的现象颇感忧虑,故特别告诫人们不可疏于防范之心。他指出:

> 若望之流,开堂于江宁、钱塘、闽粤,实繁有徒,呼朋引类,往来海上。天下之人知爱其器具之精工,而忽其私越之干禁。是爱虎豹之文皮,而豢之卧榻之内,忘其能噬人矣。❷

光先认为即使西教士表面上没有为外国的利益图谋不轨,"我亦不可弛其防范",因为"非我族类,其心必殊"。

在《请诛邪教状》和《与许青屿侍御书》中,杨氏更将传教士的活动潜藏着"以夷乱华"的危险描述得迫在眉睫。他称西洋教士已遍布京省30个教堂,以澳门为巢穴"接渡海上往来,若望借历法以藏身金门,窥伺朝廷机密",加之其"结交士夫以为羽翼,煽诱小人以为爪牙,收拾我天下人心",故"逆形已成厝火可虑"。❸ 因此他呼吁改变对西教士的政策,主张厉行禁毁:

> 以数万里不朝贡之人,来而弗识其所从来,去而弗究其所从去;行不监押之,止不关防之;十五直省之山川形

---

❶ 杨光先:《不得已》上卷"与许青屿侍御书",页 1087—1088。
❷ 杨光先:《不得已》上卷"辟邪论下",页 1130—1131。
❸ 杨光先:《不得已》上卷,页 1077、页 1100、页 1075。

势、兵马、钱粮,靡不收归图籍而弗之禁。古今有此玩待
外国人政否?

为此,他力主"速行翦除"。❶ 接着杨光先又以捍卫儒家学统之纯
洁和尊严为标榜,全面驳斥传教士引进的西方天文地理学说。

其一,他声称引用西洋天文历法是对"圣贤学问"的毁灭,对祖
宗成法之违背。由于历法的制订往往被视为中国封建正统的象
征,而历法理论更是传统的儒圣之学。因此杨氏申明其志曰:"予
以历法关一代之大经,历理关圣贤之学问,不幸而被邪教所摈绝,
而弗疾声大呼为之救正,岂不大负圣门。"❷ 但是西洋历法是由朝
廷圣主公开采行的,杨光先不可能违反儒家纲常直接指责清廷为
"用夷变夏",因而他只能把矛头集中于洋教士与中国奉教者。他
为汤若望与西历罗致了两项政治性罪名:

一是窃夺正朔。他指责汤若望"且于《时宪历》面敢书'依西洋
新法'五字,暗窃正朔之权以尊西洋,明白示天下大清奉西洋之正
朔,毁灭我国圣教,惟有天教独尊"❸。

二是废弃祖法。他以中国历法乃"尧典之所纪载,历代遵守四
千余年莫之或议"为理由,斥责汤若望"尽更羲和之掌故而废黜
之",指出其恶果必为"一旦革而易之,是尧舜载籍之谬,孔子祖述
之非,若望是而孔子非,孔子将不得为圣人乎"❹。

其二,以"华夏中心"说指斥西方地圆说之妄,声称西人鼓吹地
圆说的意图在于"轻贱我中夏"。杨光先认为"新法之妄,其病根起
于彼教之舆图",以及由此宣扬的地圆说。因而他特撰《孽镜》一文

---

❶ 杨光先:《不得已》上卷,页 1099、页 1079。
❷ 杨光先:《不得已》下卷"孽镜·引",页 1195。
❸ 杨光先:《不得已》上卷"请诛邪教状",页 1078。
❹ 杨光先:《不得已》上卷"中星说",页 1159—1160。

批驳西方地圆说,并对汤若望刻印"舆地图宫分十二幅"之用意作了政治化的诠解。他诘问地圆说的理由之一是:"果大地如圆球,则四旁与在下国土洼处之海水,不知何故得以不倾? 试问若望,彼教好奇,曾见有圆水、壁立之水,浮于上而不下滴之水否?"照此推理,"在旁在下之国"不就居于水中,"则西洋皆为鱼鳖,而若望不得为人矣"。❶

既然地圆说如此之荒诞,那么汤若望为何还要刻印舆图十二幅? 在光先看来显然是别有用心。因此他作了一番推论:按若望舆图十二宫分,西洋在正午宫,中夏在阴丑宫,"午宫者,南方正阳之地","阳者君之位也";"丑宫者,北方幽阴之地","阴者臣道也"。又"午阳在上,阴丑在下"。经此诠释,他便得出了汤若望鼓吹地圆说的真实意图是:"明谓我中夏是彼西洋脚底所踹之国,其轻贱我中夏甚已!"❷

其三,以中国传统的历法理论攻击西洋新法,企图在科学上驳倒西法。杨光先深知汤若望等西教士能为清廷优容,主要原因之一就是藉其擅长的西洋历法知识为清廷效劳,若能重新辨别中西历法之优劣,扭转朝野士人流行的西法胜于中法的成见,即可予西教士以致命打击。应当说杨光先对汤若望主编的西法历书还是经过一番认真研读的,但他自知仅仅是一位"止知历理,不知历数"的儒士,❸ 因此要在技术上寻找西法的破绽确非易事,这也许是光先屡次疏辞钦天监监正的重要原因之一。然而,为了实现其排教之志,杨光先仍义无反顾地投入中西历法之辨,仅在《不得已》中就收有他7篇辩论文章。除上述作于康熙元年的《孽镜》外,另有顺

---

❶ 杨光先:《不得已》下卷"孽镜",页 1203—1204。

❷ 同上书,页 1209—1211。

❸ 杨光先:《不得已》下卷"二叩阍辞疏",页 1264。

治十六、十七年间所撰《选择议》、《摘谬论》、《正国体呈稿》、《中星说》，康熙三、四年的《合朔初亏时刻辨》(卷首目录题《日食时刻辨》)、《日食天象论》等文。其中《摘谬论》及《选择议》对西洋历法以及汤若望负责的钦天监治历事务，大张挞伐。

杨光先列举的所谓新法十谬即为：不用诸科较正、一月有三节气、二至二分有长短、夏至太阳行迟、移寅宫箕三度入丑宫、更调觜参二宿、删除紫气、颠倒罗计、黄道算节气、历止二百年等。历狱期间，汤若望对其中的部分指责作过答辩，❶ 南怀仁则在康熙四年获赦出狱后，对全部"十谬"进行"条分缕析"，并以"言必有凭，法必有验"❷ 的态度作了辩驳。如杨光先指责新法第一谬为"不用诸科较正之新"，即谓西法"惟凭己法推算"而不用中国传统的回回科之《凌犯历》、天文科之测验、漏刻科之时刻来较正，而南怀仁辩驳道："今三科所用之法，即明季已坏之法。光先竟欲以良法而就正于敝法，是不犹问道于盲乎？"❸ 杨光先批驳西法的第十谬为"历止二百年之新"，意指汤若望只进呈了"二百年之历"，这是对"臣子于君，必以万寿为祝，愿国祚之无疆"的君臣之礼的严重违背，也是对"皇家享无疆之历祚"传统观的挑战，故"其罪曷可胜诛"。对此南怀仁的辩驳称：并无所谓的"进二百年历之事"，其实是因新法历书中有二百年年根，"此数于历法为百分之一，即与历原同意"，杨光先把"年根"误作"年历"。再说，即便如光先所误，西法也远非止有《二百恒年表》，更有《永年表》，上括四千年，下括四千年。又立变通之法，可以再推恒年、永年各表，迄于无穷尽，岂止二百年之历

---

❶ 安双成：《汤若望案始末》，《历史档案》1992 年第 3 期。

❷ 南怀仁：《不得已辨》自序，页 339，天主教东传文献影印再版本。

❸ 南怀仁：《不得已辨》，页 365；杨光先：《不得已》上卷"摘谬十论"，页 1169—1170。

哉"❶。

综观杨光先对西洋历法的批驳内容，其表现确如他自称的只知历理而不知历法，对西法的指控大多站在传统的历法理论上而非历法科学上，以至出现把"年根"误解为"年历"的笑话。

至于杨光先疏控钦天监误择荣亲王葬期一事，更是属于术数迷信之争。此事的原委乃是杨光先指斥汤若望及同伙为荣亲王安葬所择的时刻与其本命相克，是为凶期犯忌，而致祸及帝妃董鄂。他称汤若望等同僚使用《洪范》五行择日乃是"包藏祸心，用灭蛮经"、"暗害我国"之举。❷ 实际上这已非一般的科学之争，而是涉及所谓采用"正五行"还是"《洪范》五行"的星占术数之争。同时，我们从杨光先对此择日之争的评论中，可以再次看到他惯用的思辨方法，即把中西历法问题政治化。

以上事实说明，杨光先企图以中国传统历法知识与西洋历法一争高下，但因中历本身在科学性上存在的劣势，更由于杨氏其人历学修养浅陋，致使他对西洋历法的指摘，不但在科学上未能驳倒对方，反而授人以柄，为西人所耻笑。于是，为弥补其科学能力之拙，杨光先藉中国传统历法在封建王朝中独具的政治特性，而将中西历法之争政治化，意欲借政治力量来排斥西洋历学。在此意识支配下，杨光先在与西法辩争之时，人们不难理解，即使他所信奉的中法在屡次实测均遭惨败的情形下，他仍然宣布："臣监之历法乃尧舜相传之法也，皇上所在之位乃尧舜相传之位也，皇上所承之统乃尧舜相传之统也，皇上颁行之历应用尧舜之历。"❸ 显然，他只能靠非科学的力量来排斥西洋历法。惟其如此，杨光先才会发

---

❶ 杨光先:《不得已》上卷"摘谬十论"，页 1178—1179；南怀仁:《不得已辨》，页 410。

❷ 杨光先:《不得已》下卷"一叩阍辞疏"，页 1258。

❸ 黄伯禄:《正教奉褒》，页 48，上海慈母堂第三次排印本 1904 年。

出这样的呼声："毋论其交食不准之甚，即使准矣，而大清国卧榻之内，岂惯谋夺人国之西洋人鼾睡地耶。"最后，他终于道出了他投身于中西历法之争的真实意图："愚见宁可使中夏无好历法，不可使中夏有西洋人。"❶ 这就完全失去了从学术上正确比较中西科学文化的前提，更谈不上理性的分析和评价，只能留下满纸偏执的愚见。这不能不说是杨光先之流的思想僵化与落后。

如果说清初围绕中西天文历法之争而触发的"夏夷之辨"，已经触及中西文化交汇的深层次问题，那么杨光先对天主教义的驳论，则更是中西两种文化深层次交锋的延伸。

二　杨光先对天主教学说的辩驳

利玛窦附儒、合儒的传教策略与拒斥佛教的态度曾在明末文人士大夫中赢得过广泛的同情，但是随着时间的推移，西儒们粉饰一时的"天学"真面目——天主教神学观念逐渐被人们确切地了解。到明末《破邪集》派的出现，"传教士们故意在(儒家)经典的文字与他们宗教的原则之间维持着一种混乱"的策略，❷ 已被中国士大夫们完全洞悉并揭露无遗。黄贞描述的传教士从媚儒、窃儒到灭儒的祸害，表明他们已经清醒地认识到天学与儒学的本质差异，并且将天主神学冲击儒学纲常的危险置于现实的基础上，指出中国的天主教徒即所谓"华夷"乃是西教士们企图灭儒的爪牙。❸杨光先不仅完全继承了《破邪集》派排斥西方神学的思辨方法，而且通过掀起历狱，直接诉诸政治强权，意欲一举清除西教士与李祖

❶　杨光先：《不得已》下卷"日食天象验"，页1248。
❷　(法)谢和耐著、耿昇译：《中国与基督教》，页77，上海古籍出版社，1991年。
❸　黄贞：《尊儒亟镜序》，《圣朝破邪集》卷三。

白等中国籍奉教士人,甚至如同情与附和天教的许缵曾、佟国器之流也一并严斥。因此,清初的天儒之争,不仅在西教士与士大夫之间,而且也在中国上层知识界内部展开,这犹可表明在西学东渐冲击下,清初士大夫的思想继续发生着裂变。

杨光先与天学论战的观点,主要集中反映在今存《不得已》上卷的《辟邪论》、《与许青屿侍御书》(总目题为《与许侍御书》)、《请诛邪教状》等文书中。其中《辟邪论》共分上、中、下三篇,其内容主要在辨天主教的创世说、天堂地狱说以及耶稣在世的诸灵迹。后二文主要是批判李祖白所撰宣扬天主教义的著作《天学传概》及许之渐为该书所作的序言。

李祖白供职钦天监,师从汤若望习西洋历法,据顺治六年(1649)刻《西洋新法历书》署名,祖白时已任钦天监夏官正,❶ 成为监内著名的中国籍奉教天文官。康熙二年(1663)因"客有问天学今昔之概者"而作《天学传概》一书(据书末自述)。该书宣扬的论点之一是援引天主教的创世说,附会说中国人乃是如德亚(即犹太)之苗裔,又把先秦文献中的"天"、"上帝"等名词,比附为天主教之神,由此论证天主教在上古时代即已昌明于中夏。祖白此书旨在扬教,故颇受当时教会的重视,曾利用聚会时广为散布。❷ 杨光先曾设计托血亲江广,假投天主教,以搜集控告其谋反的罪证,果然获"金牌"一面、绣袋一枚、妖书一本、会期一张❸,其中"妖书"一本即指《天学传概》。由于此书的内容与中国正统士大夫所服膺的儒家道统思想严重冲突,故遭杨光先抨击,并成为其稍后掀起"历狱"的主要疏控材料之一。杨氏对祖白书中的宣教言论深恶痛绝,

---

❶ 方豪:《中国天主教史人物传》中册,页29。

❷ 此据康熙八年八月谕旨禁止"伊等聚会散给《天学传概》及铜像等物",《清圣祖实录》卷三一,页417,康熙八年八月辛未条。

❸ 杨光先:《不得已》上卷,页1078—1079。

竟至对其发出猛烈的人身攻击，宣称"即寸斩祖白，岂足以尽其无君无父之罪"；"即啖祖白之肉，寝祖白之皮，犹不足以泄斯言之恨"；"国家有法，必剖祖白之胸，探其心以视之"。❶ 康熙四年四月历狱定案，祖白果遭处斩。

　　许之渐，顺治十二年(1655)进士，官至江西道御史，因其曾以监察御史的身份巡视陕西茶马，故有"侍御"之称。他在京期间因对西人"制度精巧"怀有好奇而与汤若望、利类思、安文思等教士同游，且慨然应允利类思代祖白向他索序的请求。❷ 许氏好友张辰(字青雕，号平圃)称之渐为祖白作序是出于"文人结习，借天官家言，以发抒其玮丽之气，非笃信其教而昌明之也"❸。前述许氏并非教徒，且晚年更皈依佛门，而在《天学传概》序中，他称天主教为"其教"，且向西教士进言，应循序渐进地对士夫学者宣讲天学，"不应渎告之以其学也，久之而亲其人、绎其书"，方能使学者觉得天学"超出乎二氏之上，而后知其学何莫非吾儒之学也"，❹ 显然许氏在当时的口吻俨然是一位赞同天儒会通的儒士。但由于许之渐此序"出未二月，业已传遍长安"，故引起杨光先的极度不满，曾登门欲与许氏辩诘而遭拒绝，遂"付之笔伐口诛"，致公开撰文斥责许氏"为邪教序"，"是距孔孟也"。❺

　　对于杨光先的一系列反教言论，我们不能简单地以保守排外论定评。笔者认为，如果将其置于明清之际中西两大文化首次正面碰撞的背景下，把它作为中国传统儒学思想抗拒欧洲天主教神学的典型个案来考察，似可更确切地理解导致中西文化冲突的原

❶　杨光先：《不得已》上卷，页 1084—1085。

❷　许之渐：《天学传概序》，页 1052。

❸　张辰：《平圃杂记》，《庚申丛编》本。

❹　许之渐：《天学传概序》，页 1049—1050。

❺　杨光先：《不得已》上卷"与许青屿侍御书"，页 1101、页 1096。

因，同时也有助于较为全面、客观地评价杨光先其人。从杨氏存世或佚失的反教著作中，我们就会发现他对当时流行的西方科学或宗教书籍均十分关注。尽管他对西方科学认识肤浅，因而在拒斥西法时屡见其不得要领，甚至出现系于谬解的虚妄之谈，但是我们不得不承认，他对当时西学教理书中宣扬的天主教义与儒家学说的差异却洞悉纤毫。这一方面是基于他对天主教理书籍涉猎颇广，另一方面则源于他作为儒学卫道士所特有的学术敏感。如他对当时教理书的刊传情况描述道：

> 盖其刊布之书，多窃中夏之语言文字，曲文其妖邪之说……使后之人第见其粉饰之诸书，不见其原来之邪本……世有观耶稣教书之君子，先览其《进呈书像》及《蒙引》、《日课》三书，后虽有千经万论必不屑一寓目矣。[1]

可见杨光先对天主教义书的流播颇为熟悉，而且对西教士在西书中采用拟同天儒、粉饰教义的策略洞悉无遗。尤其在他的反教名著《不得已》中，他对西士领袖汤若望的《进呈书像》和奉教甚笃的李祖白之《天学传概》两部著名教理书均作了专门的批驳，而在收入此书的《辟邪论上、中、下》系列论文中，更对天主教义作了系统的批判。因此，不可否认，杨光先是清初首批认真比较过中西方文化差异的中国士人。他对西人、西教的斥逐，在相当程度上代表了清初正统士大夫对西学东渐的态度。从中西文化交流史的角度看，其言论和观点无疑反映了明清之际中西两种文化体系深层次的矛盾与冲突，故值得人们关注。

综观杨光先反对天主教学说的思想主要有以下几个方面：

---

❶　杨光先：《不得已》上卷"辟邪论上"，页 1118。

其一，反对传教士"割裂坟典"的附儒、合儒之论。在正统士大夫眼里，儒家学说已是无所不包的至极"圣学"，无须任何学说穿凿附会，故杨光先说："圣人学问之极功，只一穷理，以几于道。不能于理之外，又穿凿一理，以为高也。"❶ 利玛窦开创的附儒、合儒的传教策略，被杨光先斥之为"引用中夏之圣经贤传以文饰其邪教"❷ 而予坚决反对。他指出，利氏为了让其信奉的耶稣奉为"天主"而凌驾于"万国圣人"之上，遂"历引中夏六经之上帝，而断章以证其为天主，曰天主乃古经所称之上帝，吾国天主即华言上帝也（按：此语出自利氏《天主实义》)"，这是"悖理叛道，割裂坟典之文（按：此指传说中三皇五帝所作的书，即指儒学经典）而支离之"。❸他吁请中国士人不要受利氏附儒之论的蒙蔽，而忽视其天主教邪说的本质，指出："利玛窦之来中夏，并老释而排之，士君子见其排斥二氏也，以为吾儒之流亚，故许赞之、援引之，竟忘其议论之邪僻，而不觉其教为邪魔也。"❹

其二，以儒学之"天理"对抗西教之"天主"。天主教最核心的教义是宣扬世间存在一个超理性的人格至上神，即天主或上帝，杨光先对其进行了激烈的批判。

首先，他驳斥了将儒经之"上帝"等同于西教之"天主"的谬论，对李祖白在《天学传概》中称"天主为万有之初有……中土尊称之曰上帝"之论，直斥为"诬天非圣"之举。因为按此说的逻辑，天主教早在上古时代就已传入中国，那么"二典、三谟、六经、四书之天帝（即儒家经典中的上帝）"，即是"受之邪教之学"的天主门徒

---

❶ 杨光先：《不得已》上卷"辟邪论中"，页1121。
❷ 杨光先：《不得已》上卷"与许青屿侍御书"，页1087。
❸ 杨光先：《不得已》上卷"辟邪论中"，页1121—1122。
❹ 杨光先：《不得已》上卷"辟邪论下"，页1129。

了。❶

接着，他以儒家的"天理"观否定"天主"的存在。他说："天为有形之理，理为无形之天，形极而理见焉，此天之所以即理也。天函万事万物，理亦函万事万物，故推原太极者，惟言理焉。理之外，更无所谓理；即天之外，更无所谓天也"。❷ 杨光先并不否认天地万物有其主宰，但这个主宰绝非如天主教宣扬的那个有具体形象的人格神，而是无形无象、以思辨形式出现的精神实体——天理。显然，他的这种天理观是从宋明理学思想中引伸过来的。

其三，驳斥天主创世说。天主创造世界万物说，是天主教的基本教义。其中天主创世说宣扬的人类始祖为"亚党"、"厄袜"（今译亚当、夏娃）说，明末利玛窦等耶稣会士已经作过介绍，但明末士大夫已经对其发出诘难，如陈侯光指出中华自盘古至尧舜以来，"世有哲王以辅相天地，未闻不肖如亚党、厄袜者也"；许大受则列数传教士宣扬的天主六日六夜创世说，以及把玉皇大帝列为"天主初造三十六神内之一神"等附会之说，一概斥之为"矫巫上天"❸。

杨光先对天主创世说的批驳更为彻底。一则他以儒家传统的宇宙观，从根本上否认天主是世界万物的创造者，说："夫天二气之所结撰而成，非有所造而成者也。子曰天何言哉？四时行焉，百物生焉。"❹ 二则他严厉批驳了《天学传概》阐论的天主教人类起源说。祖白称："初人子孙聚处如德亚……其后生齿日繁，散走遐逖，而大东大西有人之始，其时略同"，且"考之史册，推以历年"，宣称

---

❶ 杨光先：《不得已》上卷"与许青屿侍御书"，页1086。
❷ 杨光先：《不得已》上卷"辟邪论中"，页1122—1123。
❸ 陈侯光：《辨学刍言》；许大受：《圣朝佐辟·二辟巫天》，《圣朝破邪集》卷五、卷四。
❹ 杨光先：《不得已》上卷"辟邪论上"，页1106。

中国的始祖伏羲"实如德亚之苗裔,自西徂东,天学固其所怀来也"。❶ 杨光先对此谬说作了层层批驳,且论据充分、笔锋犀利:首先他诘问道:"祖白此说,则天下万国之君臣、百姓尽是邪教之子孙";其次,他对祖白宣称人类始祖居于如德亚乃有史册可考之论,反驳道:"试问祖白此史册是中夏之史册乎? 是如德亚之史册乎? 如谓是中夏之史册,则一部二十一史无有如德亚天主教六字? 如谓是如德亚之史册,祖白中夏人,何以得读如德亚之史? 必祖白臣事彼国,输中国之情,尊如德亚为君,中夏为臣,故有史册历年之论",因此他指责祖白"谋叛本国,明从他国";最后,他严正指出:"伏羲是如德亚之苗裔,则五帝三王,以至今日之圣君、圣师、圣臣皆令其认邪教作祖,置盘古、三皇、亲祖宗于何地?"❷

客观地讲,杨光先驳斥李祖白之论可谓义正词严。因为对于李祖白宣扬的中国始祖为"如德亚之苗裔"说,毋庸说是一位正统士大夫,即便是任何一个有民族自尊心的普通百姓,也难以接受。正如杨光先指出,这种谬说不仅汤若望等西教士不敢肆意妄论,而且明末的奉教大员徐光启和李之藻"犹知不敢公然得罪名教也"。李祖白出于其宗教热情而引伸出如此狂激言论,难怪要被杨氏斥之为"尽叛大清而从邪教,是率天下无君无父也"❸。当代天主教神职学者也不得不指出,李祖白当时的措词造意"有欠考虑"❹。

其四,驳天堂地狱说。杨光先与明末《破邪集》派林启陆等士人,都把天主教的天堂地狱说比诸佛氏之论,❺ 但杨氏认为佛教里的天堂地狱乃是虚妄之说:"天堂地狱,释氏以神道设教,劝惩愚

---

❶ 李祖白:《天学传概》,页1058。
❷ 杨光先:《不得已》上卷"与许青屿侍御书",页1084—1085。
❸ 同上书,页1090—1091。
❹ 方豪:《中国天主教史人物传》中册,页26。
❺ 林启陆:《诛夷论略》,《圣朝破邪集》卷六。

夫愚妇,非真有天堂地狱也",而天主教承佛教之妄,宣称:"奉之者升之天堂,不奉者堕之地狱",言下之意即按是否信奉天主作为判定死者入天堂或地狱的准则。照此推论,光先认定只有讨天主欢心的奉教者方能升入天堂,"则天主乃一邀人媚事之小人尔,奚堪主宰天地哉!"再则,据天主教义"哀求耶稣之母子,即赦其罪,而升之于天堂",如此说来则"奸盗诈伪皆可以为天人,而天堂实一大逋逃薮矣"。因此光先断论,天主教的天堂地狱说,无非是"拾释氏之唾余"。他强调指出,真正有用于平治天下、修身养心的学说为"吾夫子正心诚意之学"❶,即儒家学说。

其五,以儒家的伦理观、功德观拒斥天主教的救赎理论。杨光先对耶稣降生救世的种种神迹,均以儒家的伦理道德观加以评判。他在仔细考察了传教士宣扬的所谓耶稣圣迹后,竟然断言"耶稣为谋反之渠魁,事露正法明矣",意指耶稣不过是一个因谋反而遭法律严惩的罪魁,而所谓耶稣"三日复生之说"是因"其徒邪心未革"所捏造的愚民之说。接着他还考证出钉死耶稣的十字架就是中国古时用于处死"凌迟重犯"的刑具"木驴子"。❷ 同时他又以儒家的人伦大道来指责天主品行不端:耶稣之母玛利亚有丈夫若瑟,然而却说耶稣不由父生;玛利亚既生耶稣却说童身未坏,如此看来天主教尊奉的天主,岂非为"无父之鬼"与"无夫之女"吗?❸ 此外,他又以儒家的功德观来评判耶稣降生救世的种种灵迹。在光先看来,真正的救世主应该是"兴礼乐、行仁义,以登天下之人于春台(按:古指登眺游玩之胜地)",但耶稣的救世行为却"惟以疗人之疾,生人之死,履海幻食,天堂地狱为事",一言以蔽之乃"不识其大,而好

---

❶ 以上几处引文均据杨光先:《不得已》上卷"辟邪论上",页 1111—1112。

❷ 同上书,页 1114—1115。显然这是杨光先的附会之说。

❸ 同上书,页 1110—1111。

行小惠",结果"不但不能救其云礽(按:"礽"义为福),而身且陷于大戮"。❶ 因此,杨氏作出推论,耶稣降生救世,并无什么像样的功劳,故其天主教义书上只以"救世功毕,复升归天"八个字草草作结,却"绝不言毕者何功,功者何救? 盖亦自知其辞之难措,而不觉其笔之难下也"。杨氏认为真正称得上"救世之功"的,是那些"泽被苍生一事,而恩施万世"的儒家圣人:"若稷之播百谷,契之明人伦,大禹之平水土,周公制礼乐,孔子之法尧舜,孟子之距杨墨"等。❷

　　从以上杨光先与天学的辩诘中可以看出,他的许多观点是本持传统儒家的世界观、伦理观和价值观来排斥天主教的,这在一定程度上反映了清初中西文化正面冲突的深层次问题。尽管我们不能说杨光先的反西学态度都是理性主义的,但笼统地指责杨光先"从狭隘的心理、肤浅的见地出发对来华的西方传教士加以攻击"也是失之简单化的论断。重要的是要对他的反西学立场、观点和思辨方法作具体的与历史的评析。当然必须指出,以杨光先为代表的士大夫,面对西方文化的挑战,他们对民族文化的生存和发展所作的思考和忧患意识,是保守和封闭的。尤其当中西文化显出差异和冲突时,他们不会或者不愿从中外文化的比较与取舍中寻找出路,而是采行绝对化的手段去应付,以至对已被验证明显胜我一筹的西方科学竟然也采取一概排斥的态度。在同样面临如何处理本土文化与外来文化的关系问题上,杨光先之流与明清之际部分积极主张会通中西的启蒙学者相比,不光有眼光与识见的高低之差,更有其思维方式的优劣之别。

---

❶　杨光先:《不得已》上卷"辟邪论中",页 1116。

❷　同上书,页 1127—1128。

三 清初士人对"历狱"的反应

康熙八年（1669）十月杨光先获释归家，卒于途中的山东德州，而汤若望早于康熙五年七月病故北京。随着康熙朝"历狱"两位主角的先后去世，轰动朝野的"历狱"事件宣告平息。然而，围绕"历狱"事件引发的各种议论时有发生，其社会影响可谓经久不息。

从台湾影印本《不得已》附录的书跋、传记中，即可获知清代中后期学者屡见褒奖杨氏之论。如乾嘉时代著名学者钱大昕（1728—1804）作《不得已》跋文称："杨君于步算非专家，又无有力助之者，故终为彼所诎。然其诋耶稣异教，禁人传习，不可谓无功于名教者矣。"❶ 同时代的名家孙星衍（1753—1818）作《杨光先传》，评曰："光先文不甚雅驯，而謇谔之节有可取。孟子云：'能言拒杨、墨者圣人之徒。'西人以此敛迹，先生之功，固亦伟哉。"❷ 而至道光二十六年（1846），钱绮（1797—1858）撰《不得已·跋》文更称杨光先为"本朝第一有识有胆人，其书亦为第一有关名教、有功圣学、有济民生之书"，且赋予杨氏"正人心、息邪说，孟子之后一人"之美誉。❸ 乾嘉以后的学者如此揄扬光先反西学之功，其现象是值得研究的，看来至少应与当时的政治文化环境有关，不过这已不在本书的讨论范围内了。然而，这种现象到为我们提供了一个重要启示：考察清初士人对"康熙历狱"的各种反响，不就是我们深入探析清初中西文化冲突与交融的一条重要线索吗？

---

❶ 见影印本《不得已》下卷附录黄丕烈"跋"，页1301。
❷ 孙星衍：《五松园文稿》卷一"杨光先传"，岱南阁丛书本。
❸ 见影印本《不得已》下卷附录钱绮"跋"，页1303。

笔者在搜集了一些相关资料后发现,杨光先掀起的这场反西学运动在清初士大夫中同样也有很大的影响,对此作出反响者既有奉教者,也有反教者;既有当朝士大夫,更有在野文人。而其反响程度,则明显地表现出认知上的差异,或褒、或贬、或激烈或平实而论,呈现多种不同的态度。特别值得注意的是,在清初士人眼里,"康熙历狱"显现的不光是一次新旧历法的较量,而且是一场涉及学术思想与宗教信仰的文化冲突。因此,历史地考察、比较和分析清初士人对"历狱"的不同反应,并追溯其原因,从而客观地评价"历狱"事件在清代中西文化交流史上的影响,将是本专题研讨所追求的目标。

从现在掌握的资料来看,"历狱"对地方上的中国籍奉教士人也有相当的冲击。如在天主教传播重地上海,就有一位名叫徐启元的教徒,因"历狱"事件牵累而遭地方官的刑罚。据陆丕诚于康熙四十年(1701)作《奉天学徐启元行状小记》❶,徐启元以七十四岁卒于1676年,即康熙十五年,则可推知其生年为明万历三十一年(1603),又知他在明末本是一位由儒入佛的名医,后经友人王君甫引导入天主教。另据费赖之云,启元受洗相传为崇祯十一年(1638),次年他便邀请耶稣会士潘国光(Francois Brancati,1607—1671,意大利人)赴上海崇明传教。❷ 康熙三年"历狱"爆发,清廷"一律统诏各省西士回京,累及于公(按:徐启元)。公即欲为道致命,不抗不屈,曾受笞杖几番,虽身肤杖裂,而毫不退诿"❸。徐氏受"历狱"牵累而遭笞刑一事,至少表明部分中国天主教徒曾公开

❶ 陆丕诚:《奉天学徐启元行实小记》,钟鸣旦等编《徐家汇藏书楼明清天主教文献》,页1232—1247,(台湾)台北辅仁大学出版社,1996年。

❷ 费赖之著、冯承钧译:《在华耶稣会士列传及书目》七九"潘国光",页230,中华书局,1995年。

❸ 陆丕诚:《奉天学徐启元行实小记》,同上书,页1241。

抗拒过"历狱"。而《小记》对"康熙历狱"的记述,也在一定程度上反映了清初奉教士人的思想倾向(至少反映了作者陆丕诚本人的观点):

> 续有妒者即杨光先也,疏弹汤若望会士,……事闻于帝,悉知光先之不良,堪拟立斩。乃若望之爱仇尤切,恳赐刀下留人。光获暂命,而若望已得郝,诏命下,天地方复清宁,百鸟为之和平,而光先之恶,望虽可容,而主不可容,罚其五脏倾之而卒。❶

这里我们仅从称光先为"妒者"即可窥知作者对"历狱"的态度,同时请特别注意文中所述汤若望恳求"刀下留人"与杨光先"五脏倾之"暴卒两个细节。且不论其真实性是否值得怀疑,就笔者所知,汤若望为杨光先向康熙帝求情,请求"刀下留人",其事确为迄今为止有关"历狱"文献中独见的说法,而后者所述杨光先的死因,则是清初天主教内的一贯说法。康熙十一年(1672),教徒何世贞著《崇正必辨》,附录有"杨光先恶死事实"一条,正与陆氏所说相符。❷但据阮元(1764—1849)收藏的一本《不得已》卷末一条所记:"歙县人言光先南归,至山东暴卒,盖为西人毒死。"❸ 前述钱绮于道光丙午年(1846)作的《不得已·跋》即采纳此说。

笔者以为,仅仅为了探究杨光先的确切死因并无多大意义,但

---

❶ 陆丕诚:《奉天学徐启元行实小记》,页 1241—1242。

❷ 何世贞:《崇正必辨》附录,其述杨氏死状有言"脏腑倾出,号叫数日而死",清抄本一函,中国科学院自然科学史研究所藏。黄一农先生在《杨光先家世与生平考》一文中已对杨氏恶死原因作过考述,见(台湾)《国立编译馆馆刊》第 19 卷第 2 期 1990 年。

❸ 阮元:《畴人传》卷三十六"国朝三·杨光先",页 452,万有文库本。

是透过以上征引的文献,可以窥知持"恶死"说与"毒死"说者的不同心态,在一定程度上,这两种说法已经成为清初士人对"历狱"中的杨光先持否定或同情态度的一种表征。

当然,就清初奉教士人而言,他们对"历狱"的反应,主要还是从宗教信仰出发,抨击杨光先的反教言论。天主教徒何世贞(字公介,虞山人,生卒年未详)即于"历狱"平息后不久,著有《崇正必辨》后集三卷,专门驳斥杨光先《不得已》中的反教言论。是书有利类思序,称"何子博古崇儒,究心天学有年"。何氏自序则言:"杨光先之有《辟邪论》也,由心中有佛氏,不有天主故也,……夫不知有天主,谁不当以杨光先为鉴者,而谓余之辨论不休,止为辟邪论而然哉。"❶据该书总目,后集上、中、下各卷均题"辨杨光先论××条",而从书的内容来看,这是正对杨氏《不得已》中"辟邪论"上中下三篇所作的逐条辩驳。在此七年前,著《不得已》书全面批驳过杨氏之论的利类思,也在《崇正必辨》序中评价何著曰:"其条分缕答,较余《不得已辨》,尤至详。"

关于何氏在序言中指责杨光先崇佛一事所牵涉到杨光先的宗教信仰问题,曾引起中外学者的关注。❷ 笔者发现在《崇正必辨》后集上卷内,又有何世贞进一步攻击杨光先是因崇佛而反对天学的论述,文曰:

> 光先訾天教为邪,不过辟释氏之诽耳,而抑知是非邪正久矣不两立耶……彼查找杨光先之学,但知奉佛耳,即

---

❶ 何世贞:《崇正必辨》,据总目该书原分前集四卷,后集为上中下卷,笔者所见清
抄本一函,实为后集三卷,卷首有利序及自序,后附有关"历狱"文献四种,中国
科学院自然科学史研究所藏。徐宗泽《明清间耶稣会士译著提要》亦录有利、
何二序,页237—238。

❷ 参见黄一农:《杨光先家世与生平考》,页17。

儒理未研穷,何况天学超性之理? 非虚秉探讨胡由觉悟?
第以天教辟佛,与己意不合,欲为佛法护持,不得不以天
教诽毁,夫诽毁亦何用为哉。❶

应当说,清初奉教士人指斥杨光先由崇佛而排击天主教的说法,是
缺乏可信度的。从上述杨光先对天主教"天堂地狱"说的批驳来
看,杨光先即便先前或许近佛,但至少在撰写《辟邪论》期间(顺治
末至康熙初)不可能是佛教徒,何世贞的攻击多少是出于宗教徒的
偏狭之见。

在对"历狱"持否定态度的教外人士中,地方士绅的角色也颇
为引人注目。康熙朝任上海知县的康文长,在他的一篇记述上海
天主堂文中曰:

康熙十年辛亥,余以就选赴京师,过宣武门,登天主
堂,威仪齐整,丹艧辉煌,为周游肃拜而出。友人谓予曰:
"子亦知西学之所由始,与近几废而复兴之故乎? 昔通微
教师汤先生若望依西法修时宪历,至精密也;歉人杨光先
心害其能,狂言诋谰,众西士乃旅次东粤以候新命。会天
子神圣,屡试光先无左验,递逐之,仍谕西士南怀仁掌其
事。"❷

这里,康文长借友人之口概论"历狱"期间中西历法之争,其语意明
显地贬斥杨光先。联想前述"历狱"期间上海地方官对天主教徒徐

---

❶ 何世贞:《崇正必辨》上卷"天释是非迥别"条。
❷ 原文载康熙《上海县志》卷七"天学",转引自方豪《中国天主教史人物传》中册,
  页60。

启元笞杖一事，与此"历狱"之后上海知县及友人对杨光先的贬斥，可以看到，同样是上海士绅，面对同一个"历狱"事件，却持完全相反的态度。这里除了个人信仰因素之外，在相当程度上受到了"历狱"前后清廷对天主教政策变化的影响。

在清初士大夫中，张宸（字青琱，号平圃，约 1616—约 1679）❶是受"历狱"间接牵连而反对杨光先排教言行者之一，其立场颇为特殊。"历狱"期间，张、杨同朝为官，自康熙三年后他曾任兵部职方司主事，但与杨氏政见不合，七年因上覆杨光先疏而遭免官。有学者认为，张宸罢官除了与"历狱"相涉，其主因之一是在逃人法一事上的意见对立。❷ 关于张宸抨击杨光先之论，表面上是为其挚友许之渐（青屿）受"历狱"牵累被罢官一事鸣不平而引发的，但实际上是张、杨对西学所持立场、观点相左的体现。他在《平圃杂记》中记道：

> 其（指青屿）与西洋人汤若望交，亦以其制度精巧，用以恣其好奇之目，……然一为妄人指摘，至自堕其功名。士大夫生今之世，可不惧乎？毋论语言文字之祸意外可虑，即泛泛交往如若望之命于朝，爵于官，用其阴阳推步之法，以颁布四方者，犹尚不可，而况其他乎？……妄人者姓杨名光先，徽之某人，笔下甚疏劲，而好攻讦人，……尝作《不得已》论以示青屿，青屿不之省，怒，故并及之。当对簿，光先须发皓然，年已七十余矣，人之好斗至老不

❶ 陈垣：《抄本张青琱〈平圃遗稿〉跋》，《陈垣学术论文集》第 2 集，页 71—72，中华书局，1982 年。

❷ 黄一农：《张宸生平及其与杨光先的冲突》，（台湾）《九州学刊》第 6 卷 1 期 1993 年。

衰有如此者。❶

透视张宸为许之渐鸣屈的理由,可以看出他对清廷采用西洋历法与士人结交汤若望持一开明的态度,而对杨光先以政治化的手法挑起"历狱",甚至祸及与西教士仅有泛泛交往者,深恶痛绝。同时,他把杨光先描绘成"好攻讦"、"迁怒"与"好斗"之徒,而将"历狱"期间由《不得已》导致杨、许冲突的诱因归咎于杨氏的心胸狭隘。其说虽非公正之论,然而也见张、杨之争,除了他们对西人、西法的态度迥异之外,还隐含着双方在政见和性格上的对立。

在强烈贬斥杨光先反西学言行的清初士人中,王士禛(1634—1711)最为引人注目。前述,王士禛《居易录》曾大量辑录西士南怀仁《坤舆图说》的内容,并从《池北书目》中得知他实际收藏过此书。而在早于《居易录》成书的笔记《池北偶谈》(1691)中,他又大量记录了在华流传的西洋风物,诸如西洋铜人(卷二十四"谈异·五")、西洋画(卷二十六"谈异七·西洋画")、澳门天主教堂与宗教仪式,以及流传当地的西洋风俗、千里镜等西洋奇器(卷二十一"谈异二·香山澳")。在《池北偶谈》中,他还特别提及耶稣会士南怀仁(《池北偶谈》成书前3年去世)在清廷所任职衔的名望:"本朝监寺官加侍郎衔者绝少,康熙元年以来,惟钦天监管理历法南怀仁加工部侍郎,殁后,赠礼部侍郎。"❷ 上述数条记录,足以证明王士禛对来自西洋的文化事物相当感兴趣。不过,最为引人瞩目的是,笔记对杨光先与"康熙历狱"作了专门的评论。此见王氏对西方文化的关注,远非止于一般士人猎奇的层面,而是作过一番理性思考的。据

---

❶ 张宸:《平圃杂记》,页1,庚辰丛编本。
❷ 王士禛著、靳斯仁标点:《池北偶谈》页588、页632、页517—518、页36,中华书局,1982年。

《池北偶谈》卷四"停止闰月"条记曰：

> 杨光先者，新安人，明末居京师，以劾陈启新，妄得敢
> 言名，实市侩之魁也。康熙六年（按：应为三年之误），疏
> 言西洋历法之弊，遂发大难，逐钦天监监正加通政使汤若
> 望而夺其位。然光先实于历法毫无所解，所言皆舛谬。
> 如谓戊申岁当闰十二月，寻觉其非，自行检举。时已颁行
> 来岁历，至下诏停止闰月。光先寻事败，论大辟。光先刻
> 一书，曰《不得已》，自附于亚圣之辟异端，可谓无忌矣。❶

《池北偶谈》成书之际，王氏曾在朝廷担任少詹事、都察院
左副都御使、经筵讲官等职，其时康熙帝正热衷西学，首聘西士
南怀仁（卒于 1688 年），续用白晋、张诚等为其讲解西学知识；
而当时的清初学界也正流行西学之风。王氏无疑受到了这股西学
风尚的影响，他对清初科学家梅文鼎兼通中西之学的赞赏，即是
显例。笔者从王氏《蚕尾集》中检得《招梅定九并题写真》一诗，诗
前引文曰："梅精律历，著《中西算学通》"，诗云："齐人漫说谈天衍，
汉代虚传洛下闳；欲向百泉闻绝学，小车花下待先生。"❷ 其仰慕
梅学之情溢于言表。可见，王氏倾向于接纳西学而全面否定杨光
先的态度，并不显得突兀。由于王氏号为清初士林领袖，"远近士
大夫咸归之"❸，其书又屡经翻刻，且收入《四库全书》中，故其说影

❶ 王士禛著、靳斯仁标点：《池北偶谈》卷四，页 88。因点校者不识《不得已》为书
　名，竟误点为："光先刻一书曰：'不得已，自附于亚圣之辟异端。'可谓无忌惮
　矣。"

❷ 王士禛：《蚕尾集》卷二，清康熙刻王渔洋遗书本，四库全书存目丛书·集部 227
　册，页 212，齐鲁书社，1997 年。

❸ 宋荦（1634—1713，字牧仲，号西陂）：《资政大夫刑部尚书王公士禛暨配张宜人
　墓志铭》，清钱仪吉纂《碑传集》卷十八，中华书局点校本，页 583。

响深远。

然而，王氏身为士林要员，如此诋毁杨光先的卫道之举，却遭到了后人的指责。清中叶士人程廷祚（1691—1767，字绵庄），在致友人张必刚（字继夫，安徽潜山人，乾隆七年进士）书中，即对杨光先大表崇敬之意，而对蔑视杨氏之论大不以为然：

> 西人自混迹中华，明之名公钜卿礼之甚于师尊，既而朝廷委以授时大事，天下不复诘其行踪心术，而相安一起固然者百数十年于兹矣。中间独一杨公奋臂大呼，振一世之聋聩，几不免于虎口。此孔子所以称管仲之仁，而孟子距杨墨者，圣人之徒也。乃一二号称学士、词宗者，著书立说，蔑不轩西而轻杨，是尚为有人心哉？❶

书中指称的"学士"、"词宗"和"著书立说"者，显然包括王士禛与《池北偶谈》在内。❷ 如果说程廷祚在此书中对王士禛的指责略显委婉，那么在他的《书事》一文中则已直言不讳。其云："名公卿者，殊不问其始末，乃目以市侩之魁，笔之于书，若有余恨者。然非其党裔，动之以奇淫，要之以货赂，何至此耶？"❸ 不过，程廷祚将王氏诋苟光先的缘由，归咎于西教士及其党羽的引诱和贿赂。然而，

---

❶ 程廷祚：《青溪文集·续集》卷七《与潜山张健夫书》，据道光丁酉东山草堂刊本影印（有胡适序）。据柳诒徵《不得已·跋》云程棉（绵）庄尝谓西人以每部二百金的重价购杨光先《不得已》，"燔毁略尽"，影印本《不得已》下卷附录，页1331。

❷ 宋荦：《王士禛墓志铭》称"公弱冠称诗，五十余年海内学者宗仰如泰山北斗"，故"词宗"显指王士禛，《碑传集》点校本，页583。又参见黄一农：《康熙朝汉人士大夫对'历狱'的态度及其所衍生的传说》，黄先生并言"学士"所指为陆陇其，（台湾）《汉学研究》第11卷第2期1993年12月。

❸ 李桓撰：《国朝耆献类征初编》卷五十三"补录·杨光先"，清光绪湘阴李氏刻本。

直到晚清,仍有人难以相信王士禛这样的大儒,会如此猛烈地抨击杨光先的反教言行,以至生出《池北偶谈》的这段文字是被西洋人有意窜改一说。❶

但是,杨光先发动"历狱"也获得了相当一部分清初士人的同情与支持。其中王崇简(宛平人,今北京丰台)对光先的评价颇有特殊意义。前述王崇简曾于顺治十八年(1661)作诗祝贺汤若望七十寿秩,然而他于己酉年(康熙八年,1669),即杨光先被逐归乡的当年,又作诗《送杨长公还里》(长公为杨光先字),有句曰:"卓荦平生意气发,年登七十倍精神。救时自昔称遗直,卫道于今见古人。"❷ 同一位清朝儒臣,既对西士领袖汤若望作诗贺寿,又给反教先锋杨光先赠诗送别,的确耐人寻味。我们固然对王崇简此举是否隐含其西学观的某种变化,尚无法获得进一步的资料证实,但从他赠别杨诗的语气间显示,其对杨光先在"历狱"期间捍卫儒学道统的立场深表赞赏。看来,在涉及天儒相交的本质性问题上,即使是与西教士有过友好交往的中国士大夫,也不乏坚持原则、仗义执言者。

在清初支持杨光先的士大夫中,如果说王崇简是上层士大夫的代表,那么布衣杨燝南则是下层知识界的代表。前者对杨光先的卫道之举赞赏不已,后者则对杨氏维护中法表示公开的支持。有关布衣杨燝南反对西法的史料,主要见于南怀仁的《熙朝定案》。他于康熙十一年自刊《真历言》一书,"妄肆讥刺钦定之成历",公开

---

❶ 萧穆:《故前钦天监监正歙县杨公神道表》,影印本《不得已》下卷附录,页1327,原作见《敬孚类稿》卷十一,《近代中国史料丛刊》第43辑,(台湾)文海出版社。

❷ 王崇简:《青箱堂诗集》卷二十四"己酉",清初刻本(6册),又见四库全书存目丛书·集部第203册(康熙二十八年王燕刻本),页229—230,齐鲁书社,1997年。

抨击西法之谬,并欲为杨光先平反,掀起"讥刺西法案"❶。从南怀仁劾杨爝南疏中责其"皆拾杨光先之唾余","不过踵杨光先之故智,借径以希进用"来看,杨爝南俨然是杨光先反西法的拥护者和继承者。但因南怀仁疏劾,清廷于同年七月二十六日谕旨以杨爝南"造刻私书,挠乱历法,殊干法纪"之罪被捕审问,九月定罪被判杖责与徒刑,《真历言》书板一并烧毁。杨爝南"讥刺西法案"虽如昙花一现,但它发生在"历狱"平反后不久,即清廷正式任用南怀仁主持历法,西法的地位业已巩固的背景之下,况且又以一介书生,公开挑战钦定的西洋历法,这从一个侧面反映出"康熙历狱"在清初士人中的反响相当强烈。

至康熙中后期,"历狱"事件仍为人们经常谈论的话题。程廷祚于《书事》一文记曰:"余生也晚,忆少年日(按:程氏生于康熙三十一年,少年时正值康熙中晚期),遗贤、故老犹时以太西祸动色相告,盖皆有得于杨公之遗言绪论。"❷ 可见当时仍有相当一部分乡绅士人同情杨光先的排教言行。

康熙晚期士人王棠(字勿翦,安徽歙县人),在康熙丁酉年(1717)所作《燕在阁知新录》中,对"历狱"期间的中西之争颇多关注。其中卷六有"《不得已》论十谬"条,如实地介绍了杨氏《不得已》一书所驳斥的"汤若望治历十谬",然后他不无遗憾地诘问杨氏:"后治历又自多舛错,何也?"❸ 显然,王棠摒弃了杨光先对西洋历法的盲目排斥。但在卷九"天主教"条中,他对杨光先的反天

---

❶ 南怀仁:《熙朝定案》康熙十一年七月二十二日南怀仁疏、十二年八月至九月礼部题本,影印本页91—100。参见黄一农:《杨爝南——最后一位疏告西方天文学的保守知识分子》,(台湾)《汉学研究》第9卷第1期1991年1期。

❷ 李桓辑:《国朝耆献类征初编》卷五十三"补录·杨光先"。

❸ 王棠:《燕在阁知新录》三十二卷,康熙五十六年刻本,四库全书存目丛书·子部第100册,页220—221,齐鲁书社,1995年。

主教言论表示明确的支持。他从西学书籍特别是形成"历狱"导火线之一的《天学传概》中,辑录其宣教言论,如中国祖先伏羲为"如德亚之苗裔"说等谬论,然后发表评论,称其"甚荒诞不根",并就杨光先《不得已》一书评道:"先生持论甚正,与若望极相水火。其书亦翻清进呈,然天主之教终不可得而废也。"❶此见王棠在赞同杨光先的反教言论之余,也对杨氏的排教主张为时所弃,终究未能禁毁天主教,深表婉惜之情。

不过,清初也有部分士大夫对杨光先与"历狱"事件保持一种较为客观平和的态度。如彭孙贻(字仲谋,号茗斋,1615—1673)在康熙七年所作的《客舍偶闻》中,记"历狱"事颇详,曰:"歙人杨光先好高论大言,稍通历法,……西人法既尽善,改其题署之失,正之可也。若望诚有罪,罪其人,不废其术也。"❷彭氏所谓的"改其题署之失",乃指光先疏控汤若望于历书封面题"依西洋新法"为"暗窃正朔"之事。彭氏虽然对光先此一卫道之举表示理解,但他认为不能因人废术而将西法一同排斥,同时他对杨氏惯以"高论大言"(即暗喻其过度政治化的立场)作了揶揄。

李光地(1642—1718)对杨光先也有同样的指责:"杨某说历法,每高妙自奇,使人无可攀跻。梅定九则极低平,随人扣之,皆言下即得门户。恐即此便是杨氏不及梅处。大凡说道理,平处即是高处。"❸

与彭孙贻批评杨氏因人废术的态度相似,陆陇其(1630—1692)也抨击杨光先过分诋毁西法。他在1675年的日记中写道:"午未间,杨光先之说方行,士子为《历法表》者,有云:'知平行实行

---

❶ 王棠:《燕在阁知新录》,四库全书存目丛书·子部第 100 册,页 266。

❷ 彭孙贻:《客舍偶闻》,近代中国史料丛刊本。

❸ 李光地:《榕村语录》卷二十六"理气",影印文渊阁四库全书本,页 31—32。

之说,尽属尘羹;考引数根数之谈,俱为海枣。'何轻易诋呵如此?西人之不可信,特亚当、厄袜及耶稣降生之说耳!"❶ 1678 年陆氏又看到了杨光先的《不得已》书,他又批驳了杨氏书中攻击西学的个别论点(详见第六章)。

如上所述,彭、陆二人这种将西人与西术、天主教与西洋历法区别对待的思辨方式,确实帮助清初士人在评判"康熙历狱"一事上得出了相对公正的结论,这也是清初士大夫从对"历狱"的反思中获得的最有意义的启迪。因为彭、陆等人对西教与西法的明辨,意味着清初士人对耶稣会士"学术传教"策略的洞悉,它反映了中西文化在清初经历了猛烈碰撞之后,正逐步走向冷静比较和理性的选择。

---

❶ 陆陇其:《陆清献公日记》"乙卯四月初八日",道光辛丑胜溪草堂刻本。

第四章 清初奉教士人对
天儒会通的反响

明朝末年，当利玛窦等耶稣会士几经周折正式踏上中国的土地之后，他们发现面临的困难远非来自明廷闭关锁国政策的重重阻力，更有置身于这个东方文明古国里，遭遇其独成一体且又根深蒂固的文化传统（包括宗教传统）对外来文化的层层屏障。如何突破这种文化障碍，找到中西文化的结合点，以完成其传播天主福音的宗教使命，便成为利玛窦在华传教生涯中不懈追求的最高目标。由他创始的"学术传教"策略，即是他从二十多年的宣教实践中探索出来的一种独特的对华传教方针，其核心是以迎合中国传统儒学作为天主教传华的切入点，故称为天儒会通或沟通耶儒。

明末清初利玛窦传教事业的追随者，正是沿着他所开创的"学术传教"道路，致力于通过会通天儒来吸引中国士大夫皈依天主的宗教使命。于是历史出现了这样一幕：由欧洲传教士阐发，中国奉教徒附和与朝野士大夫回应，共同演绎了一场史无前例的天主教神哲学说与中国儒家学说的中西对话，构成了明末清初中西文化交汇的主线。

尽管学术界对传教士会通天儒的工作已有不少研究，❶ 但似乎大多侧重于明末时期，在研究的对象上也主要专注于传教士或少数中国奉教徒，而从清初士人对西教士的会通天儒说作如何反响的角度，鲜有专门论述。笔者将从本章开始，以教内与教外士人两类角色为对象，就清初士人对天儒会通的反响问题作一历史的考察，期望在吸取学界先贤们研究成果的基础上，通过整理现有的资料与发掘新的史料，提出一些新的见解。本章将着重探讨清初奉教士人对会通天儒说的反应。

一　利玛窦开创的天儒会通与明末士人的反应

利玛窦是会通天儒的开拓者。综观其在华的传教生涯，他试图沟通天儒的思想是随着"学术传教"策略的形成而逐步明晰的，并且也是他贯彻、实施这种传教策略的关键举措。

1. 利玛窦倡导天儒会通的实质

利氏入华之初，首先以一种尊重中国习俗的态度出现在中国人面前，"我们穿戴如同中国一般僧人模样，放弃欧洲神父所用的十字型的方帽"❷，这使他们比较顺利地迈出了进入中国社会的第

---

❶ 早期的研究成果主要有陈受颐：《明末清初耶稣会士的儒教观及其反应》，《国学季刊》第 5 卷第 2 期，1930 年。方豪：《明末清初天主教适应儒家学说之研究》(1962 年首刊，1968 年修订)，《方豪六十自定稿》，(台湾)1969 年。新近的研究成果，如陈卫平：《第一页与胚胎——明清之际的中西文化比较》，上海人民出版社 1992 年；孙尚扬：《基督教与明末儒学》，东方出版社 1994 年；(法)谢和耐著，耿昇译：《中国和基督教》，上海古籍出版社 1991 年；林金水：《利玛窦与中国》，中国社会科学出版社，1996 年。

❷ 罗渔译：《利玛窦书信集》上册，页 167，(台湾)光启社、辅仁大学出版社，1986年。

一步。而当他了解到对中国社会富有影响力的阶层"儒者与官吏并不重视僧人"时,他便放弃了僧人的打扮而"穿儒士衣冠",因为"这样打扮可以自由和官吏显贵们交往",也可"以此名义出入文人学士的场合"。❶ 故改穿儒服又使利玛窦成功地打入了中国社会的上层——士大夫阶层。

当他选定以中国士大夫作为落实其"学术传教"的对象之后,他便开始谨慎地向士大夫灌输天主教义,采用的策略是从理论上对天主教义进行儒学化的解释,即所谓适应儒家或拟同天儒的方针。对此,利玛窦解释道:

> 今天我们在此定居、传教,以智慧从事,虽未大声宣扬,但是利用良好读物与推理,对读书人逐渐介绍我们的教义,让中国人知道,天主教的道理不但对中国无害,为中国政府尚且大有帮助。❷

然而,这毕竟不像更换衣帽那样方便,而必须要对天儒之学作深入的理性思考与细致的论证阐释。当然这里的首要前提之一,又是必须对中国士大夫的学术宗尚有充分的理解。对此,利玛窦又有清醒的认识:

> 现在我们中间已有许多品行端正,对神学有研究的神父,大家更勉力学习深奥的中国学问,因为只知道我们自己的学术,而不通晓中国人的学问是毫无用处,于事无

---

❶ 罗渔译:《利玛窦书信集》上册,页 218、203。
❷ 罗渔译:《利玛窦书信集》下册,页 410。

补的。**❶**

在入华西教士中，利玛窦的过人之处也正是在于他对中国知识界的文化传统，尤其是对明末的学术思潮，有准确的把握。且看他对儒学的认识。

关于儒学在中国的地位，他说："儒教是中国所固有的，并且是国内最古老的一种。中国人以儒教治国"；"中国统治者和学者信奉的，就是儒教"。

关于明末儒学的现状，即宋明儒学，他指出："儒教目前最普遍信奉的学说，据我看来是来自大约五世纪以前开始流传的那种崇拜偶像的教派。这种教义肯定整个宇宙是由一种共同的物质所构成的……"

关于儒学与宗教的关系，他认为："儒家不承认自己属于一个教派，他们宣称他们这个阶层或社会集团倒更是一个学术团体，为了恰当地治理国家和国家的普遍利益而组织进来的。"**❷**

可见利玛窦将"学术传教"最终定格为作附儒、合儒之论，是基于他对中国主流文化的深入钻研与理解之上的。利玛窦会通天儒的代表作主要有《天主实义》、《畸人十篇》和《辨学遗牍》前编，**❸**

---

❶ 《罗渔泽》：《利玛窦书信集》下册，页 415。

❷ 以上引文见何高济等译：《利玛窦中国札记》，页 100—105；罗渔译：《利玛窦书信集》下册，页 415。

❸ 此三书均收入《天学初函》，(台湾)学生书局影印再版本，第 1、2 册。关于《辨学遗牍》的作者，学界多有争议。但《遗牍》前编"利先生答虞铨部书"确系利氏所作；后编"利先生复莲池大和尚竹窗天说四端"，陈垣《重刊辨学遗牍序》、方豪《中国天主教史人物传》上册第 80 页均认为非出自利氏之手，方豪且疑或为徐光启所作，今林金水著《利玛窦与中国》第 234 页、孙尚扬著《基督教与明末儒学》第 40—48 页亦支持此说，孙先生并据方豪所疑，论证《遗牍》后编之作者当首推徐光启。

其思想亦散见于他的《日记》和《札记》中。利氏曾多次修订《天主实义》(1595年初版,1601年再版,1603年第三版,此据利氏"天主实义引";后又有1607年汪孟朴重刻本,据李之藻"重刻序",等),其目的即是为了使它更加儒学化。他在1604年致耶稣会总长的一封信中解释了撰写此书的宗旨(确切地说应是修订本的宗旨):"我们更加认为该书(《天主实义》)不是攻击他们之所说,而是使之更为与上帝的观念相吻合,以便使我们显得不是追随中国人的观念,而是按照我们的观点来诠释中国作者的著作。"❶

这里,利玛窦已经道出了他附儒传教的真实意图。综而述之,利玛窦会通天儒的努力主要体现在以下几方面:

其一,以古代儒家经典中的某些词句和概念来比附天主教教义。如他大量摘引了先儒五经中有关"天"与"上帝"的材料,以论证"吾国天主即华言上帝"❷,其结论是"历观古书而知上帝与天主特异以名也"❸。又如他并不直接宣扬"灵魂不灭"与"天堂地狱"说的教义,而是尽量从儒家学说中寻找附会性的证据。他在《天主实义》第三篇"论灵魂不灭大异禽兽"中,借用了儒家所熟悉的"魂魄"概念,作如下阐论:"西士曰:人有魂魄两者全而生焉,死则魄化散归土,而魂常在不灭"❹;天主在人死之后,"取其善魂而赏之,取其恶魂而罚之。若魂因身终而灭,天主安得而赏罚之哉"❺。显然,利玛窦是以"魄"指代人的物质性,以"魂"比拟人的精神性,从而论证灵魂是一个常生不灭的精神实体。

❶ 引自谢和耐著、耿昇译:《中国与基督教》,页42。此信不载于罗渔译《利玛窦书信集》。
❷ 利玛窦:《天主实义》第二篇"解释世人错认天主",影印《天学初函》本,页415。
❸ 同上书,页416。
❹ 利玛窦:《天主实义》第三篇,页429。
❺ 同上书,页445。

至于"天堂地狱"说,因其名称酷似儒家所熟知的佛教之说而深受儒家质疑,"中士曰:如言后世天堂地狱便是佛教,吾儒不信"❶。对此,利玛窦并未从正面解释,而是巧妙地辩以源流之论,指出天主教与佛教的"天堂地狱"之说:"其实大异不同者",因为佛氏之说原本就是从天主教窃取的邪说,"释氏借天主天堂地狱之义,以传己私意邪道,吾传正道,岂反置弗讲乎?"❷ 当然,利氏此说同样是出于其宗教私利而炮制的谬论。最后,利玛窦又利用儒家的善恶报应论,阐明"天堂地狱"说的教义:"修道者后世必登天堂,受无穷之乐,免堕地狱,受不息之殃。"❸ 可见,利玛窦是采用先儒经典比附天主教义的方法,来引导儒生们接受天主教的核心教义:灵魂不灭说与天堂地狱的善恶报应论。

其二,与儒家同斥佛道二氏。利氏认为中国的三种宗教(儒释道),除儒教以外"其他二个皆拜偶像,互相敌视,而为学者所卑视……就这样藉我所撰写的书籍,称赞儒家学说而驳斥另两家宗教的思想"❹。他与虞淳熙就天主教与佛教问题展开的论战,更是附儒斥佛的具体行动(见《辨学遗牍》前卷),而他对佛、道二教较为全面的认识与抨击见于其晚年所作的《札记》❺,此不赘述。

其三,容忍儒士的敬孔祭祖礼俗。宗教与生俱来的强烈排他性,决定了任何一名教徒只能信守本教的仪式。天主教诫律中首要的一条即规定了敬奉天主的惟一性与排他性,而严禁其他一切偶像崇拜。当利玛窦看到"信奉儒教的人,上至皇帝下至最低阶层"普遍地举行"祭祀亡灵的仪式",大臣与学士们聚会孔庙"焚香

❶ 利玛窦:《天主实义》第二篇"解释世人错认天主",影印《天学初函》本,页428。

❷ 同上书,页428—429。

❸ 同上书,429。

❹ 罗渔译:《利玛窦书信集》下册,页415。

❺ 何高济译:《利玛窦中国札记》第一卷第十章,页105—114。

烧烛和鞠躬跪拜"的场景,他就预感到大批归化中国士人,潜藏着一种被指控为冒犯宗教仪规与有辱宗教使命的危险,为此他意识到有必要就中国儒士们的敬孔、祭祖习俗,向教会与同伴作出合乎宗教原则的解释。利氏指出:中国士人的祭祖敬孔礼仪并非宗教仪式,祭祖是"向已故的祖先表示崇敬","似乎不能指责为渎神,而且也许并不带有迷信的色彩";敬孔是为了"表明他们对他(孔子)著作中所包含的学说的感激",因为正是依靠这些学说,他们才得到了学位与官职。❶ 在此,我们且不论利玛窦对敬孔、祭祖的解释是否正确,但他至少在调和与淡化天、儒之间的显性差异(礼仪)上,作出了一名宗教徒所能做到的几乎是最大限度的容忍,从而在坚持宗教原则与迎合儒家风俗之间,暂时找到了一种平衡的方法。不过,这毕竟只是一种带有功利目的的策略性解释,事实上,利玛窦本人直到晚年也并未消除在祭祖问题上的顾虑,他曾奉劝那些"已经接受基督教的教导的人,如果以救贫济苦和追求灵魂的得救来代替这种习俗,那就似乎更要好得多"❷。由此看来,利玛窦对天主教义与祭祖问题潜藏着发生争议的可能性,是有所预见的。值得一提的是,就学术上而言,敬孔、祭祖习俗是否具有宗教性仍是有待进一步探讨的问题,因为儒学是否为宗教至今仍有争议,而祖先崇拜至少在原始社会是一种宗教信仰。

当然,附儒、合儒并非利玛窦追求的目的,而只是为了最终实现其以天主教补儒乃至代儒宗教使命的一种手段或方法。因此利玛窦在鼓吹合儒的同时,也对儒学进行了批判。因为这里有一个暗藏的逻辑:如果天儒完全相合,那就没有必要引进天学了。所以他在阐述天儒相合的同时,又必须强调儒学仍有不完备之处,需要

❶ 何高济译:《利玛窦中国札记》第一卷第十章,页103—104。

❷ 同上书,页103。

天学来补充。可见,对儒学的批判,乃是实现以天学补儒、甚至代儒的前提,它攸关利玛窦会通天儒的实质。

可是利玛窦见到的明末儒学,已是在宇宙观、人生观等方面相当精致的一套哲学体系,要让富于理性思辨的明儒们接受天主教神学的批判并非易事。显然直截了当地照搬天主教神学理论,来批判明儒们赖以安身立命的学说,必然会招致天儒间的公开对抗。利玛窦的高明之处在于,他巧妙地运用以"古儒"反对"今儒"的方法,来批驳宋明理学中与天主教的基本信仰相冲突的概念,用他自己的话来说:

> 我们试图驳斥这种哲学,不仅仅是根据道理,而且也根据他们自己古代哲学家的论证,而他们现在的全部哲学都是有负于这些古代哲学家的。❶

例如他在《天主实义》第二篇中,即对宋明理学的核心范畴"太极"与"理"做了如此批驳:

> 但闻古先君子,敬恭于天地之上帝,未闻有尊奉太极者,如太极为上帝万物之祖,古圣何隐其说乎?❷
> 若太极者,止解之所谓理,则不能为天地万物之原矣。盖理亦依赖之类,自不能立,曷立他物哉?❸

利氏反对把"今儒"(理学家)主张的最高哲学范畴"太极"与"理"作

---

❶ 《利玛窦中国札记》,页102。
❷ 《天主实义》第二篇,页404。
❸ 同上书,页407。

为世界本原,而他自己导出的结论自然是"天主所立者,物之无原之原者,不可以理以太极当之"❶,意即创造天地万物的本原只能是天主。换言之,只有天主才是世界的最高主宰。

2. 明末士大夫的两极反应

利玛窦的会通天儒说得到了明末部分士大夫的积极响应,其中教内士人当属号称中国天主教三大柱石的徐光启、李之藻和杨廷筠。

徐光启于 1612 年撰《泰西水法序》称:"余尝谓其教必可以补儒易佛"。在沈㴶发动"南京教案"之初,徐光启敢冒政治风险,即于 1616 年 7 月上《辨学章疏》为西教士辩护,疏中充分陈述了他支持天儒会通的理由。他声明:"诸陪臣所传事天之学,真可以补益王化,左右儒术,救正佛法也者",并且提出三条"试验之法",建议朝廷公开验证西学之是非,以反驳沈㴶等保守派士人对天儒会通的攻击:其一,"凡事天爱人之说,格物穷理之论,治国平天下之术,下及历算、医药、农田、水利等兴利除害之事,一一成书,钦命廷臣共定其是非。果系叛常拂经,邪术左道,即行斥逐";其二,"诸陪臣之言与儒家相合,与释老相左,僧道之流咸共愤嫉,是以谤害中伤,风闻流播,必须定其是非。乞命诸陪臣与有名僧道,互相辨驳,推勘穷尽,务求归一。仍令儒学之臣,共论定之。如言无可采,理屈词穷,即行斥逐";其三,"即令诸陪臣将教中大意、诚劝规条与其事迹功效,略述一书,……如其踦驳悖理,不足劝善戒恶,易俗移风,即行斥逐"。❷ 可见,在徐光启眼里,天儒之间上至"事天爱人之说"的思想理论,下至"格物穷理之论"的科学技术,甚至"劝善戒

---

❶ 《天主实义》第二篇,页 414。
❷ 王重民辑:《徐光启集》,页 66、页 432、页 434。

"恶"的民间风俗,都是值得展开中西会通的。

李之藻对利氏天儒会通之说也作了全面的诠释:一曰天主即为上帝,"其教专事天主,即吾儒知天、事天、事上帝之说,不曰帝,曰主者,译语质";二曰西学合儒排佛,"如西贤之道,拟之释、老则大异,质之尧、舜、周、孔之训则略同";三曰西学合古儒而斥近儒,"尝读其书,往往不类近儒,而与上古《素问》、《周髀》、《考工》、《漆园》诸编,默相勘印",故他的结论是:"信哉,东海西海,心同理同,所不同者,特言语文字之际。"❶

杨廷筠更是一一指陈天儒相合之处,说:"儒者本天,故知天、事天、敬天,皆中华先圣之学也";"夫'钦崇天主'即吾儒昭事上帝也;'爱人如己'即吾儒民我同胞也……此之为学,又与吾儒暗然为己之旨,脉脉同符",故他的结论是"其持论可谓至大、至正而至实矣"。❷

教外士人赞成利氏之说者,著名的如冯应京(字可大,1555—1606)❸,他在《天主实义序》中称利玛窦:"历引六经之语,以证其实,而深诋谭空之误。"叶向高(字进卿,1559—1627)❹ 赠诗利氏路线的传人艾儒略,赞扬西士"言慕中华风,深契吾儒理"❺。谢肇淛(字在杭,福建长乐人,万历间进士)在《五杂俎》中对天主教的述评,可谓甚得利玛窦会通天儒说之要领,其曰:

> 又有天主国在佛国之西,其人通文理,儒雅与中国无

---

❶ 李之藻:《刻圣水纪言序》、《天主实义重刻序》,见徐宗泽《译著提要》页171—172、页147。

❷ 杨廷筠:《刻西学凡序》、《七克序》,见徐宗泽《译著提要》页292、页53。

❸ 《明史》卷二三七"冯应京"传。

❹ 《明史》卷二四〇"叶向高"传。

❺ 《熙朝崇正集·闽中诸公赠诗》,天主教东传文献,页643,(台湾)学生书局影印再版本,1965年。

别。……其教崇奉天主,亦犹儒之孔子,释之释迦也。其书有《天主实义》,往往与儒教互相发(明),而于佛老一切虚无若空之说,皆深诋之,是亦迷杨之类耳。珮玛窦常言:"彼佛教者,窃吾天主之教,而加以轮回报应之说,以惑世者也。吾教一无所事,只是欲人为善而已。善则登天堂,恶则堕地狱,永无忏度,永无轮回,亦不须面壁苦行,离人出家。日用所行,莫非修善也。"余甚喜其说为近于儒,而劝世较为亲切,不似释氏动以恍惚支离之语,愚骇庸俗也。❶

崇祯辛巳年(1641),米嘉穗为艾儒略《西方答问》作序,对天儒会通说的理解则更具理性色彩:"天学一教入中国,于吾儒互有同异。然认主归宗,与吾儒知天事天,若合符节。至于谈理析教,究极精微,则真有前圣所未知而若可知,前圣所未能而若可能者",并且相信"吾儒之学得西学而益明"。❷

从上述举例可见,利、艾施行的会通天儒策略在明末士大夫中产生了有效的影响,他们的"合儒"与"补儒"之论已经为部分士大夫准确地了解。

但是,西教士们宣扬的会通天儒说,却遭遇到明末保守士大夫的强烈反对。从沈㴶的《参远夷疏》到明末主要由江南士绅和佛僧撰文的《破邪集》,对天儒会通说发起了全面的猛烈批判(部分论述已见第三章)。其中黄贞的驳斥具有很强的针对性:

夫欲灭之(儒学)者何物乎? 西之夷天主耶稣之徒,

❶ 谢肇淛:《五杂俎》卷四"地部二",页 120,中华书局,1959 年。
❷ 徐宗泽:《明清间耶稣会士译著提要》,页 300—301。

与华之夷从天主耶稣之徒者是已。然夷固不即灭儒也，而其计先且用媚与窃，媚能显授人以喜，窃能阴授人以不惊；喜焉从而卑之，不惊焉遂即混之。爪牙备，血力强，一旦相与蹲素王之堂，咆哮灭之矣。❶

此见，黄贞将利氏附儒、合儒和补儒之论，攻击为媚儒、窃儒和灭儒之说，充分显示明末保守派士人对利玛窦的会通天儒之说相当了解，故能针锋相对，切中要害。尤其值得注意的是，黄贞等《破邪集》派士人把攻击的矛头不仅指向西教士，而且还对准中国的天主教徒，称他们是西教士阴谋灭儒的"爪牙"。联系到上述徐光启与沈㴶的辩驳，再一次表明明末的天儒之争，并非单纯的宗教派别或政见分歧，它既是士大夫与西教士之间一场涉及宇宙、人生和伦理观等意识形态的中西文化之争，也是明末士大夫内部如何对待西方异质文化的观念之争。

二　清初西教士的天儒会通
与中国奉教徒的附和

以汤若望为首的入华西教士，在明清易代之际，出色地运用了利玛窦开创的"学术传教"策略，成功地使清朝继续包容在华的天主教传播事业。为适应新的传播形势，清初西教士在继承利玛窦方针的基础上，更加努力地在中国士大夫中宣扬天儒会通说，并在强调天儒相合的同时，更为注重引导士大夫接受以耶补儒甚至以耶代儒的主张，而清初奉教士人的竭力附和与响应，更将西教士的天儒会通事业推向深入。

---

❶　黄贞：《尊儒亟镜叙》，《圣朝破邪集》卷三，页12。

1. 从汤若望到马若瑟的天儒会通

利玛窦"学术传教"策略的出色执行者汤若望,利用其为清廷钦命大臣的特殊地位,在广泛结交士大夫的同时,继续开展利玛窦创始的天儒会通事业。他不仅利用教理书籍,而且采用交谈讨论的方式,在士大夫中宣扬他的天儒会通观。顺治十八年(1661),儒臣魏裔介在赠汤若望七十寿序中,对其扬教之功大加赞赏:

> 自先生由海壖北上,广著鸿书,阐发至论,如《群徵》、《缘起》、《真福》诸籍,与此中好学之士共闻共见,而又接引后来,勤勤不倦,乐于启迪。❶

这里提及的三部书均为汤若望在明末崇祯年间所著的教理书:《主制群徵》首刊于 1629 年,《主教缘起》刻于 1643 年,《真福训诠》约刻于 1634 年,❷ 它们是反映汤氏天儒会通观的代表作,且在清初士人中流传颇广。尤其是《主制群徵》,该书的主要篇幅乃是西人勒西乌斯(Lessius)所著《论神的智慧》与《论灵魂不灭》两书之译文,❸ 旨在运用自然界的事物之哲理来证明天主之实有。但汤若望在书中特别续写了一段关于辨别中西之"天"的文字:

> 或问中学亦尊天,与主教何异,曰:中学所尊之天,非苍苍者,亦属无形。第其所谓无形,卒不越于天。盖天之苍苍其形,而天之运用不测,即其神也。运用不测之神,

---

❶ 汤若望:《主制群徵》附录"魏文毅公贺文",天津大公报馆本 1915 年。
❷ 此据方豪转引裴化行说,《中国天主教史人物传》中册,页 14。有关汤氏三部书的内容介绍见徐宗泽《译著提要》,页 154、页 174、页 67。
❸ 费赖之著、冯承钧译:《在华耶稣会士列传及书目》,页 182。

虽无形不离于形，与天一体，是无心无主张者，非吾所称尊主也。吾所称尊主，虽曰不可见，不可闻，而非即以不可见且闻为贵。盖与天地万物，其体绝异，至纯至灵，不由太极，不属阴阳，而太极、阴阳，并受其造。❶

从这段文字看出，汤若望明辨中西"尊天"之别的实质，在于引导儒士们由传统的敬天事天之说，走向崇拜一个超世无形的天神——天主。尽管天儒之间同样是"尊天"，但前者代表一种儒学的理性主义，而后者却代表天主教的信仰主义。

清初耶稣会士"学术传教"事业的另一位关键人物南怀仁，又继续致力于利、汤以来的会通天儒工作。他在掌理清廷钦天监的历法事务之余，亦专门撰写了多部教理书以传扬教义，主要著作有1669 年初刻于北京的《教要序论》一卷，刻于 1670 年的《善恶报略说》一卷等。南怀仁也在附儒的策略下，宣扬天主是超越中国历代传颂的各类主宰之上的"大主宰"："天主者是生天地、生神、生人、生万物一大主宰"，"盘古、佛菩萨、老君等，皆在有天地之后，皆是父母所生，岂可与生天地神人万物之大主宰相比"。❷ 同时，他又找到了一个天儒之间的结合点——人性论或道德观中的善恶问题，从中国儒士们关注的今生现世中的善恶报应问题出发，阐发天主教的善恶赏报论。《善恶报略说》即是以问答体形式，解说儒臣们关注的善恶问题。康熙八年(1669)八月，清廷诸王贝勒大臣与九卿科道等，在商讨"历狱"善后处理事宜的会议之余，曾向南怀仁发出疑问：

天主欲勉人为善享福，何故凡行善者，现世不降以

---

❶ 汤若望：《主制群徵》卷下"十五以圣迹徵"。
❷ 南怀仁：《教要序论》"天主谓何"条，上海慈母堂 1867 年重刊本。

福,行恶害人者,即时不降以祸?

　　何故容恶者多享富贵,终身快乐,善者多穷困患难灾病,岂不令人疑天地无主宰,或疑主宰不公乎?

南怀仁的回答之一:

　　因恶者现世多享富贵快乐,善者多穷困患难,则可用推而知善恶恶报,不专在现世也。人在现世非享福本所,惟以现世之暂寄,定身后之永居;人暂处兹世,当修德行善为身后常享之基,以斯世立功,身后受赏焉。❶

这里南怀仁把善恶之报寄托于彼岸世界,巧妙地将儒家关注的善恶问题,从世俗范围引向神学领域,并且以今世的"修德行善"作为来世"受赏"之功,他实际上是运用了以功赎罪(即以善功救赎原罪)的天主教义,在宗教道德与儒家伦理之间进行了调和与会通。
　　被称为天儒会通事业"殿后大将"的马若瑟(Joseph – Henrg – Marie de Premare, 1666—1735),是在康熙热衷西学的高潮时,于1699年由康熙帝的西学教师白晋奉命赴欧洲特选来华的(参见第一章),其会通天儒之手法更加高明。他的代表作是《经传议论》(撰于康熙四十九年,即1710年,抄本现藏巴黎)和《儒教实义》❷(署名温古子,即马氏别号)。从《经传议论》自序可知,马氏对于儒

　　❶　南怀仁:《善恶报略说》卷首,上海土山湾印书馆1933年。
　　❷　据方豪:《明末清初天主教适应儒家学说之研究》,《影印〈儒教实义〉序》,《方豪六十自定稿》。以下所引《经传议论》均出方豪《研究》一文。因《儒教实义》中提及康熙二十一年圣旨与康熙御制孔子庙碑文,又该书之性质也与康熙时的传教形势相符,故尽管马若瑟在康熙三十七年至华,此书不可能作于康熙二十一年,但笔者以为将此著断为康熙时期所作是合理的。今有影印本收入《天主教东传文献续编》。

家经史之学研读颇广:"是故瑟于十三经、廿一史、先儒传集、百家杂书,无所不购,废食忘寝,诵读不辍,已十余年也。"他撰写此书的宗旨,实际上是继承利玛窦诉诸古儒以会通天儒的方法,然而马氏利用古代儒经附会天学的手法之精致不在利玛窦之下。例如他对六经等儒家经籍一一作了独特的比拟:

> 《易》者无形之圣人,《书》者圣人之家,《诗》者圣人之赞,《春秋》者圣人之事,《礼乐》者圣人之作;而愚之所谓圣人者,则《易》之所谓利见大人,则《书》之所谓左右其人,则《诗》之所谓西方之人兮,则《中庸》之所谓百世以俟圣人,则《春秋》之所谓天王者也。

方豪先生认为,这"简直就说中国经籍中'圣人'、'大人'、'西方之人'、'天王'等便是天主,虽没有明白道破,却已呼之欲出。"

而笔者细读马若瑟《儒教实义》,更见其会通天儒之功夫至精至深。该书以儒者崇敬的"幽"、"明"二端为主线,对于儒家敬奉上帝、鬼神、先人、先师与君、亲、师、长、友等各项习俗,逐一作了阐释,尽管通篇没有一处提及天主、西士之名,然而字里行间都贯穿着作者努力向儒士们诠释天主教义的意图,为了达此目的,他最大限度地在祭天、祀祖、敬孔等中国习俗上表达了一个天主教徒的宽容。

关于敬天祭帝,马氏对"敬上帝"与"祭上帝"的解释是:"顺帝之则,人之本务也……畏天之威,祈天之迪,顺天之命,此之谓敬天";祭上帝"真祭之意有四焉":即为"钦崇上帝"、"谢皇天之洪锡"、"祈上帝诸恩"与"息天义怒而免罪罚"。❶

---

❶ 马若瑟:《儒教实义》,天主教东传文献续编第 3 册,页 1344—1348,(台湾)学生书局影印再版本,1985 年。

关于祭祀礼仪,他对"郊庙"(指祭祀场所)之意的理解是:"有南郊以事天而报本,有文庙以事师而重学,有家庙以事亲而养仁。敬天、重师、爱亲三者行,而天下平。郊庙之意,其大矣乎。"❶ 他对"木主"(即神主,指为死者所立的木制牌位)的解释是:"木主为后来子孙不失支脉之意焉",而且认为画父母之像立供,"不如立木主,而视亲于无形";"设主代亲,一则凭依孤子怀心,思亲如生焉而可见;一则时展礼典表念,事亲如存,然而可养,庶几追远,孝义毕兴已耳"。❷

关于敬孔,他称孔子为:"吾中国之先师,儒教之宗也",而"孔子之德"即为"吾先师之德",他把"孔子之德"概括为七条:敬天、爱人、居谦、安贫、好学、慕真、贞洁,但"总而言之,则吾先师之所以异乎常人者,惟在体天之意而已";又认为设立"孔子之庙"与"祖宗之庙","其意实不异也",因为"人生于亲而成于师,而所以事亲与事师者一道也"。❸

以上引征的这些阐述,如仅从字面上体会,很难相信不是出自一位中国儒士之口,然而这恰恰是一名法国耶稣会传教士对中国传统习俗的理解,因此我们不能不钦佩他作为一名外国的宗教徒,对中国文化有如此深度的体认。更有甚者,在天儒之间某些看来不可调和的问题上,马若瑟也作了巧妙的迎合。例如天主教耶稣会士的绝色绝婚诫律与儒家伦理中的"不孝有三,无后为大"之间的冲突,反映了宗教与世俗的鸿沟,利玛窦曾试图加以沟通,他的辩解方法是断言孟子的"不孝有三,无后为大"之论,不是圣人(孔子)之传语,因而是不足为信的。不过,利氏硬要说孟子的话不可

---

❶　马若瑟:《儒教实义》,天主教东传文献续编第3册,页1374—1375。
❷　同上书,页1367、页1370—1371。
❸　同上书,页1390—1393。

信,实在难以为儒士们接受。而马若瑟表现出比利玛窦更为精彩的辩术,他从阐释何为"传后"与"真孝"之含义的角度,作迎合孟子之论:

> 问孟子云:不孝有三,无后为大,然也。曰吾闻之,古帝尧舜其大孝也与。夫其大孝也,是以尧生丹朱,舜生商均耶;抑因尧得舜,舜得禹耶? 吾窃以为非以形传形,为大孝,惟以德传德,则孝大矣。……方孝孺云:宁无后而不敢以非礼娶,知失礼重于无后也。❶

原来,马若瑟采用了偷换概念的方法,重新诠释"传后"之真义,即用"以德传后"取代"生子传后",这对于一贯倡导重德取义的中国士大夫来说,至少还存在一点自圆其说的余地。

但是,我们再深究一层就会发现,马若瑟对儒家习尚所作的解释,常常有意识地暗喻一些天主教教理,作天学化的诠释,可见他对儒家礼仪的认同是以会通天儒为目的的。例如他对"祭鬼神"这个最易为天主教排斥的问题上所作的诠解,以及对儒家"祸福"观的阐发,即是其会通天儒之手法的最好表征:

> 问祭鬼神可乎? 曰须知志所之。祭鬼神,以为自尊、自能、自灵,则鬼神与上帝抗,而皇天有对矣。淫祭非礼,万不可也。使祭鬼神,以谢其恩,而求其庇,知其受命于帝庭,而护我、救我、引我、导我为其任,于是鬼神既于帝天不角,祭之若是,亦可矣。❷

---

❶ 马若瑟:《儒教实义》,天主教东传文献续编第 3 册,页 1359—1360。
❷ 同上书,页 1354。

138

这里,马氏的意思无非是说只有把鬼神当作上帝的使者来祭祀才是合乎礼仪的,而享有至上独尊祭祀地位的只能是"自尊、自能、自灵"的上帝。那么,这个"上帝"不就是号称全能自主的"天主"吗?

至于祸福观,马若瑟认为人间之福可分为"俗福"、"世福"和"德福",其中大而纯者为德福。但是,马氏指出对于生活在现世中的人们来说,"德福"仍然是短暂之福,"然吾人之寓于世也几何?则德福虽大而纯者,亦暂时之福是也"。那么,人类真正之永福在哪里呢?马氏认为根据先儒古经大训,"则知夫上天之永命,无疆之休,真福之全,明明非吾人在此下土可得也",故真正的永福在天上,即为"天福",而世福、德福或天福"皆上帝所锡,非祖宗所能致者也"。❶ 此番解说不就是天主教义中的天主赐福天堂说吗!

因此,从理解与沟通中国儒家文化的能力上而言,可以说马若瑟代表了清初西教士会通天儒的最高水准。同时,值得关注的是《儒教实义》问世的时机,正际于天主教内部围绕中国社会祭祖敬孔之习俗以及有关天主的中文译称问题发生激烈争论,即所谓"礼仪之争"趋于高潮时期,而马氏此著却对中国传统礼仪和风俗采取全面迎合的态度,这更加凸显其作为利玛窦"学术传教"路线的坚定拥护者与清初天儒会通之殿军的重要地位。事实上,沟通中西、会通天儒始终是马若瑟在华传教的理想目标。他在 1700 年 11 月即他到达中国的次年,就表达了沟通中西的理想:"我们这些乘'安菲特里特'号来的法国人在中国受到的接待,使我们产生某种希望,我们这两个民族之间有可能从容地建立一种持续的交往。"❷

---

❶ 马若瑟:《儒教实义》,天主教东传文献续编第 3 册,页 1384—1385。
❷ 马若瑟致戈神父的信(1700 年 11 月 1 日于江西万州府),见朱静编译《洋教士看中国朝廷》,页 28,上海人民出版社 1995 年。

而到晚年,马若瑟更加明确地表示会通天儒与沟通中西文化,乃是其入华三十余年来一直奉行的信念:

> 余作此种疏证及其他一切撰述之目的,即在使全世界人咸知,基督教与世界同样古老,中国创造象形文字和编辑经书之人,必已早知有天主。余三十年来所尽力仅在此耳。❶

但是,马若瑟会通天儒与赞成适应中国礼仪的态度,遭到了罗马教廷传信部的反对,教廷向他发出指令,若要继续留在中国传教则必须宣誓明确否认"其所撰赞成中国礼仪之文字"。可见,清初在华传教士尝试沟通中西文化的努力,不仅遭遇中国传统士大夫的阻力,而且也要承受其欧洲宗教当局的压力,其复杂与艰难可想而知。

2.清初奉教徒的响应

西教士们会通天儒的意图与努力,在部分清初奉教人士身上得到了报偿。奉教士们对西教士会通天儒事业作出了积极响应,并给予很大支持。他们不仅同情、理解天儒会通,甚至直接参与其事,通过撰著、作序、刊印等方式,附和且传扬耶儒相合、以耶补儒的主张。这无疑又是明末以来在"西学东渐"与中西文化碰撞之后,清初士大夫内部发生思想裂变的一种现象。

清初奉教徒大多是从儒学的立场出发接受西学,并且怀着以耶补儒与融合耶儒的理想来赞扬与附和天儒会通。他们在清初刊传了一批独自撰写或与西教士合作的会通天儒之作,其中著名的

---

❶ 费赖之著、冯承钧译:《在华耶稣会士列传及书目》,页527。

如朱宗元(字维城,约 1609—约康熙中)的《天主圣教豁疑论》和《答客问》(康熙三十六年由西教士重刻)❶、何世贞的《崇正必辨》(1672 年)、尚祜卿(约卒于 1698 年后)❷ 的《天儒印》(1664 年)和《正学镠石》(1698 年)、张星曜(字紫臣,生于 1633 年,约卒于康熙末年)的《天儒同异考》(1715 年,分为《天主教合儒》、《补儒》、《超儒》三编)等。

首先他们接受了西教士鼓吹的天儒相合的主张,宣扬天儒之间"心同理同",甚至称西学为中国古已有之。如何世贞《崇正必辨·辨例》言:"天学钦崇天主,与吾儒昭事上帝心同理同。"❸ 张星曜在《天主教合儒》一编之卷首"经书天学合辙引言",借托西士之口曰:

> 天学非是泰西创也,中国帝王圣贤无不尊天、畏天、事天。……余生泰西九万里来,心切伤之,爰据中国经书所载,敬天之学,与吾泰西之教有同符者,一一拈出,颜曰《合儒》,梓以问世,俾人之见之者,知东海西海心理皆同。❹

其次,他们从中国儒士的角度阐述了引进天学、补充儒学的必要性,并通过比较天儒之间的异同,指出天学可以补益儒学之处。

---

❶ 据方豪《中国天主教史人物传》中册页 91—98,卒年未详,然因朱宗元著《天主圣教豁疑论》有西士瞿笃德(Stanislaus Torrente, 1616—1681)参订,时间约在康熙六年至十二年;笔者又据林文英"重刻《答客问》序"(1697 年,文见徐宗泽《译著提要》页 155)曰"考朱子之著是编",据"考"字推知当时宗元已亡,故断其卒于康熙中。

❷ 康熙戊寅年(1698)尚祜卿作《正学镠石叙》,天主教东传文献三编,页 100,(台湾)学生书局影印再版本,1984 年。

❸ 何世贞:《崇正必辨》卷首,清抄本,中国科学院自然科学史研究所藏。

❹ 张星曜:《天儒同异考·弁言》,见徐宗泽《明清间耶稣会士译著提要》,页 127。

张星曜在读了天主教之书后,感悟道:"方知天壤间是有真理,儒教已备,而犹有未尽晰者,非得天主教以益之不可。"❶ 朱宗元则对天儒间的异同与补缺阐述得更为全面。他针对当时普通士人的非难,"天学既即儒理,孔孟之训已足,何必舍己从人?"回答道:天儒间"知天事天,大较不殊,三代而降,虽言知天,实未殚乎知之奥秘;虽言事天,实未尽乎事之礼则",意思是说在上古时代的先儒与天学几无差别,然而后儒在知天、事天方面均存在不完善之处,故要以耶补儒。且看朱氏对以"天"补"儒"论的阐述。

在"知天"方面,天学的长处在于:"若乃乾坤开辟之时日,万类穷尽之究竟,上主无穷之妙性,身后罔极之苦乐,悔过还诚之入门,迁善绝恶之补救,必待西说始备";在"事天"方面,天儒间的差异及可补性在于:"是故天地之有主也,此主之宜事也,佛老之宜斥也,淫庙之宜蠲也,星卜矫巫之宜摈也,皆儒者所已言,其事已著,其理易知。若乃天主三位一体之秘,一位降生救赎之功,万民复活审判之义,天地人物始生之原,中华旧无言者,言之自西儒始。"❷ 朱宗元的阐述,明确地点明了天主教神学与儒学的根本性差异,以及天学对儒学的补阙作用。

再次,他们认为西学在理论和技术上均可弥补儒学之不足。他们以儒学传统中的道器论对西学进行类分,指出不仅西学中的形上之道,即西方神哲学,可补儒学之阙,而且其形下之器,即西方科学技术,也可资吾儒利用。如何世贞论道:

> 西儒之学本乎穷理,存乎尽性,无往非爱人如己,故

❶ 徐宗泽:《明清间耶稣会士译著提要》,页 129。
❷ 朱宗元:《天主圣教豁疑论》,天主教东传文献三编,第 2 册,页 540—541、页 543。

其见爱于人,在形上之道而不在形下之器,即使有器之精巧,亦由彼国良工所造,当重其格物之理,维楚有材,维晋用之,可以验天时焉,可以测日景焉,可以定昼夜时刻焉,可以远观山川形胜焉,可以微探物象精粗焉,可以救水火灾患焉,可以资学业利用焉,此亦何惧之有?❶

这种类分的理论意义是,清初奉教士人已经把西学作为一种道器兼备的文化系统,并且认为对儒学有很大的补缺作用。例如,朱宗元在《答客问》中对西学的阐扬,不仅重视西方的宗教神学,而且也关注西方的自然科学,这从教外士人林文英为重刊《答客问》所作的序(作于康熙丁丑年,1697 年)中即可窥见,林曰:

> 取而阅之,知其指(旨)在尊天,实见夫天有主宰;敬而事之,务在尽职;其所云修道存心养性,皆合吾孔氏之教;而据典引经,复饶有实际,详也哉。……不仅此也,余闻西学最精天象,今颁行宪历,皆其所推定,较诸前古为特善。朱子学既精诚,举其经纬之理,一一而陈之,……读是编者,不必歧之为西学,取其大经而合之,为吾儒之教。❷

虽然朱宗元没有把西学类分为道、器,但他力主传扬的西学同样是一个精神与物质兼备的文化整体。更有甚者,他称西学为"穷天下所不能穷之理,格天下所不能格之物"❸ 之学,简直是一门无所不

---

❶ 何世贞:《崇正必辨》下卷"西儒学问在性理非以器数见长"条。

❷ 林文英:《答客问序》,见徐宗泽《译著提要》,页 155。本章下一节将论述的王宏翰《乾坤格镜》卷十一"风云雷雨彗孛原始论",也辑录了《答客问》中有关自然现象的论述。

❸ 朱宗元:《天主圣教豁疑论》,天主教东传文献三编,第 2 册,页 544。

包的学问，显然这是奉教徒的溢美之词。

最后，他们对妨碍中国士大夫接受天儒会通的最大思想障碍——"夏夷之辨"论进行了批驳。何世贞反驳杨光先的夏夷之论说："如曰匪我族类，其心必殊，除是猛兽异类，不知理义，当疑其心耳，若犹是人也，古之圣王以天下为家，有万物一体之思，岂令满汉一家所宜出此言乎？"❶尚祐卿论道："反目西士为夷人，又援孟子之言以自矫曰：'吾闻用夏变夷者，未闻变于夷者也。'独不曰舜生于诸冯，东夷之人也，文王生于岐周，西夷之人也……若以洞本晰源，昭事天主，戒慎恐惧者为夷人，吾正惟恐其不夷也。"❷

如果说何、尚二位对夏夷之论的驳斥，还只是一种天儒之争的辩术，那么张星曜所论则具有一定的理性色彩："嗣后西儒踵至，信天主上帝之惠我中国无疆休也。……乃愚顽者，或以外国之教目之。夫佛氏独非外国乎，何以人皆信之乎？愚谓理宜辨其是非，不当别其中外"。❸ 这里张氏指出不以国别、种族之异来决定文化的取舍，而以辨别内容的是非作为评判标准，这就从理论上根本推倒了"夏夷之辨"说。

西教士的天儒会通对中国士大夫造成的冲击而引起的强烈反弹，亦使得清初奉教士们走向天学之途充满了艰难和曲折。何世贞说："余自奉教以来，指余为迂者，认之以为迂；指余为愚者认之以为愚；独谓余崇奉邪教，则必便便焉，辩论不休。"❹ 显然，何氏奉教遭到了不少责难和攻击。

张星曜的道路更为曲折，他自少习儒，又一度信佛，后因遇诸

---

❶　何世贞：《崇正必辨》下卷"西儒学问在性理非以器数见长"条。

❷　尚祐卿：《正学镠石·叙》，页99。

❸　张星曜：《天教明辩·序》（作于康熙五十年，1711年），引自徐宗泽《译著提要》，页122。

❹　《崇正必辨》自序，抄本卷首，同见徐宗泽《译著提要》，页238。

际南"与予谈天教之理",遂于康熙戊午年(1678)领洗入天主教,但遭到各方非难:

> 阻予者多方,予皆不听。有仇予者,背谓人曰:"张某儒者也,今尽弃其学而学西戎之教矣!"予闻之谓曰:"世之儒者,皆儒名而墨行者也,以其皆从佛也。予归天教,是弃墨而从儒也。孔子尊天,予亦尊天;孔孟辟异端,予亦辟佛老。今日始知有真主,有真儒。奉真主,以讨叛逆,如奉周天子以伐吴楚。今而后三皇五帝所传之正道,予始得而识之矣,岂曰尽弃其学乎。"奈世之人未知天教之即儒也,又不知天教之有补于儒也。❶

从这些清初奉教士人皈依天学的思想轨迹可以看出,西教士发起的天儒会通在一定范围内导致了清初士大夫的激烈辩争,甚至在思想观念上发生了分化。值得注意的是,像张星曜这样的清初奉教徒往往把他们皈依天学称之为奉"真儒",这表明即使是主张全面引进西学的清初奉教徒,也仍然没有完全放弃他们理解和接受西学的前提——儒学。

综上所述,清初从汤若望到马若瑟,从朱宗元到张星曜,由西教士倡导与奉教徒附和的天儒会通,不仅在天主教与儒教之间,而且在中西两大文化之间,即西方的神哲学和科学文化与中国的以儒释道为主体的传统文化,展开了一场正面交锋,并已引发中西文化的深层次碰撞。因此,我们在考察与评价清初的天儒会通时,应当重视这一历史过程的三个特征:

其一,除耶稣会士以外的其他欧洲传教士也加入了清初的天

---

❶ 张星曜:《天教明辩·序》,引自徐宗泽《译著提要》,页123。

儒会通。著名者如西班牙籍方济各会传教士利安当（Antonio de Caballero, 1602—1669），他与尚祐卿合作完成了《天儒印》（利诠义、尚参阅）、《正学镠石》（利著、尚叙或说利命意、尚载言）。表明"天儒会通"是超出耶稣会士之外的范围更广的中西对话，它不光体现了一种西方传教士的对华传教策略，更是一种西方人对待中国传统文化的态度。

其二，欧洲传教士与中国奉教徒在会通天儒上的密切合作，是造成由此展开的中西文化交锋更为深刻、其社会影响更为广泛的重要因素。清初奉教徒在参与天儒会通的过程中，对儒学传统中"夏夷之辨"论的否定，是清初儒学在西学东渐的冲击下发生局部裂变的结果。同时他们提出的以"辨是非"作为评判外来文化的标准，这不仅对于消除清初士人接触西学时常有夏夷之别的心理疑忌，具有一定的现实意义，同时对于更新传统儒学在对待异质文化上的自我独尊观念，也具有一定的理论意义。

其三，清初从汤若望到南怀仁的会通天儒，就已经敢于向儒士们公开其宗教目标，即要以天主教的信仰主义来改造儒学的理性主义。西教士们宣扬的西方宗教神学，对于明显缺乏来世设想的中国儒士们来说，无疑又是一种理论的挑战。因而清初士大夫对天儒会通的回应，大致呈现两个趋势：极少一部分士人在西教士的引导下，从天儒相合走向皈依天学，甚至成为沟通中西文化的实践者和设计者；而大部分士人仍然执著于儒学的理性思辨，而拒斥天学的超性之理。本章以下几部分将作具体阐论。

三　王宏翰与陆希言的会通实践与理想

众所周知，明末以中国天主教徒徐光启、李之藻为代表的士大夫，积极参与天学与儒学的会通，并以《天学初函》的辑刊与《崇祯历书》的译编为标志,展开了大规模的天儒会通实践活动,掀起了中西文化交汇的高潮;而期间李之藻视西学为"理""器"皆备之学,致力于"并蓄兼收"以补"实学",❶ 徐光启倡言"镕彼方之材质,入《大统》之型模","欲求超胜,必须会通",❷ 表达了中国士大夫会通天儒、沟通中西的最高理想。清初的奉教士人尽管没有徐、李那样轰轰烈烈的会通实践,也没有提出会通以求"超胜"的宏伟理想,但是他们也同样认识到西学是一种道器兼备、可资补儒的实学,并在会通实践中努力拓展中西融通的领域,而且满怀信心地构思中西沟通的蓝图。王宏翰与陆希言这两位普通奉教士人,就是积极参与清初会通天儒的实践,并富于理想的突出代表。

1. 王宏翰的家世、生平和著作新考

清初会通天儒的重要实践者王宏翰,字惠源,号浩然,华亭(今上海松江县)人,后迁至姑苏西城(今苏州),故自署又称"云间(即华亭或松江)"或"古吴(即苏州)"人。其事迹和贡献最先是由范适(字行准)先生于民国三十二年(1943)出版的《明季西洋传入之医学》❸ 一书揭示的。该书卷一之三"传略下"有"王宏翰传",卷九"反响"第一节"接纳"列有专条"丙·王宏翰与西洋医学"。范氏所据材料为王宏翰所撰《医学原始》与《古今医史》二书及各家书序,❹《古今医史·续增一》王氏本传与民国二十二年《吴县志》卷

---

❶ 李之藻:《刻天学初函题辞》、《刻同文算指序》,见徐宗泽《译著提要》,页286、页267。

❷ 王重民辑:《徐光启集》,页374—375。

❸ 该书共九卷15万言,线装4册,为"医史丛书"之一,中华医学会钧石出版基金会刊。书首有民国三十二年六月浙江镇海余岩(云岫)序,及范氏民国三十一年所撰前言。笔者在上海中医药大学图书馆得见此书。

❹《医学原始》四卷,今有上海科学技术出版社1989年影印本;《古今医史》九卷,今有清抄本。

五十八"艺文考七·王宏翰",以及宏翰友陈薰(字鸥淳)《性学醒迷》下卷所收《医学原始》序(陈序不列于原书)。范氏称王宏翰为一天主教徒,对其"以宋儒之说融会西方医学"之功阐论尤详,并以"中国第一接受西说之医家"定评。方豪所著《中西交通史》与《中国天主教史人物传》均着笔表彰王宏翰之事迹,❶惟其所据史料及评价皆本于范氏。

但因所据资料有限,范、方所述王宏翰之生平、著作及其除西方医学之外的西学修养方面,均存在明显缺失。而国内迄今出版的中医史辞书、传记及其他著作,凡述王宏翰者更屡见因袭、臆断之误。笔者有幸获见王宏翰辑著《乾坤格镜》稿本这一珍贵史料,又调查了王氏现存著作的状况,并重新研读了一些相关材料,故有条件依据新的材料重新考订王宏翰的家世、生平及其学术成就。从笔者新发现的材料来看,王宏翰不仅对西方医学多有了解,而且对西方的宗教神学与科学知识均有钻研,是清初士人中致力于全面会通天儒、接纳西学的一位重要角色。

关于王宏翰的家世与生平,范适"王宏翰传"述其身世云:"先世本河汾人,为文中子裔胄,未详何时卜居华亭","兄珪字树德,子二兆武字圣发、兆成字圣启"。范氏所据乃《医学原始》韩菼(字元少,号慕庐,1637—1704)序(作于康熙三十一年,1692 年):"抑又闻王子为文中子之裔,河、洛家学,独得其传……",又沈宗敬(生卒年未详)序"夫王子乃文中子之裔"。❷ 但范氏并未考证文中子为何人,而方豪竟将文中子误为王宏翰之父,称"先世本河汾人,父文

---

❶ 《中西交通史》,页 807—808,岳麓书社 1987 年;《中国天主教史人物传》下册,页 1—4,中华书局 1988 年。

❷ 《医学原始》卷首,上海科学技术出版社 1989 年影印本。

中，卜居华亭"❶，这大概是方豪未见《医学原始》❷，而又误解了范氏"为文中子裔胄"一语所致。

经笔者查证，文中子乃隋末大儒王通。《旧唐书·王勃传》曰："王勃字子安，绛州龙门人。祖通，隋蜀郡司户书佐。大业末，弃官归，以著书讲学为业。……皆为儒士所称。义宁元年(617年)卒，门人薛收等相与议谥曰文中子。二子：福畤、福郊。"❸《新唐书·王绩传》曰："兄通，隋末大儒也，聚徒河、汾间，仿古作《六经》，又为《中说》以拟《论语》。"❹《新唐书·王勃传》又曰："(勃)父福畤。"❺乃知王宏翰之先世本为山西人，隋末大儒王通(谥号文中子)及其裔孙唐代著名诗人王勃即为宏翰之先祖。至于何时移居华亭仍未考知。

今见王宏翰作于康熙三十年(1691)之《乾坤格镜叙》，它为我们提供了不少有关王氏家世与生平的第一手资料。如叙中所述"先大父仰庄公，明经老儒也"，又曰"我父蒲村公，……康熙三年夏秋，有彗星昏昏见于东南，不肖年虽十七，学问疏浅……"，虽然笔者尚无法进一步考知王宏翰之祖父仰庄公、父亲蒲村公二人之生平，但可推知宏翰的出生之年为清顺治五年，即1648年，若依卒年1700年推算，王宏翰享年53岁。

需要指出的是，雍正初年成书的《古今图书集成·博物汇编·艺术典》第五百三十七卷"医部"有王宏翰传，❻竟将宏翰误列为明代医家，以至今人武进谢观编纂之《中国医学大辞典》仍因袭其误。❼

---

❶ 《中国天主教史人物传》下册，页1。

❷ 《中国天主教史人物传》下册，页2。

❸ 《旧唐书》卷一百九十"文苑传上"，中华书局标点本。

❹ 《新唐书》卷一百九十六"隐逸"，中华书局标点本。

❺ 《新唐书》卷二百零一"文苑传上"。

❻ 陈梦雷、蒋廷锡等编：《古今图书集成》，中华书局、巴蜀书社影印1985年。

❼ 《中国医学大辞典》，页647，商务印书馆，1921年初版，1995年重印本。

范、方所述王宏翰的兄子,称有兄一人"(名)珪字树德",子二人"兆武字圣发、兆成字圣启",也明显有误。因为仅从《医学原始》卷一、卷四与《古今医史》卷一至七之署名,便可明知王宏翰有兄三人:王珪(字)树德、王夏(字)禹生、王桢(字)宁周;有弟一人:王云锦(名)宏骏;有子四人:兆文圣来、兆武圣发、兆成圣启、兆康圣章。

关于王宏翰的著作,主要见于《古今医史·续增》之本传、《古今图书集成·艺术典》之"医家传",以及民国《吴县志·艺文志》著录。据《古今医史》浙江图书馆古籍部所藏清抄本,记录为:《医学原始》十一卷、《古今医史》九卷、《古今医籍考》十二卷、《性原光嗣》六卷("光"应为'广')、《四诊脉鉴大全》九卷、《急救良方》一册、《本草性能纲目》四十卷、《方药统例》三十卷、《伤寒纂读》九卷、《刊补明医指掌》十卷、《女科机要》九卷、《怪症良方》二卷、《寿世良方》三卷、《天地考》九卷、《乾坤格镜》十八卷。但笔者在上海中医药大学图书馆见到《古今医史》的另一个抄本❶,则多出二部:《幼科机要》五卷、《针灸机要》九卷。《性原广嗣》书名不误。《古今图书集成》所收王氏书目,有《病机洞垣》未见于本传,《古今医籍志》应即本传中《古今医籍考》一书之异名。民国《吴县志》仅选录几种已见书目。故综合各说,王宏翰共有著作十八部。

但王宏翰存世的著作,就笔者所知,仅有五部❷:《医学原始》四卷或九卷本(有康熙二十七年自序,1688 年)❸、《性原广嗣》六卷(刻于康熙三十年,1691 年)❹、《四诊脉鉴大全》九卷(康熙三十三

❶ 该抄本为陆元熙于 1962 年 5 月之转抄本,但未说明其所据底本。
❷ 前四部据《全国中医图书联合目录》,中国中医研究院图书馆编,中医古籍出版社,1991 年。
❸ 清康熙刻本,四卷本原仅藏中华医学会上海分会图书馆,现有上海科学技术出版社 1989 年影印本;九卷本现藏日本。
❹ 不分卷清刻本,独藏云南中医学院图书馆(昆明)。

年刻，1694 年）❶、《乾坤格镜》十八卷（成于康熙三十年）❷、《古今医史》九卷（成于康熙三十六年，1697 年）❸。至于著作的刊传情况，则颇为复杂。《医学原始》之卷数，本传曰十一卷，清人赵魏（1746—1825）《竹崦庵传钞》❹ 著录则仅为一卷，而今见上海影印本为四卷，日本内阁文库藏本却为九卷❺。方豪称日本所藏为原刊本，因笔者未见内阁文库本，故四卷本与九卷本之确切关系尚待进一步考查。今从笔者所知材料来看，《医学原始》成书后很可能有续订本，疑据之一，王宏翰在康熙三十年（1691 年）曾把《医学原始》改名为《儒学医原》❻，但今见四卷本仍为原名；之二，尽管王宏翰自序作于康熙二十七年，但四卷本又有三十一年韩葵序，并且在卷一"天人合一论"有自注云："参看《性原》、《脉鉴》"，则《医学原始》四卷本的刊出时间，至少在康熙三十二年王宏翰作《脉鉴》自序之后（《脉鉴》刻于三十三年）。范适曾怀疑《性原广嗣》即为明末王廷爵之著《性源广嗣》❼，但经笔者查证《性原广嗣》确为王宏翰所作，因今存有康熙三十年刻本，署名即为王宏翰，又王氏在其他著作中也多处提及此书。❽《性源广嗣》之卷数，本传记为六卷，刻本却不分卷数。《四诊》与《格镜》二部著作，卷数与本传一致，只是后

---

❶ 《全国中医图书联合目录》记录该书有两个版本：1，清康熙体仁堂（刻本）宝翰楼藏板；2，清康熙刻本。但经笔者赴中国中医研究院图书馆查核，实为康熙体仁堂同一个刻本。

❷ 康熙间稿本，线装 6 册，独藏原杭州大学今浙江大学西溪校区图书馆。

❸ 抄本，大陆现有京沪浙等 8 家图书馆收藏。

❹ 观古堂书目丛刊本。

❺ （日）丹波元胤（1789—1827 年）编：《中国医籍考》，页 877，人民卫生出版社，1983 年第 2 版。

❻ 《乾坤格镜》卷十一"五大洲总论"，稿本改动字迹明晰可辨。

❼ 《古今医史·续增》有王廷爵传，抄本第 4 册。

❽ 如前述《医学原始》卷一自注云"参看《性原》、《脉鉴》"；《古今医史》自序曰"余于《医原》、《广嗣》诸书已启其绪"。

者在稿本封面上又题为《乾象坤图格镜》。对于《乾坤格镜》未刊之确切原因未详，惟据题辞有"倩人图写需费多金"❶一句猜测，或因王氏拙于财力难以请人制图刻版，今见稿本中确有大量天文地理图。至于《古今医史》，既然内有王宏翰传，则它必经后人增补，故其原作当为七卷，续增二卷，但未见《古今医史》有刊本问世，且流传的抄本在内容上也略见差异，其未刊原因可能亦是财力不济。迄今所见的各类中医学工具书，如《中国分省医籍考》、《中医人名辞典》、《中医大辞典》❷等，在述及王宏翰著作存佚时屡见讹误。

2. 王宏翰的宗教信仰与西学渊源

关于王宏翰是否奉教，范适直称宏翰"本天主教徒"，又曰"三十一年(1692)馆于句吴陈薰鸥淳家，课其子，朝夕与薰尚论天学及格致诸说。宏翰与薰，本同教相契也。"又云：宏翰之子"皆受业于陈薰之门，亦天主教徒也。"❸方豪虽然信从范适将其归为教徒，但他指出："范氏对于宏翰'本天主教徒'，并未提出强有力之证据。"❹此因方豪未见宏翰原著所致。尤其《医学原始》与《乾坤格镜》大量引述天主教超性之学，已明确显现一个教徒的立场。在此笔者略举几则以为新证：

《医学原始》卷一"天人合一论"有言："今余得遇西儒参天讲性……立元神元质之论，明上帝赋畀之原"。卷二"生长赖补养论"首句即曰："人受上帝赋畀之灵性以生"。

又据《乾坤格镜》封面题辞，王宏翰直呼西士汤若望、南怀仁为

❶ 《乾坤格镜》封面题辞。
❷ 此三书分别为天津科学技术出版社 1984 年、国际文化出版社 1988 年、人民卫生出版社，1995 年。
❸ 范适：《明季西洋传入之医学》卷一"三传略下·王宏翰传"。
❹ 《中国天主教史人物传》下册，页 2。

"二师",则知王氏所遇"西儒"必有汤、南二人,其天学信仰自然源于西儒直传。

《乾坤格镜》卷九"天地原始"征引利玛窦、汤若望著作与奉教士人朱宗元之《拯世略说》,详述基督教"创世说"。最后评论道:"向来中华圣贤不能知天地原始,亦不知天主生人祖之由,皆因无史书相传之故也。今幸得真传,曷不备述乎。"

同卷"天地列宿七政形体原始论"也多处出现天主教内名词,如"惟在昔蒙耶稣指示","今据《圣经》所纪",并以教徒的口气叙述天主创世之功:"述混沌未形之前,有一无始之主,全能全知全善,一体三位,发其所欲,化成天地也⋯⋯"。

笔者在本卷中又发现王宏翰在引述天主六日造人说,至"第一日于静天上造九品神,神有顺主者、有逆主者,而善恶判"一句,特别用朱笔作了一段眉批曰:"如世人生子众多,其中即有肖与不肖之子矣,而为父母之心者皆慈爱之,但有赏罚之分而无绝害之情也,即如上主生天神即有顺逆之神,顺者在天为天神,逆者不得已降罚地狱,即为魔鬼也。"这实际上是以儒家伦理来比附阐释天主教的天堂地狱说,其奉教与宣教之意自明。

另外,从王宏翰屡屡征引《主制群徵》、《性学觕述》、《空际格致》及《答客问》等著名教理书,也应是其奉教之佐证。

关于王宏翰接触和认识西学的途径,其《乾坤格镜叙》中自述颇详,综合归纳主要有三条:

其一为家学渊源。从《乾坤格镜叙》中得知,王宏翰的祖父仰庄公,出身"明经老儒",至中年"酷佞佛氏","遍访诸山,俱无确竟",之后幸遇同学加同乡徐光启(同为"云间"即华亭或松江人❶)"讲授天文性学,得昭事之理明宇内",然后"始彻释老之学,皆虚妄

---

❶ 徐氏《跋二十五言》署"云间徐光启撰"。

无据,惟我儒昭事之学,危微精一之奥,尽从大本而来",可见王宏翰祖父是一位深受徐光启影响,而赞同引进西学与天儒会通的明末士大夫。同时,宏翰祖父还收藏了不少西学书籍与"测量仪器",作为其家学传承的资本。但其父"珍藏年久",竟至"诸书遗失,止有乾象、坤舆二图"。王宏翰年轻时即有志于继承家学,"遍考天文专书",编辑《天地考》一书,更觉传统的格致之学"贸贸言而无实据",遂心向西方实学,走上会通天儒之途。正是由于家学传统的影响,王宏翰声明其编辑《乾坤格镜》的动机,即是为了"完全一部宝藏传后",并告诫子孙"万勿妄搜",寄语后代继承其业,"鄙人若得贤子孙继我之志为幸"。❶

其二为西教士的传授。前已提及,王宏翰曾直呼西士汤、南为师,原文为《乾坤格镜》封面题辞曰"此书,予自少至老得传西儒汤、南二师天文、坤舆精奥之秘,有三十余年心血",既称西士汤若望、南怀仁为其师,则宏翰与他们有过直接交往应无疑议。又据前述,康熙三年王宏翰年仅十七岁,故推知他与汤若望的接触应在顺治末年,约为十四五岁之前,故到康熙三十年编辑《乾坤格镜》时才有"三十余年心血"之说。由于自康熙三年九月杨光先成功发动"历狱"之后,汤若望先是遭拘禁,完全失去行动自由,稍后又患病失语,康熙四年三月恩赦出狱,康熙五年(1666年)八月去世。故王、汤相识,为时未久,且宏翰尚在少年,即便拜师若望也至多仅能感受一下西儒与西学的表象。而自康熙八年(1669年)三月南怀仁入主钦天监,至康熙二十七年(1688)十二月去世,南氏担当推动清初西学东渐的主角期间,正当王宏翰青春年壮、求知为学的黄金时期,可见南怀仁对王宏翰接受西学的影响要大得多。

其三为西学书籍。与大多数清初士人一样,西书也是王宏翰

---

❶ 《乾坤格镜》封面题辞。

获得西学知识的主要渠道。他自述曰:

> 予虽先编辑《天地考》一书,计九卷,采诸家所论天之高,地之厚,风云彗孛,俱贸贸言而无实据也。续后始得西士利玛窦字西泰《浑盖通宪》、《万国坤图》;艾儒略字思及《职方外纪》、《几何要法》;龙华民字精华《地震解》;高一志字则圣《空际格致》;南怀仁字敦伯《坤舆图说》;汤若望字道味《测蚀略》、《恒星历指》、《交食表》诸书。其论尽发前人之未言,补我儒格物之学,始知天地之所以然也。❶

仅从《医学原始》与《乾坤格镜》两部书中所引征的大批西书即可印证,王宏翰研读西书之广之深。如《医学原始》大量摘录了高一志(Alphonse Vagnoni, 1566—1640, 意大利人)《空际格致》(引在卷二"四元行论")、艾儒略《性学觕述》(在卷二序言中提及)、汤若望《主制群徵》(引在卷三"周身骨肉数界论"等)、南怀仁《坤舆图说》(引在卷二"天形地体图论")等西书的内容。❷ 而笔者所见的《乾坤格镜》也确实辑录了上述王宏翰自叙中所列利、艾、龙、高、南、汤诸位西教士的著作。《乾坤格镜》中还引征了一批在王宏翰自叙中没有提及的涉及天主教义的西学书籍,如前述卷九、卷十中所引朱宗元的《拯世略说》与《答客问》等。

3. 王宏翰会通天儒的实践及其历史意义

王宏翰认识与理解西学的前提仍然是儒学。他是在由儒入

---

❶ 《乾坤格镜》自叙。

❷ 分别见《医学原始》四卷影印本,页69、页61、页221、页63。

医、立志成为一名真正的"儒医"过程中萌发对西学的兴趣。由于他出身儒学世家,故自谓"余自少苦志业儒"而博通儒学,成年后,因母病而精医,并以儒家的眼光看待医学:

> 出上古立极之神圣,法天地生成之德,拯群黎疾病之危,立经立典,垂万世之则,实我儒佐理治平之学,寿世保身之道也。故儒与医皆明心见性之学,修身、事君、事亲之本。❶

同时,他从"学问之原,须应致知格物"❷ 的思想出发,明确指出"大医大儒道无二理,宜穷理格物,务得致知之功"❸ 的要求,因此王宏翰的目标是要做一名"明达医理参格致之功"❹ 的真正儒医。但是,儒医的现状却令他十分不满:"沉没孔孟格致实理,误信释老欺世虚谈,习染无疑,浸淫不觉"❺;当谈及天地万物时,又是"俱贸贸言而无实据也"❻。于是,他开始"从师讨究,博访异人,而轩、岐、叔和、仲景、东垣、河间诸家,及天文、坤舆、性学等书,罗核详考",并描绘出在他心目中的理想的"大医"形象:"医能格致物性,参究天人性命之旨,宗儒理而斥旁门,使人均沾回春之泽者,始可称之为大医。"❼ 由此可见,王宏翰的思想轨迹是从立志儒医到争当"大医",进而走向接受西学,踏上会通天儒的实践之路。但在清初士大夫眼里,宏翰之学仍然是儒家之学,故清初名士韩菼称其

---

❶ 《古今医史》王宏翰自序。

❷ 《医学原始》王宏翰自序。

❸ 《医学原始》卷一"天人合一论"。

❹ 《古今医史续增》"王宏翰传"。

❺ 《古今医史》自序。

❻ 《乾坤格镜》自叙。

❼ 《医学原始》卷首王宏翰自叙。

"河汾家学,独得其传","王子立论,独宗儒理";徐乾学则称他为"有闻于时"的名儒;学者沈宗敬更明确指出王宏翰的治学性质"明太极西铭之理,以儒宗而演羲黄之学"❶。

王宏翰走上会通天儒之路的第一步,是从比较天儒之学的差异开始的。他对当时儒家"性命之学不明"深为感慨,指出儒学有关"天地造化之理,五运六气之变迁,人身气血之盈虚,藏府经络之病机",特别是"人之受命本来"等方面的知识,因长期无人问津而日趋荒废,甚至步入佛道二氏之虚妄,如他所说"先儒虽有谆谆之论,今儒务末,置而不讲,虽有论者,俱多远儒近释",尤其是"宋儒以后,讲道学,辨性命,往往不入于禅,则流于老,全失大学明德真旨"。❷而反观西学则是"格物穷理,精胜于中华"❸,"其论尽发前人之未言,补我儒格物之学,始知天地之所以然也"❹。那么天儒之间有无沟通与互补的可能呢?王宏翰从"西儒"那里找到了答案:"今余得遇西儒参天讲性,溯源而至尧舜孔孟,其理惟一。既明性命之本,则知吾儒之途。"❺可见,王宏翰首先是从儒家格物致知的思想角度去理解和吸取西学的,"补吾儒格物之学"是他会通天儒的最终理想,而他对天儒之间"其理惟一"的认识,则是接受西教士天儒相合说启发的结果。换言之,王宏翰对天儒会通的必要性和可能性都有比较清醒的认识。

综合考察王宏翰的学术成就,可以发现他与西学的接触和了解是全方位的,他不但热衷于西方的宗教神学,而且也专注于东传

---

❶ 《医学原始》卷首韩菼序、徐乾学、沈宗敬序。韩序不见于其《有怀堂诗文集》(康熙四十二年刻本),徐序也不见于其《憺园文集》(康熙冠山堂刻本,见四库全书存目丛书·集部第242—243册,齐鲁书社1997年),沈氏文集未见。

❷ 《医学原始》王宏翰自叙。

❸ 《乾坤格镜》卷九"天地原始"。

❹ 《乾坤格镜》自叙。

❺ 《医学原始》卷一"天人合一论"。

的西方哲学和科学,仅从他传世的几部著作中即可显现,他对明清之际入传西方科学的所有重要领域几乎都有涉略,而对西方天文地理学等则有一些独到的见解,尤其在他擅长的医学领域,更是成为清初实践会通中西医学的第一人。

首先他吸取了西方"四元行"说,并以"四元行"说融合儒学太极阴阳说与中医脏腑学说,提出了"太极元行说"和"命门元神说"。所谓"四元行"是指作为世间万物变化之根源的四种元素:火、气、水、土,它实际上是由西教士引进的古希腊哲学家亚里士多德(Aristoteles,前384—前322)的"四元素"说。明末西教士利玛窦的《乾坤体义》、熊三拔(Sabbathin de Ursis,1575—1620)《泰西水法》、傅泛际(Francois Furtado,1587—1653)《寰有诠》、高一志《空际格致》等都引用了亚氏的四元素说,并称之为"四元行",且以中国的"五行"说作为比较和批判的对象。❶ 王宏翰《医学原始》卷二完整辑录了《空际格致》所述的"四元行"论,及其驳斥"五行"论的观点,并在卷四"肾脏图说考"中试图以"四元行"与太极阴阳说相会通,故曰:"物物具四元行,四行一阴阳,阴阳一太极,五脏均有四行。乃指坎中之阳为火,指右肾为少火者,但坎中之阳者,即两肾中间命门真元之气是也。"

其次,他以西方胎生学说来解释中医命门学说。王氏之阐论见《医学原始》卷一"命门图说",如他说:

> 夫两精凝结细皮,变为胞衣,此细皮不但为胞衣神益凝结之体,更为胚胎脉络之系,乃先生一血络与一脉络,以结成脐与命门……人之始生,先脐与命门,故命门为十二经脉之主……命门者,立命之门,乃元火元气之息所,

---

❶ 参见陈卫平:《第一页与胚胎》,页212,上海人民出版社,1992年。

造化之枢纽,阴阳之根蒂,即先天之太极,四行由此而生,脏腑以继而成。

此外王宏翰在脏腑形态及生理方面,也多掺入西医学内容。如《医学原始》卷二"脉经之血由心炼论"云:

> 心内有二小包孔,一左一右,二孔中以坚肉成壁,以为左右孔之界……心之二小孔,所以炼脉经甚热之血,使莫可渗。初进右小孔细炼之,其外进恶粗之诸气,以嘘出之。其精者,左小孔更细炼之,始成脉络甚热至细之血矣。二小孔各有管路,各有小门,如树之小叶,血之出入,皆自开合,莫或有逆退者。❶

王宏翰试图从寻找中西医学基础理论方面的相似点入手,尝试中西医的会通,但中西医学无论从理论到实践都是自成一体的两大科学,王宏翰择其一端或选取一点强相比附,其结果自然是汇而不通,但他勇于拓展中西文化会通的领域,敢于实践沟通中西医学的独创精神无疑是应当肯定的。

特别值得提出的是,王宏翰会通中西医学的创见已经引起清初学界名流的关注。如清初名儒韩菼在1692年评价宏翰之学曰:

> 今观王子所著,皆阐达性学之理,如元神元质一说,指人心道心之精一,又受形男女之论,明受赋立命之本,

---

❶ 以上所述除参考范适书之外,又参见盛增秀等编:《中西医汇通研究精华》,页15—16,浙江省中医研究院文献研究室编著,上海中医学院出版社,1993年;史兰华等编:《中国传统医学史》,页309,科学出版社,1996年。

……至五行之性，自古未辨，而王子辨以金木皆归于土，不得为元行，立火、气、水、土为四元行，种种卓然精确，皆补先哲之未发。❶

著名学者徐乾学也在同一年称《医学原始》"大率能探其大本大原之所在，而后以名论，阐性命之理，明天地之道，尽阴阳之秘"，甚至认为"独惠源之书，自可以信今传后"。沈宗敬则认为王氏之学"始称奇术"，"直发千古之奥"，"其参考四行之原，开前哲之未发"。❷ 显然，王宏翰会通中西医学的实践获得了部分清初士人的理解与支持。

其三，他汲取了明末清初输入的西方天文地理学等科学的部分精华，以"补我儒格物之学"。王宏翰认为西方天文地理学的最大优点在于它是一种实证理论，因此他指出"其乾象坤图，惟西儒之言为实理"，只有阅读过西书才能"始知天地之所以然也"，例如有关天地起源问题，"自古及今无有确论，因不得传尔，而泰西修士，格物穷理，精胜于中华，若望汤先生著述甚多"。因此全面采录西方科学以补充儒家格物穷理之学，便成为他编辑《乾坤格镜》一书的宗旨。他在该书自叙中说明：先将有关涉及西方天文学的各类天象图"俱逐一绘入，又坤舆五大洲二图并说，又海水动说、海潮说、海状说等，备考万国山川、人物、土产及四时气候不一，皆采录，分为一十八卷，为博雅君子考究，开卷一目了然，庶几使乾象舆图，有对镜之明，犹指掌云尔"❸。

---

❶ 韩菼：《医学原始序》，此序不见于韩菼《有怀堂诗文集》（康熙四十二年刻本）。又韩氏曾于康熙四十二年（1703）为白晋《古今敬天鉴天学本义》作序，见徐宗泽《译著提要》，页 132—133。
❷ 徐乾学、沈宗敬：《医学原始序》，徐序不见于《憺园文集》（康熙冠山堂刻本）。
❸ 《乾坤格镜》自叙。

该书内容基本上分前半部为介绍西方天文学,后半部则为介绍西方地理学等其他科学知识。其中卷一至卷九主要辑录了利玛窦《浑盖通宪图说》、《万国坤舆图说》,高一志《空际格致》以及由明末徐光启主持编译至清初汤若望删订的《西洋新法历书》等书中涉及西方天文学理论的各种论说,如从卷一的"浑天图总论"、"十二重天形图"、"天形地体说"至卷九的"天地原始论"等;并且有手工绘制的大量天象图和仪器图,如卷一有"十二重天图",卷二还附有"南极星图",仅卷四就有星图十二幅,卷八则有黄道、赤道、地平经纬仪和纪限仪四种天文仪器图。尽管是辑录,但从中也明显表达了王宏翰对西方天文学的认识和理解能力以及主张吸纳的积极态度。例如他对清廷使用西洋新法表示支持,认为"今西洋历法既定,后之司天者自不难为力矣"❶。尤其值得关注的是,王宏翰还专门辑录了徐光启在吸取西方天文学方面的创新成果,如卷六即辑录了"徐光启赤道南北两总星图叙",及汤若望所撰"赤道南北两总星图说",并摹绘了相应的两幅星图。《赤道南北两总星图》是徐光启约在崇祯六年(1633)即逝世前数月,带领历局中生员邬明著等人,重新绘制的一套大型星图。其图上所绘星数共有 1812 颗,比《崇祯历书》恒星表所载 1366 星多出 446 颗,这显然是徐光启自崇祯四年进呈恒星表与图以来,两年时间内继续观测所得的新成果。此图曾被制作为八幅屏条由李天经进呈,并有刻本传世。今存北京故宫和梵蒂冈两个刻本。刻本上并见徐光启《图叙》与汤若望《图说》。❷ 该套星图可以称得上是当时世界上最详细的星图。至于王宏翰临摹徐光启星图之底本,从《乾坤格镜叙》提及其父珍

❶ 《乾坤格镜》卷三"总论"。
❷ 潘鼐、王庆余:《〈崇祯历书〉中的恒星图表》,刊《徐光启研究论文集》,学林出版社,1986 年。

藏有祖传的"乾象坤舆二图"推测，其中之一很可能即为徐氏星图的刻本，如果此说成立，则一家三代宝藏一幅中西合璧的星图，无疑是中西文化交流史上一段难得的佳话；即便不是依据祖传刻本，那也意味着徐光启星图在问世半个多世纪之后，仍然有人特意摹绘以传后世，此举虽然不具有科学创新的意义，却也在一定意义上透露出该星图在中西科学汇通史上的影响力，以及王宏翰对科学的鉴赏能力。

《乾坤格镜》卷十至十八主要辑录了艾儒略《职方外纪》和南怀仁《坤舆图说》传播的包含有地理大发现新成果的欧洲世界地理知识。如卷十"艾儒略大地全图说"与"坤舆五大洲南极图"、"坤舆五大洲北极图"三条，即从《职方外纪》中摘录了有关地圆说与世界五大洲地理概况的要点，并移录了"北舆地图"与"南舆地图"二图。以下各卷又分别辑录了亚细亚、欧罗巴、利未亚等五大洲各国的地理概况。其中卷十一"五大洲总论"概述了明末清初从艾儒略、汤若望到南怀仁传入西方地理知识的过程，并对他们的传播之功了如指掌。他评价艾儒略的地图"广博无遗"，而对南怀仁《坤舆图说》中的世界地图，其"五大洲内删去赤道度数，则不知地舆远近大小"，故他仍从《职外纪》录入世界全图。特别引人注目的是，他介绍了鲜为人知的汤若望所制《坤舆五大洲图》的情况。据王宏翰所述，该图原分《坤舆五大洲东图》（亚、欧、利、墨瓦腊泥加半洲）与《坤舆五大洲西图》（南北亚墨利加洲、墨半洲），曾被制成为八大幅屏，王氏将这二大幅坤舆东西图，"拟收二小图"绘入，"其黄赤道度数俱备载入，以便按天度之多寡，则知地舆万国之大小"。可惜，稿本中东图已残。关于汤若望绘制世界地图的有关情况及王宏翰辑录汤图的价值，笔者今后拟作进一步的探讨。

此外，王宏翰对南怀仁等西教士传播的西方"潮汐说"、"地震说"等学说，均从中西比较的角度有所评论，如对"地震说"评道：

"地震一端，我中华所论俱荒谬不确。今惟考西儒南怀仁《坤舆图说》最为的实（'的'字意为准确）。"❶

不过，应当指出王宏翰对西方天文、地理科学的吸纳是有局限性的，例如他出于天主教信仰，对于西方宗教神学所宣扬的"天主六日创世说"、"十二重天说"等，也认为可补"中华圣贤不能知天地原始"之缺，而主张全部接受。

综上所述，王宏翰是一位出身儒学世家而以行医为业的地方普通士人，但他又是一位与西教士有直接交往，对东传西学从宗教到科学有全面接触的奉教徒。王宏翰回应西学的轨迹，其特殊性在于：他虽然接受了天主教的宗教信仰，却并未放弃儒学而一惟专注于西方的超性之学，并且从儒家格物致知的思想出发，积极地从事会通天儒的实践，吸取了不少西方医学、天文、地理学等科学知识，以弥补中国传统科学之阙。因此，王宏翰对西学的反应，作为个案在清初中西文化交流史上所具有的特殊意义有以下几点：

首先，清初的西学东渐已经渗透到社会的中下层士人，他们当中的一部分人已经将比较中西文化的视野，扩大到东传西学中从哲学、宗教到科学技术的各个领域。这在一定程度上说明了清初中西文化交流的深度和广度。

其次，在清初士人中也有个别像王宏翰那样，即使被西教士皈依为天主的信徒，但他们仍然是在儒学的框架内去理解、调和与容纳西学的，甚至主张借重西方科学以弥补儒家格物之学，这究竟是儒家文化对异质文化包容性的体现，还是西教士在会通天儒的策略指导下灌输宗教宽容精神的结果，抑或是王宏翰在思想上自我超越的象征，或许兼而有之。尽管对此作出定论，并给予价值判断是有一定困难的，但它至少提供了一种认识价值：清初中西文化交

---

❶ 《乾坤格镜》卷十七"地震说"。

汇的复杂性和深刻性。

其三,尽管王宏翰所从事的中西汇通实践,也存在汇而不通的缺陷,但即使仅从目前所揭示的材料来看,作为清初一名普通的奉教徒,他对西方先进科学有如此的热情,又有如此水准的科学眼光,这无论如何是清初中西文化交流史上值得注意的一个亮点。

如果说,王宏翰是注重中西文化现实沟通的实践者,那么另一位清初奉教士人陆希言则是向往中西文化全面会通的理想者。巧合的是,陆希言与王宏翰竟是同乡,均为江苏华亭人。

4. 陆希言沟通天儒的理想

陆希言(字思默,1631—1704)❶ 是清初少数到过澳门,亲身体验过西方文化氛围的奉教徒之一。陆氏的著作,在费赖之所撰列传中仅列三部教理书:《圣年主保单》二卷、《亿说》一卷、《周年主日口铎》。❷ 在方豪撰陆氏传中,则多出《铎德姓氏录》与《澳门记》两部抄本。❸ 陆希言会通中西的主张见于其所作的《澳门记》。

康熙十九年(1680)他与吴渔山(名历,字渔山,号墨井道人,1632—1718,自幻领洗入教,1682年又入耶稣会)同随比利时籍耶稣会士柏应理(Filippe Couplet,1622—1693)❹ 到过澳门。此前陆氏已为天主教徒,后在康熙二十七年(1688)又入耶稣会。《澳门记》即为陆氏赴澳门的见闻录,原载于殷藩辑刻之《开天宝钥·性学

---

❶ 费赖之《列传》第 178 号及方豪《中国天主教史人物传》中册,均有陆希言传。

❷ 徐宗泽:《译著提要》题"新刻主保单",录有陆氏撰"小引",及《亿说》多家书引、序文,页 94、页 85—88。

❸ 方豪:《中国天主教史人物传》中册,页 243—252,又指出道光二十二年安德肋所录"亿说小引"(见徐宗泽书页 88)实为陆希言自撰。

❹ 此生卒年据中译本荣振华《补编》列传第 221 号,而费赖之《列传》第 114 号与方豪《中国天主教史人物传》中册"柏应理传"之生卒年均为 1624—1692。

醒述》(刻于康熙四十四年,1705,即陆氏卒后次年),现巴黎国家图书馆藏有抄本。❶ 陆氏在文中记述了澳门的地理形势与兴衰,着重介绍了澳门的天主教堂、修会,以及教会的慈善、教育事业与仪规礼俗,又兼及澳门的西洋火炮,并特别提示自明末利玛窦、汤若望至清初白乃心(Jean Grueber,奥地利人,1659 年至华)、南怀仁到徐日昇(Thomos Pereira,1672 年入华),这些应召进京为清廷效力的西士,"莫不由此(即澳门)而入帝都也"。显然,陆希言已经把澳门视作中西文化沟通的桥梁和纽带。但时人对澳门地位的认识颇有分歧,称"在朝则拟澳门为道原,偏在野则指澳门为界外",因此,陆氏专门就当时国人将澳门视为界外的偏见,发表议论,并引发阐论有关中西文化如何沟通的设想:

> 乃有摈而为界外者,因存其本国之风,衣冠犹在,语言犹在尔。若吾不以为外,而以孔孟之书、周鲁之礼化之,一道同风;而后用其昭事之道,以导吾民,则人知爱敬天主而爱人,是无偷薄之人,举国皆天民矣。用其格物穷理之学,以启吾国之才俊,则物理可辨,推测可明,精微可尽,《大学》格物致知之章,可以补其阙失矣。用其勇,以制伏不臣,则无思不服,率土皆王臣矣。用其税以充国用,则饷额无亏,县有攸赖矣。以如是之地,如是之人,如是之道,如是之学,如是有功于吾国家者,而又视为外夷,摈外界外,不亦深可慨也夫,抑亦不知究也夫!

---

❶ 笔者所引《澳门记》原文,据方豪"陆希言传"及章文钦《澳门与明清时代的中国天主教士》一文(收录于章著《澳门与中华历史文化》,澳门基金会出版,1995年)节录。

明清之际的澳门,始终充当了中西交往枢纽的角色。陆希言置身其地,不由得憧憬中西文化交融的前景。在此,尽管只有区区二百字,但已经勾勒出一幅中西文化交汇的全景图。他主张以"孔孟之书、周鲁之礼"的儒家学说,作为在澳门实施道德风尚教化的原则,然后引进西方的"昭事之道",以引导民众接受天学;特别要利用其格物穷理之学,以弥补儒家经典《大学》中的阙失,然后用其学、用其勇、用其税,使其有功于国家。这实在是清初士人所能描绘的一幅天儒会通、中西融合的理想蓝图!

第五章 从遗民士人到博学鸿儒对西学的取舍

清初从汤若望到马若瑟等西教士们的天儒会通，以及从朱宗元到张星曜中国奉教徒的响应，特别是他们发出的"合儒"、"补儒"之论，无疑形成了一股西方文化的冲击波，这必然引起清初士大夫的强烈反应。尽管出现了前述杨光先等保守派士人的完全拒绝与奉教派士人的全面吸纳这两种截然对立的态度，但是大多数清初教外士大夫则以一种比较和选择的眼光，去辨析和看待入传西学中的宗教神学与科学技术。

明末奉教士人李之藻辑编《天学初函》，曾借用儒家学说中的"理器"观将明末传入的西学分为"言理、言器二种"，意在表明西学中除了西洋科技可补我器用之学外，西方神哲学对于我国的封建伦理纲常也有可取之"理"。清初士大夫虽然以同样的"理器"观去审视西学，但是随着西教士们会通天儒的实质，尤其是天主教的神学观念逐渐被越来越多的士大夫们更加透彻地洞悉，他们对西学的回应也随之表现出明显的倾向——舍"理"求"器"。

在先后考察了清初士人回应西学的两极——保守派士人与奉教士人的态度之后，从本章开始，作者再把视角投向清初整个知识界，期望从更大的范围内去探索清初士大夫回应西学的轨迹，考察清初中西文化交汇的程度。

笔者在调查清初教外士人对西学的反应情况时，发现与西学有过较多接触并明显表现出取舍态度的士人，有不少来自清初的两大士人群体：一为遗民士人，包括所谓的"贰臣"（仅清国史馆编《贰臣传》即记载 120 余人），二为康熙十八年（1679）中举博学鸿词科与参修《明史》的学者。❶ 由于明清易代造成的特殊历史环境，清初有相当一批学有专长的文人学者出身于明朝遗民士人群体，但他们中的许多人难忘故国之情，又对满人当政心存疑虑，终身不为清廷所用。而清廷自顺治初年以来，对汉族文人一直采取多种笼络手段，其中收效比较明显的一次即为博学鸿词科的举行，结果 140 多人参加，50 名中举，这在很大程度上标志着汉族知识界开始与清廷全面合作。此后即便如黄宗羲这样坚守遗民之志的大学者，也同意其弟子万斯同以布衣身份参修《明史》。同时，这也是清廷推行"崇儒重道"、"振兴文教"的基本国策逐渐为汉族知识分子理解与支持的一种标志。因此，博学鸿词科的设立，为清朝继承与振兴以儒学为主导的学术文化事业开创了新局面。

本章从两大士人群体入手，考察清初教外士人对西学的反应，这是因为他们是清初知识界的精英之一，他们在相当程度上代表了清初学术发展方向的主流——实学思潮即经世致用思潮，因而他们对西学的态度无疑会成为清初知识界回应西学的主导。同时，这两大士人群体接纳西学的事实，也表明西学东渐已经渗入到清初学术的主流，西方文化已经进入了清初学界精英的视野。由于这两大士人群体的人数相当庞大，难以逐一考论，故本章只能选择其中的典型人物加以论述。

---

❶ 御试博学鸿儒 143 人，录取 50 人，授侍讲、编修、检讨等官，共修《明史》，参见《康熙起居注》十八年三月初一条，《清史稿》卷六"圣祖纪"。

一　遗民学者魏禧、吕留良、张尔岐
对西学的理解与选择

　　本书第二章述及清初与汤若望交游的文人学士，有一批是明朝遗民学者中仕清的"贰臣"，如王铎、陈名夏、金之俊、龚鼎孳、魏裔介、胡世安、薛所蕴、王崇简、丁耀亢等，他们或贺文赠诗，或题书撰序，均留有诗文墨宝记其与汤若望交游之事，但他们当中除了魏裔介在离职居家十余年后，接受天主教信仰之外（详见第六章），其余大多数仅止于在礼仪上与汤氏交往，并未深究西学的内容与实质，故未能从思想文化层面上进行交流。

　　清初名儒魏禧（1624—1680），字叔子，一字冰叔，号裕斋，江西宁都人，出身明末诸生，入清后抱亡国之痛，隐居绝仕，与其兄弟和其他六名学者，在山中讲学论道，号称"易堂九子"。魏禧虽身处隐居，但他关心的却是社会现实问题，他曾提出过切合时弊、务实可行的"变法三策"、"救荒三策"。❶ 魏氏与西学的接触渠道，看来主要有两条：一是交友，二是西书。据魏氏自述，顺治初年对西学有深入钻研的方以智（详见第七章）经常到他隐居讲学之所"易堂"访问，"易堂九子"之一、精于泰西算法的丘维屏（字邦士）也与方以智探讨过历算之学。❷ 而笔者在方以智《浮山文集后编》中也找到了印证的材料，其中"游梅川赤面易堂记"一文，方氏记曰："三魏相

---

❶ 魏禧：《魏叔子文集外篇》卷三。笔者所见为原杭州大学图书馆收藏《宁都三魏全集》本，书内题"易堂藏板"，共 12 册，其中第 3—8 册为《魏叔子文集》（卷首总目题"魏叔子文集外篇"）二十二卷与《魏叔子日录》三卷。对照《中国丛书综录》所记易堂刊本缺《诗集》八卷，比之道光刊本则无附录部分。

❷ 《魏叔子文集外篇》卷十七"丘维屏传"。

过，邀上'易堂'……丘邦士来语象数，有神解，因以研极望之。"❶
康熙初年，魏禧在南京养病期间，又结交了历算名家梅文鼎（见第七章），并应梅氏所请为他撰写了《历法通考叙》。❷

梅氏《历法通考》考察了古今中外七十余家历法的演变历史，其中重点叙述了明末清初西方天文历法的传华过程：利玛窦等著《天学初函》——徐光启等译《崇祯历书》——汤若望改编《西洋新法历书》——穆尼阁（Jean－Nicolas Smogolenski, 1611—1656）《天步真原》——南怀仁《灵台仪象志》和《康熙永年历法》。梅文鼎把西洋天文历法称之为西域新法，以别于唐元时代传入的"九执历"、"回回历"等"西域之旧法"，而新法自然胜过旧法，并特别指出西洋新法本身也在不断进步，"亦以踵事益精"。❸再看魏禧之《历法通考叙》说："余尝闻诸师友，后人之胜于古人者惟历法，世愈降而愈精密。盖创始者难为智，继起者易于神明，理固然也。"此可明见，魏禧接受了梅文鼎的观点，认为历法应是不断修订、日趋精密的，而且他在叙中对历法"今胜于古"的观点作了进一步阐论，可谓兼具理论与现实的双重意义。他指出："天地之运，虽有成法可测量，而必有其不齐，不能尽知之，故圣人不能以一成而永定。……造历者虽甚精，必不能不久而差，而有待于后人之更定。"魏氏从天地运动总有"不能尽知之"的认识深度，得出"圣人不能以一成而永定"的结论，首先在理论上它包含了一种"相对真理"论的思想成分，也可以说是一种反对因循成法、主张更新发展的进步思想；其次在现实中，魏氏之论也有助于进一步破除明清之际士大夫在利用西法改历的问题上，死抱祖宗成法不可变的陈腐观念。

❶　方以智：《浮山文集后编》卷二，见《清史资料》第六辑，中华书局，1985 年。
❷　《魏叔子文集外篇》卷八"历法通考叙"；梅氏《勿庵历算书目》"古今历法通考"也注明有魏禧叙，页1，丛书集成初编本。
❸　梅文鼎：《勿庵历算书目》"古今历法通考"，页2—3。

而更为引人注目的是魏禧在该叙中表达的实学思想,与西学东渐的影响不无关系。他提出:"士于经世之务惟律历,学非专家,虽高才博学不能通其微",认为"梅子是书,岂仅足以备一代之史前,当日之民用而已哉",并声明他作叙之目的在于:"使天下知有是书,必有能为梅子刊布,且实见诸施行者。"❶ 从中可以看出,魏禧把"律历"之学作为经世应务之一,并对梅子钻研历算之学十分赞赏,且有意倡导于天下,此种思想显然是受明清之际西方天文历学大规模传入的刺激而引发的。

笔者又在《魏叔子日录》中发现,魏禧不仅涉略过西洋天文历学,而且钻研过传教士在中译西书中介绍的天儒会通说与西方神哲学说,并明确表露了他对西学的认知态度。他写道:

> 泰西书其言理较二氏与吾儒最合,如《七克》等类皆切己之学。其所最重者曰亚尼玛,即大学所云明德;至美好,即大学所云至善。特支分节解,杂以灵幻之辞耳。所尊天主,细求之即古圣所云上帝,先儒所云天之主宰,绝无奇异,而故为耶稣等说,荒诞鄙陋,反成可笑。尝读其书,每每于说理时无故按入天主,甚为强赘。吾意天主之说,西国自古有之,后有妄男子造为异论,乃实之于身,其徒转相增衍推崇,遂至此耳。❷

从魏禧谈及的西学内容来判断,他很可能阅读过《天学初函》理、器各编中的西学书籍。他在此提及的《七克》,即为西班牙人华

---

❶ 魏禧:《魏叔子文集·历法通考叙》。
❷ 《魏叔子日录》卷二"杂说",康熙易堂刊本。但笔者所见刊本有几处字迹脱墨,可幸在昭代丛书甲集卷十二(世楷堂藏板)张潮辑有"魏禧《日录杂说》",二者相较,惟有一处昭代本多出一字。

耶稣会士庞迪我（Didacus de Pantojfa, 1571—1618）所撰的著名教理书，后收入《天学初函》"理编"。魏氏称该书类似儒家的"切己之学"，实与此前杨廷筠《七克序》所云"此之为学，又与吾儒暗然为己之旨，脉脉同符"，及此后《四库全书总目》所评"其言出于儒墨之间"，语出一辙。魏氏所提"亚尼玛"乃西教士对拉丁文 Anima 之译音，义指灵魂或灵性。明末西士译著中专论"亚尼玛之学"的首推意大利耶稣会士毕方济（Franciscus Sambiasi, 1582—1649）口授、徐光启笔授的《灵言蠡勺》，该书亦收入《天学初函》理编，而它主要引进了包括亚里士多德的灵魂和意志自由说等涉及西方神哲学与伦理学的内容。陈垣先生在 1919 年《重刊灵言蠡勺序》中称该书为《天学初函》诸编中"说理最精"者。由此可知，魏禧必曾看过《灵言蠡勺》。

以上所述可见，魏禧不仅阅读过《历法通考》等传播西学的书籍，而且直接钻研由西教士亲自翻译的西学书籍，因而他对西学中的科学与神哲学均有所涉猎。他提出的士人以律历之学为经世应务的实学思想，包含了他接受西方科学思想影响的因素。尽管他对西教士宣扬的附儒、合儒之说表示了一定的理解，但他明确拒绝了天主教信仰。

同样终生绝仕、坚守遗民之志，并拒绝应试博学鸿儒、死后数十年仍被雍正帝斥为"名教中之罪魁"的吕留良（字用晦，号晚村，浙江崇德今桐乡人，1629—1683），也曾关注过西学东渐。如他在《西法历志序》中对明末崇祯朝译编西洋历法凸显赞赏之意，而对《崇祯历书》未及颁行却深为婉惜。序云：

> 烈皇帝知其然，命礼臣督改之，敕广集众长，兼收西
> 法，凡译书一百四十卷，皆西法也。时中外多故，未及会
> 通以颁布瀛宇，以继述高皇帝遗意，而京师变陷矣。岂远

裔绝学,其得行于九夏,亦遇合有时不可测欤?不然,以
圣哲之主,前后译撰而卒不得用,何成之难也!❶

他在《答谷宗师论历志》中又提出了利用《崇祯历书》会通中西
历学的见解:

> 至烈皇帝时,始有西历一书,然未经会通中历,确有
> 定论,颁布海宇,则此书在先朝尚为未定之书,但可资其
> 议论,以究天学异同。❷

吕留良虽然始终怀有夷夏之辨的心态敌视清朝,但他对清廷
利用西洋天文历法这一具有明显"用夷变夏"色彩的行为,并未提
出异议,反而建议利用《崇祯历书》"以究天学异同",表现出他对中
西历学的比较与会通持相当开明的态度。究其原因,除了引用西
洋历法乃是先朝遗制这个感情因素之外,实学思潮的冲击无疑是
促使吕留良思考如何接纳"远裔绝学"的根本因素。

考察吕留良与西学的关系,还有一个值得引起重视的因素,就
是他与清初著名的遗民科学家王锡阐的深厚交谊(详见第八章)。

清初遗民士人中对西学的了解最为全面和深刻的学者之一,
要数张尔岐(1612—1678)。他字稷若,号蒿庵,山东济阳人,
出身明末诸生,入清后弃绝仕途,不求闻达,在学术上除了与顾
炎武、王宏撰等人往来外,一直过着清贫的耕读生活。其学术成
就主要以经学名世,如顾炎武所谓"独精《三礼》,卓然经师,吾不如

---

❶ 吕留良:《吕晚村先生文集》卷五,清刻本四册。
❷ 《吕晚村先生文集》卷六。

张稷若"。❶ 清人钱载评其学术思想曰:"先生之学,深于汉儒之经而不沿训诂,邃于宋儒之理而不袭语录",意谓张氏之学既讲宋学之义理,也谈汉学之考据,而不落入繁琐考证或因袭教条之窠臼。他的这种独特的治学风格,应该归因于明清之际实学之风的影响。考察张尔岐对西学的兴趣和钻研程度,犹可质证此见。

首先,他对明末利玛窦创始附儒排佛的"学术传教"策略洞悉无遗,故能明辨西学中的宗教与科学,尤其对明末刊出的中国第一套西学丛书《天学初函》以及由耶稣会士金尼阁从欧洲募购入华的七千册西书相当关注。张尔岐作于康熙九年(1670)的《蒿庵闲话》卷一"四三条"记曰:

> 利玛窦,欧罗巴国人,万历辛巳,来贡耶苏像、《万国图》、自鸣钟、铁丝琴。上命冯琦叩所学,惟严事天主,精器算耳。越庚戌,玛窦死,诏以陪臣礼葬阜城门外。刘侗《帝京景物略》云然。又闻玛窦初至广,下舶,髡首袒肩,人以为西僧。引至佛寺,摇手不肯拜,译言:"我儒也。"遂僦馆延师,读儒书,未一二年,《四子》、《五经》皆通大义,乃入朝京师。其所著书,有《交友论》、《二十五言》、《畸人十篇》、《天主实义》。同至诸人,亦各有论著,分言理、言器为二种刻之,曰《天学初函》。又所携书七千余卷,并未及翻译。所言较佛氏差为平实。大指归之敬天主,修人道,寡欲勤学,不禁杀牲,专以辟佛为事。见诸经像,及诸鬼神像,辄劝人毁裂。所诋皆佛氏之粗者、诞者。有答虞德园、僧莲池二书,颇令结舌,亦一快事。❷

❶ 《顾亭林诗文集·广师》,页134,中华书局,1983年。
❷ 张翰勋整理:《蒿庵集、蒿庵集捃逸、蒿庵闲话》,页299,齐鲁书社,1991年。

张尔岐在此提到的利玛窦辟佛二书,即为收入利氏《辩学遗牍》前编的"复虞淳熙(德园)书"与后编的"辩竹窗三笔天说",前者辩论佛教与天主教之异同;后者为驳斥佛僧莲池和尚袾宏的复书。张氏称玛窦辟佛为"一快事",显见西教士附儒排佛的策略确曾赢得明清儒士们的好感。

其次,他对中西天文历法进行了比较,不仅相当内行地指出了两者明显的差异,而且以求实的态度去探讨造成这种差异的原因,并对西法以实测为依据给予了肯定。据《蒿庵闲话》卷一"四一条"记录:

　　时宪历法,西洋人汤若望立,即利氏学也。利氏入中国,同至者数人,汤其一也,所立法未之闻。据颁行历日,其与旧历不同者数事。一者,推算太阳出没,节气时刻,各省早晚不同,此里差法也。元耶律楚材以西域与中国相去之远,立为里差,以增损之,名曰《西征庚午元历》,是元已立里差法也。又唐命僧一行正历,遣太史监南宫说等于河南、北平诸处,分测日晷及极星,夏至日中立八尺之表,同时候之……是唐人已用里差矣。一者,昼夜九十六刻,亦非创立。《大统历》虽云百刻,实每时止八大刻,时首时尾,各一小刻,昼夜大刻九十六,而小刻二十四,六小刻折作一大刻,故曰百刻。《时宪历》盖以每时八刻起算,而略其小刻也。李振之云:减去余分以便起算。梁天监中作历曾用此。一者,每月初交中气,日躔即到本宫,如雨水之日,日躔娵訾之类。《大统历》则不然,或其所定各宿宫分度数不同,亦自无害于理。历代历法宿度各有损益,未尝相仍也。其最骇人耳目者,觜移参之后。予初

175

亦疑之,及见汤氏《星图解》云:诸宿皆微有动移,岁月不同,积久斯见。觜宿距星,汉落下闳测得二度,唐一行、宋皇祐、元丰皆一度,崇宁半度,元测五分,今测之不啻无分,且侵入参宿二十四分,知其所以易置二宿者,本之测验,非苟为异也。历之为道,随时亦易,求合天度而已。❶

　　需要指出的是,张尔岐注意到汤若望所传西洋历法与利玛窦之学的关系是有道理的,时人常以汤氏之声望而把他与利玛窦相提并论,称以"利汤"。但张氏称汤若望与利氏一同来华,则与史实不符。实际上,汤氏于天启二年(1622)与金尼阁等西教士同来我国。不过,在这里最值得注意的是张尔岐对西洋新法变更中国传统历法的态度。他一方面认识到历法的变更通常是因天象随时变迁,而"宿度各有损益"所致;另一方面认为西法对中法的变更是以"测验"为根据的,其中他对耶稣会士天文学家易置觜、参二宿排列序位这一重大变动,表示了特别的理解与支持。本文第三章已述,西士易置觜、参二宿曾被杨光先指控为新法"十谬"之一。张尔岐起初也曾对此十分质疑,但当他研读了汤若望的有关著述,了解到西士之所以易置二宿的原因是根据"测验"的结果,不仅没有从卫道立场为中法辩护,反而以开明的态度接受了西洋新法的实测结论,并且得出了"历之为道,随时亦易,求合天度而已"的见解,这无疑是一种尊重事物客观变化规律的科学态度。

　　其三,节取其长,拒绝西教。张尔岐在认真比较了中西之学的差异之后,明确作出了选择:

---

❶　张翰勋整理:《蒿庵集、蒿庵集捃逸、蒿庵闲话》,页297—298,齐鲁书社,1991年。

然其言天主,殊失无声无臭之旨,且言天堂地狱,无以大异于佛,而荒唐悠谬殆过之。甲申后,其徒为耶苏教会者,男女猥杂,几与白莲、无为等,大非利氏之旧矣。以此为辟佛助儒,何异于召外兵而靖内难乎!要之,历象器算,是其所长,君子固当节取;若论道术,吾自守吾家法可耳。❶

张尔岐不但将天主教义比之为佛说,斥之为荒谬,而且将天主教会等同于白莲教、无为之类的邪教组织。他虽然支持西教士对佛教的排击,但又拒绝以天主教来代替佛教。此见,张氏对天主教的攻击力度,几乎不亚于杨光先为代表的保守派士人,但他不同于保守士人之处就在于并没有走向一概排斥西学的极端,而是在坚守儒学家法的前提下,采取节取西学"历象器算"之长的明智态度。故前述张尔岐受西方科学传入之影响,萌发讲求实学的思想,于此也可明见。

二　博学鸿儒和《明史》馆员对西学的取舍

康熙十八年(1679),清廷通过开考博学宏词科与重开明史馆,招纳了大批博学鸿儒与纂修《明史》馆员,此举集中了当时清朝汉人知识界的一大批精英分子。与此同时,清初的西学东渐已经步入高潮。期间,以南怀仁为首的在华耶稣会士们,竭力奉行自利玛窦、汤若望以来的"学术传教"策略,而蒙康熙帝热衷西学之利,南怀仁屡得朝廷荣恩,他自康熙十三年(1674)加官太常寺少卿之后,

---

❶　张翰勋整理:《蒿庵集、蒿庵集捃逸、蒿庵闲话》,页 299—300,齐鲁书社,1991年。

又于康熙十七年加通政使司通政使,再于康熙二十一年(1682)官至工部右侍郎,康熙二十二年六月又奉命随驾北巡。博学鸿儒和《明史》馆员们,对于这位备受皇上恩宠的西洋同僚与深得皇上赏识的西来之学,自然不会熟视无睹,而以他们的学识和地位对这股西学之风所作的评论与取舍,无疑在清初知识界具有一定的代表性和相当的影响力。

1. 博学鸿儒们对西学的涉猎

中举博学鸿儒第一名的彭孙遹(字骏孙,1631—1700),曾撰"永年历法赋",专门称颂康熙十七年由西士南怀仁编著进呈的《康熙永年历法》(三十二卷,该书有历法表可预推七政交食,有恒星表可预推至数千年后),赋中对西洋历法评论道:

> 勾股则以三角法为精详,交食则以十六求为参互;推凌犯则无时差气差之除,按气朔则无岁差里差之误;九道则黄赤回环,四游则东西分布;辨中星于昏旦之交,建月令于摄提之部,所以永命而祈天,取新而去故。❶

博学鸿儒中著作最富者之一毛奇龄(字大可,号秋晴,浙江萧山人,学者称西河先生,1623—1713或1716),则撰有"西教入中国录",文曰:

> 西教者,大西洋国十字架耶苏教也。耶苏以设教为仇者所杀,钉其首足两手于十字架间,遂以此名。其徒利马窦,于明万历间由广东入中国,渐入留都,高论惊人,且

---

❶ 彭孙遹:《松桂堂全集》卷一,乾隆刊本。

178

出其所制自鸣钟、千里镜诸器,示人则大惊,号为西儒。留都礼部遂咨送北京,大宗伯冯琦亟称之。乃言《大统历》有差,作修历局以居之。既而建天主堂于宣武门内,设耶稣及圣母像于堂。耶稣手执浑天仪,圣母手抱一儿,即耶稣也。其曰天主者谓耶稣,能主天事也……❶

毛氏又撰《历法天在序》云:"予尝窥旧历,与郡之士大夫追论三五,皆云西历最良。"❷ 可见毛奇龄对天主教与西洋天文历学等西学内容,均有所涉猎。

博学鸿儒王宏撰(字无异,号山史,陕西华阴人)❸,则对西学中的宗教与科学作了明确的区分。他在笔记中对西学评述道:"大抵西洋人之学专奉耶稣,于二氏外别立宗旨,其与吾儒悖均也,然天文奇器则有独长。"❹

入选博学鸿儒中年龄最长者为尤侗(字展成,号悔庵,今江苏苏州人,1618—1704),他中举后授翰林院检讨,在史局三年,参修《明史》。其所撰《明史·外国传》八卷(自述有十卷)大量引用了西洋教士艾儒略《职方外纪》的内容,余暇时又撰《外国竹枝词》一卷百首,其中涉及海外国家和地区的有80余首。❺ 因而,尤侗成为

---

❶ 毛奇龄:《西河合集·录》一卷(全),乾隆补刊本。又知毛氏"西教入中国录"一文,不载于文渊阁四库全书本《西河文集》,但却在稍晚刊出的文津阁四库全书本《西河集》卷一百十八中收录此文,见杨讷、李晓明辑《文渊阁四库全书补遗——据文津阁四库全书补》第七册,北京图书馆出版社,1997年。

❷ 《西河全集·序》卷七。

❸ 永瑢等撰:《四库全书总目》卷六·经部易类六"周易筮述(王宏撰著)",页37,中华书局,1965年。王宏撰另著《正学隅见述》收于四库全书·子部儒家类。

❹ 王宏撰:《山志》卷一"西洋"条,清初刻本六卷,四库全书存目丛书·子部第115册,页91。

❺ 尤侗:《西堂全集》,康熙刻本。《外国竹枝词》并见昭代丛书甲集第四帙,今有王慎之、王子今辑《清代海外竹枝词》,页5—38,北京大学出版社,1994年。

清初全面介绍欧洲世界地理知识的学者。其于《外国传》中记叙了明末清初西学东传的简要历程,着重介绍了欧洲的风俗文化与学校制度。从尤侗所作的《欧罗巴》竹枝词中反映,他对入传的西方学术文化特别关注,词曰:"三学相传有四科,历家今号小羲和。音声万变都成字,试作耶稣十字歌。天主堂开天籁齐,钟鸣琴响自高低。阜城门外玫瑰发,杯洒还浇利泰西。"这里所谓三学四科即指欧洲的小学、中学、大学与医、治、教、道。音字乃指西士所用的拉丁语字母,利玛窦《西字奇迹》与金尼阁《西儒耳目资》为中国创制了一套用拉丁字母汉语拼音方案。而词中提及的"历家"是指西教士充当治理天文历法的专家,"钟鸣琴响"则分别指利玛窦带来的自鸣钟和西洋琴。寥寥数语,几乎概述了东传西学的全貌。至于最后二句,意在纪念利玛窦,因为利氏之墓在北京阜城门外二里沟,利氏字西泰,"利泰西"乃因押韵而改。此见,尤侗对开创西学东渐的先驱利玛窦怀有敬仰之意。

另外,博学鸿儒朱彝尊(字锡鬯,号竹垞,浙江嘉兴人,1629—1709)、纂修《明史》总裁徐乾学(1631—1694)、参修《明史》馆员黄虞稷(字俞邰,南京人,1629—1691)等都有私人收藏的大量西书(详见第二章、第七章)。朱彝尊还与清初科学家王锡阐共同参阅过南怀仁的《灵台仪象志》(详见第七章)。

从以上略述不难发现,入传的西方科学与宗教学说均已进入了这批清初学界精英的视野,他们或多或少、或深或浅地领略了骎骎而入的西方文化。其中部分学者对西学的钻研还相当深入。

2. 刘献廷、万斯同对西学的取舍

生于清初、终生治学的刘献廷(字继庄,号广阳子,北京大兴人,1648—1695),于康熙二十六年(1687)应徐乾学邀请参修《明史》。他以其深厚的学术功底与先进的实学思想,广泛钻研了入传的西方学术文化,涉及的西学领域包括天文、数学、地理、水利、机械、生理及语言文字等。

刘氏的西学知识主要也来自于交友与西书。他与王锡阐和梅文鼎二位大家均有结交,曾记曰:"犹忆亡友王寅旭尝为予言《天元历理》一书,嗤其妄诞"❶,又记道:"我友梅定九,中华算学无有过之者。著有《中西算学通》一册,凡若干卷,易泰西横行之术为直行筹,甚简明也。"❷ 他自述为了得到有关介绍西学知识的书籍而向友人"力索"其书,例如当他得知友人孙致弥(号松坪),收藏有明末著名奉教学者孙元化阐论西方数学的三部书籍时,"如获异宝",即竭力索取。有时他为了寻找一部书,甚至十多年坚持不懈地访求。❸ 如他所记:"徐玄扈(按:徐光启号)先生有《农政全书》,予求之十余年,更不可得。紫庭在都时,于无意中得之。予始得稍稍翻阅。"❹

刘献廷有关西方生理学的知识即得之于西书,如他所述:"余忆泰西人身之说,言女变为男,只内肾脱出便是,若男变为女则决无此理矣,说在脉络图说中,可检也。"❺ 此处所谓脉络图说,盖指西士罗雅谷所著《人身图说》(过去曾误把邓玉函的《人身说概》与罗著混二为一,实为二书并行)。❻ 他对西洋自鸣钟机械原理的认识,则得益于一位友人的实物拆解示意,如他所记:"通天塔,即自鸣钟也。其式坦然创为之,……予恳坦然拆而示之,大小轮多至二十余,皆以黄铜为之……坦然未经师授,曾于唵答公处见西洋人为

---

❶ 刘献廷:《广阳杂记》卷四,页217,中华书局1985年重印本。
❷ 刘献廷:《广阳杂记》卷三,页118。
❸ 刘献廷:《广阳杂记》卷四,页217。
❹ 刘献廷:《广阳杂记》卷二,页122。
❺ 同上书,页67。
❻ 参见冯承钧中译《在华耶稣会士书目及列传》按语,页162。

之,遂得其窾窾。"❶ 再从刘献廷所述"天文实用及地球经纬图,皆利氏西来后始出"❷ 一语推知,他也阅读过西方天文、地理学方面的西书。

当然,刘献廷钻研最深的西学领域是数学和语言学。从他在《广阳杂记》中的有关论述可以看出,他对西方数学知识的流播相当熟悉,如卷四记曰:

> 大东先生,松坪之祖❸,深有得于西学,曾译《几何体论》、《几何用法》、《小测全义》三书,皆世所未有者。《几何原本》有十二卷,徐玄扈(注:即徐光启)所译者只前六卷耳,线则备矣,体未之及也。《原本》推论其理,作用全未之及,即《几何要法》四卷,刻之于《崇祯历书》者,只取有关于历者《大测》二卷,割圆八线之本也。若三角形、锐角、钝角诸测法,未之有也。❹

这里刘献廷为我们提供了考证孙元化西学著作的一则重要史料。方豪撰"孙元化传"曾据 1895 年编纂的《丰顺丁氏持静斋书目》考知元化著有《几何体论》和《几何用法》,又引曾远荣《中国算学书目汇编增补》一文,称元化另有《泰西算要》一卷,❺ 但未提及刘献廷所记《小测全义》一书。既知刘氏所据乃源出孙元化之嫡孙,故其记录的真实性应相当可靠。由此看来,孙元化的数学著作应有四

---

❶ 刘献廷:《广阳杂记》卷三,页 141。

❷ 刘献廷:《广阳杂记》卷二,页 99。

❸ 据该段文意判断此"大东"必为"火东"之误,乃指明末著名奉教士人、徐光启弟子孙元化(1518—1632),字初阳,号火东,其孙即为清初天教徒孙致弥(1642—1709),字恺士,号松坪。

❹ 刘献廷:《广阳杂记》,页 217。

❺ 参见方豪《中国天主教史人物传》上册,页 234—235。

部,至于《小测全义》的内容及下落,尚无文献可考。再则,从这段文字中还可看出刘献廷对利、徐合译《几何原本》的评论,颇具专业眼光。利徐中译《原本》所用底本,为利氏之师德国数学家克拉维斯的十五卷拉丁文评注本,至于利徐仅译前六卷的原因已在本书前言中述及。当代学者指出,该底本卷七至卷九为数论,卷十之后几卷,主要阐论立体几何学,❶ 而刘献廷称利、徐译本"线则备矣,体未之及也",可谓一语道破。不论刘氏此说有无所本,但已足见他对西洋数学具有较高的理解能力。这从《广阳杂记》卷二再次论及"泰西除法",可以得到进一步的印证。他说:

> 符天乙以写算四例见示,其除法则泰西新式也。泰西除法,始见于《算旨前编》(注:即《同文算指前编》),发挥于《西镜录》。此新式大约创自南敦伯,旧法自上而下,逐层以法除实,每商一数,必一一勾抹,新法自下而上惟记除余而已,颇为简便。❷

在此,刘献廷述及《西镜录》是值得重视的一条史料。今知《西镜录》有梅文鼎据不知作者之"写本"而作的订注本,梅注本后归李锐(1769—1817),焦循(1763—1820)又从李氏藏本传抄,1950 年严敦杰先生发现了焦氏抄本。但至今学界仍无法确认《西镜录》的原作者,以及是否有刊本。❸ 笔者从刘献廷所记判断,他见到的《西镜

---

❶ 参考梅荣照等:《欧几里德〈原本〉的传入和对我国明清数学发展的影响》,《徐光启研究论文集》,学林出版社,1986 年。

❷ 刘献廷:《广阳杂记》,页 68。

❸ 参见严敦杰:《〈西镜录〉跋》,《自然科学史研究》1988 年第 3 期;刘钝:《欧罗巴西镜录提要》,《中国科学技术典籍通汇·数学卷》第 4 册,页 279,河南教育出版社,1993 年。

录》恐非他自己的抄本，也不太可能从梅文鼎处借阅的写本，因为刘氏均只字未提，而以刘、梅多有交往，以及《广阳杂记》的笔记习惯推测，刘氏不可能借而不记。故刘氏所见或为刊本，至少是当时传世的另一个"写本"。再则，从刘氏所说泰西新式除法"发挥于《西镜录》"，而它"大约创自南敦伯"（即南怀仁，字敦伯）这几句的文意来推测，《西镜录》应与《同文算指》一样出自西人之手，很可能为跟随南怀仁的某一位西教士授意编译的。而刘、南又为同时代人（南氏卒于 1688 年），刘进京修史时，正当南怀仁声望卓著之际，既然《西镜录》反映了南怀仁所传的西学知识，则它借南氏之声望以刊本传世的可能性是存在的。

关于刘献廷利用拉丁语编制中文拼音方案的实践，亦于《杂记》中有所反映，如卷三记：

> 壬申(康熙三十一年, 1692)之夏, 于衡州署中, 初定韵谱, 先立鼻音二, ……次定喉音四为诸韵之宗, 太西蜡等话(按：即拉丁语)以〇阿咿呜午之五音为韵父。❶

全祖望《刘继庄传》亦谓："其生平自谓于声音之道别有所窥，足穷造化之奥，百世而不惑，尝作《新韵谱》……参之以天竺陀罗尼、泰西蜡顶话。"❷

刘献廷对西方学术的倾心，是以其"主于经世"的实学思想为指导的。他十分强调学问的研究要为现实服务，反对当时一些学者"率知古而不知今"的学风，认为如果一惟专注于古代，那么"纵使博极群书，亦祇算半个学者"。因此，他对明末倡导会通中西的

---

❶ 刘献廷：《广阳杂记》，页 152—153。
❷ 《碑传集》卷一百三十，标点本，页 3900。

实学健将徐光启(号玄扈)的农学著作极为关注,称:

> 农政一事,今日所最当讲求者,然举世无其人矣。即专家之书,今日甚少,以予所闻,惟此帙(按:指徐光启《农政全书》)耳。……玄扈天人,其所著述,皆迥绝千古,……人间或一引先生独得之言,则皆令人拍案叫绝。❶

今见《农政全书》是经光启学生陈子龙删定而初刊于明崇祯十二年(1639)。书中大部分篇幅,是分类辑录了古代的有关农事文献,徐光启自己撰写的文字约 6 万余字。但据陈子龙《农政全书例言》及书中光启的自述可知,这部分内容却包含了光启实地考察与科学实验的心得体会,故往往"兼出独见"❷。刘献廷对徐光启的"独得之言"予以高度评价,确实是慧眼识真金。

刘献廷的莫逆之交、撰修《明史》达 13 年之久且贡献最大者万斯同(字季野,号石园,浙江鄞人,1638—1702),不仅认真关注过入传的西方科学和宗教文化,而且对于明末清初的中西文化交汇作过深入的理性思考,并明确地表露了他的取舍态度。

万斯同是在康熙十八年清廷重开史局纂修《明史》之际,应总裁徐元文征召入京,参与其事。其师黄宗羲撰诗送行。斯同因受黄师遗民气节之影响,不就史局之官职,只以私人身份协修明史。这种若即若离的心态,正是万斯同在清初士林中介于遗民士人与博学鸿儒之间的中间角色地位的反映。京都修史之任,使万斯同有机会融入一个更广的士人交际网络,他与挚友刘献廷和梅文鼎即结交于此。

---

❶ 刘献廷:《广阳杂记》卷三,页 122。
❷ 石声汉:《农政全书校注》,上海古籍出版社,1979 年。

其中梅文鼎进京的目的是为了参与修订《明史·历志》稿,他是应史局官员的多次邀请,才于康熙二十八年(1689)成行。一时梅氏之学倾倒了史局馆生,"史局服其精核,于是辈下诸公皆欲见先生"❶。万、梅相交即在此时,斯同在《送梅定九南还序》中自述"宛陵梅子游燕山,余得与之定交",又曰"余与梅子交五载,昕夕过从,交相得也"❷,可见至康熙三十二年(1693)南归,梅氏在京5年间始终与斯同交好。

万斯同虽以治史经世名重于时,而于中西科学并非擅长,但他经世致用的学术思想——即如他声明"至若经世之学,实儒者之要务,而不可不宿为讲求者"❸,却为他关注充满异质文化气息的泰西实学准备了内在的动力。而梅文鼎中西汇通的历算之学,无疑为他讲求经世实学提供了一种新的视角。且看万氏眼中的梅子之学:

> 宛陵梅子……所著《古今历法考》、《中西算学通》诸
> 书,详而核,博而辨,卓然可垂世行远。……梅子既善诗
> 文,又旁通历学如此,此岂今世文章之士可得而并驾
> 耶?❹

显然,当万斯同"常欲讲求经世之学,苦无与我同志者"❺ 之际,兼采中西的梅氏之学对他的吸引力自然不言而喻。同时,万斯同对梅氏历算之学的倾心,又是基于他对明朝历法疏谬原因的清醒认识,以及对中西历学优劣的客观比较和理性分析。他论述道:

---

❶ 毛际可:"梅先生传",附于《勿庵历算书目》卷首,丛书集成初编本。
❷ 万斯同:《石园文集》卷七"送梅定九南还序",四明丛书本。
❸ 万斯同:《石园文集》卷七"与从子贞一书"。
❹ 万斯同:《石园文集》卷七"送梅定九南还序"。
❺ 万斯同:《石园文集》卷七"与从子贞一书"。

尝慨历之为学,帝王治世之首务,而后代率委之畴人子弟,致谬其法而不能通其义。如有明三百年中,学士大夫非无通晓其学者,往往不见用,其所用者不过二三庸劣台官,死守一郭守敬之法而不知变……故古今历法之疏,无如明世之甚,由专委之畴人,不知广求学士大夫讲明其义也。迨西学既入,其说实可补中国所未及。崇祯初,尝设官置局,博征天下通晓历法者,与相辨析,于是西人所著即名《崇祯历法》,而以元年戊辰为历元。其书实可施用,今世所行《西洋新法历书》,即《崇祯历书》也,但易其名而未始易其说。❶

如万斯同所总结的,导致明代历法疏误的根本原因:一是没有广求天下学士大夫,以集思广益;二是死守郭守敬《授时历》之成法,不图发展。有鉴于此,他对明末译编《崇祯历书》,引用西洋历法改革旧历,则持明确的赞成态度。他提出的"其说实可补中国所未及"与"其书实可施用"的观点,则鲜明地表达了他主张吸收西洋历法的动机。接着,他又阐述了如何吸取西洋历法的原则立场:

　　乃世之好西学者,至诋毁旧法;而确守旧法者,又多抉摘西学之谬。若此者,要未兼通两家之学而折其衷也。梅子既贯通旧法,而又兼精乎西学,故其所著《历学辨疑》,旁通曲畅,会两家之异同,而一一究其指归。乃知西人所矜为新说者,要皆旧法所固有,而西学所独得者,实可补旧法之疏略。此书出,而两家纷纭之辨可息,其有功

❶　万斯同:《石园文集》卷七"送梅定九南还序"。

于历学甚大。❶

这里万斯同对"好西学者"与"守旧法者"的议论,实际上是针对明末清初的中西历法之争而发的,但他明显倾向于梅文鼎会通中西的思想,对梅氏在《历学辨疑》中阐述的立场和观点持鲜明的赞赏态度。此处万氏所说的《历学辨疑》,即为主要体现梅氏会通思想的名著《历学疑问》。有关该书的主要内容和刊传情况,将在本书第六、第八章中进一步述及。值得重视的是,万斯同在北京见到的《历学辨疑》,很可能是尚未最终定稿的《历学疑问》,因为梅氏南归在康熙癸酉年(1693),而《历学疑问》初刻在李光地1699年上任直隶巡抚之初(参见第六章),故上述万氏在1693年作《送梅定九南还序》时不可能见到刊本,万氏所称《历学辨疑》或许正是《历学疑问》稿本之初名。再从李光地所撰《历学疑问序》,更可进一步证实梅氏此著尚未完稿:"先生之归也,谓余叙之,余不足以知历,姑叙其大意以质知先生者,先生续且为之图表数术以继斯卷。"❷ 由此可以判定,万斯同乃是最早阅读《历学疑问》书稿并对书中表达的中西会通思想作积极响应的学者之一。

以上所述可见,《送梅定九南还序》是一份反映万斯同实学思想和西学观的重要文献,从该序对梅氏历算之学的褒评中,已经透露出万氏对中西科学会通所持的基本立场。而笔者在万斯同《新乐府》中发现的"欧罗巴"诗❸,则更为鲜明地阐述了他对西学的取舍态度。该诗小序说:"欧罗巴者,大西洋中之国也。去中华十万里。万历时,其国人利玛窦辈始泛海而来,善天文历数,诸技艺皆

---

❶ 万斯同:《石园文集》卷七"送梅定九南还序"。

❷ 李光地:《梅定九历学疑问序》,《榕村集》卷十二。此序又载《梅氏丛书辑要》卷四十六之卷首。

❸ 万斯同:《新乐府》卷下,又满楼丛书,昆山赵氏刻本,1925年。

巧绝,所设天主教怪妄特甚。其徒相继而来,几延蔓于中国,中国人多惑其教者。"其诗曰:

> 歘然慕义来中华,历学精微诚可嘉。
> 惊人奇技尤巧绝,鲁输马均曷足夸。
> 天主教设何怪妄,著书真欲欺愚昧。
> 流入中华未百年,骎骎势几遍海内。
> 君不见,释教初兴微若荄,驯至滔天不可排。
>
> 萌芽今日已渐长,他日安知非祸胎。
> 兴王为治当防渐,中土那容此辈玷。
> 诗书文物我自优,何烦邪说补其欠。
> 会须驱斥使崩奔,一清诸夏廓邪氛。
> 火其书兮毁其室,永绝千秋祸乱根。

诗中再次肯定了西方天文历算等科学技术的优势,但他把天主教类比为佛教邪说,并对它可能成为中国社会祸乱的根源而发出了严重警告。其中"诗书文物我自优,何烦邪说补其欠"一句,无疑是针对入华西教士和中国奉教徒鼓吹的"合儒"、"补儒"说的严词拒绝。而所谓"火其书"、"毁其室",分明是主张焚毁天主教理书与天主教堂的断然措施。此见万斯同排斥天主教的立场是十分坚定的。

3. 黄百家、潘耒对西学的精见

黄百家(字主一,别号黄竹农家,1643—1709),为清初学术大家黄宗羲季子。丁卯年(1687)以后,他与万斯同均以布衣身份进京同修明史,❶ 并且都成为《明史》编撰的主要功臣。他在史馆期

---

❶ 黄百家:《万季野先生斯同墓志铭》,《碑传集》卷一百三十一,见中华书局标点本第 11 册,页 3907。

间,曾向后来进京的梅文鼎专门请教过天文历法知识。❶ 他撰写的《明史·历志》稿八卷(今存二卷抄本)、文集《黄竹农家耳逆草》以及由他校注的《宋元学案》,成为我们今天考察黄百家与西学关系的主要资料。❷

黄百家关注的西学,主要在于西方的天文历法、西洋奇器等自然科学知识,从中表现出他对西方科学的态度是主张积极吸收的。如他在《明史·历志》中,对利玛窦等耶稣会士传入的西方天文历法褒评说:"利玛窦等俱精天文历法。盖彼国以此为大事,五千年以来,聪明绝群之士聚而讲之,为专门之学。"❸ 在《黄竹农家耳逆草》"天旋篇"中称赞望远镜:"及夫远镜出(第谷门人所造),诸耀之行益显";在"眼镜颂"一文中则对西洋奇器大加称道:"西人制器,无器不精,水使锯纺,钟能自鸣,重学一缕,可引千钧。种种制作,不胜具论。切身之器,莫如眼镜。"❹ 又如关于自然界风、雨、雷、电、霜、雪等现象之成因,黄百家认为:"近代西人之说甚详",并得出结论"种种变化,悉出于自然"。❺ 他对日月食现象的解释,显然是参考西学的结果,他阐论道:"至于日食则由日高月卑,朔日月行密近于黄白交道,日体为月魄所掩,故光为之食。月食则由日大月小,地球小于日轮,大于月轮,当望时,地球间于日月之中,有景在

<hr>

❶ 梅文鼎:《勿庵历算书目·明史历志拟稿》,丛书集成初编本。

❷ 笔者在修改本书时,从韩琦先生"从《明史》历志的纂修看西学在中国的传播"(文见《科史薪传》,辽宁教育出版社 1997 年)一文中获悉,在西方文献中也有关于黄百家与西学的记载。据德国学者 C. Von Collani 发现,1707 年白晋给安多(A.Thomas,比利时籍耶稣会士)的信中,曾提及黄百家等人在修史过程中的活动以及对西人西学的看法。Collani 在文章中还谈到,黄百家还向当时在北京的意大利耶稣会士毕嘉(G. Gabiani)请教过有关西学(包括天主教)的问题。

❸ 黄百家:《明史·历志》抄本,卷下,中科院图书馆藏。

❹ 黄百家:《黄竹农家耳逆草》上册,康熙刻本,北京图书馆藏。

❺ 《宋元学案》卷十七"横渠学案上"黄百家案语,见《黄宗羲全集》第 3 册,页812—813,浙江古籍出版社,1990 年。

天,是名暗虚。……其详在百家所纂《明史·历志》中。"❶

在黄百家接受的西方科学知识中,最令人注目的是他对"哥白尼日心地动说"的正确理解和完整描述。且看他在《黄竹农家耳逆草》"天旋篇"中的具体介绍:

> 至明正德间,而有歌白尼别创新图,自外而内,作圈八重:外第一重为恒星,各系原处,永古不动,即天亦不动;第二重为填星道;三重岁星道;四重荧惑道;五重地球道。地球日东旋于本道一周,地球之旁别作一小圈为月道(附地球之本体,其圈在八重之外),月绕地球周围而行;六重为太白道;七重辰星道;中为太阳,如枢旋转不移他所。
>
> 哥白尼则以太阳居中,而地球循旋于外。

而他晚年在《宋元学案·横渠学案上》中所作的一条案语中,再次明确地叙述了哥白尼的日心地动说:

> 百家谨案:地转之说,西人歌白泥立法最奇。太阳居天地之正中,永古不动;地球循环转旋,太阴又附地球而行,依法以推,薄食陵犯,不爽纤毫。盖彼国历有三家,一多禄茂,一歌白泥,一第谷。三家立法,迥然不同,而所推之验不异。究竟地转之法难信。❷

黄百家对哥白尼学说如此准确的叙述,在清初中西文化交流史上

---

❶ 《宋元学案》卷十七"横渠学案上"黄百家案语《黄宗羲全集》第3册,页810。
❷ 《黄宗羲全集》第3册,页808。

是值得铭记的一件大事。它打破了一个传统说法,即最早向中国传播哥白尼日心地动说的学者和著作,不是法国耶稣会士蒋友仁(P. Michael Benoist,1715—1774)作于乾隆二十五年(1760)的《地球图说》,如以"天旋篇"作于17世纪末来计算,黄百家的介绍至少要早于蒋友仁半个多世纪。因此,黄百家很可能是我国第一位完整、公开地介绍哥白尼日心地动说的学者。对此,日本学者小川晴久早在1980年发表的《东亚地动说的形成》一文中就已作了高度评价,他指出黄百家在"横渠学案"中有关哥白尼学说的描述,表明了这样一个事实:"中国的天文学者们在17世纪下半叶,就相当正确地知道了哥白尼的地动说。"❶ 小川晴久在文章中还对黄百家获悉哥白尼学说的来源作了推测,他认为"大概是从梅文鼎或者从耶稣会传教士那里直接听到的"。不过,他没有提供这种推测的任何证据。就笔者所见,有关黄百家究竟从什么渠道获得哥白尼日心地动说知识,学术界至今尚无确切的结论。

笔者在翻阅《宋元学案》"百家案语"中还发现,黄百家除了关注西方科学之外,对于传教士传播的西方神哲学说也有所了解。如他在《宋元学案》卷四十八《晦翁学案上》的案语中评述道:"泰西人分人物三等:人为万物之首,有灵魂;动物能食色,有觉魂;草木无知,有生魂。颇谛当。"❷ 显而易见,这就是明末从利玛窦的《天主实义》到毕方济的《灵言蠡勺》所宣扬的西方"亚尼玛之学",即灵魂学说。他们把世界之魂分为三种:生魂,即草木之魂;觉魂,即禽兽之魂;灵魂,即人魂,并且认为这三种魂是有高低区别的,灵魂不同于前二种魂的显著特点,就是它能独立存在。❸ 这套说法也正

---

❶ (日)小川晴久:《东亚地动说的形成》,《科学史译丛》1984年第1期。

❷ 《黄宗羲全集》第四册,页805。

❸ 利玛窦:《天主实义》第三篇"论人魂不灭大异禽兽";毕方济《灵言蠡勺》第一篇"论亚尼玛之体",均为台湾影印《天学初函》本。

是构成利、毕等西教士宣扬的灵魂不灭说的理论基础。从黄百家评称该说"颇谛当(按:意指恰当)"来看,他对西方灵魂学说持认同的态度。

出身江南布衣、以博学鸿儒身份参修《明史》的潘耒(字次耕,号稼堂,江南吴江今属江苏人,1646—1708),对于清初的中西文化交汇有更深的介入。然而,他在会通中西科学方面表现出来的鲜明的实学思想,至今尚未引起学术界的足够重视。❶ 潘耒是与清初会通中西名家王锡阐、梅文鼎交往最深的学者之一,且对王、梅之学备极推崇。据潘氏自述,他年轻时曾随王锡阐学习过天文历学知识,王氏去世后他又为之收集遗稿,并撰《晓庵遗书序》;他与梅氏则多有书信往来,且为梅氏数学著作《方程论》作序。❷ 潘耒对王、梅会通中西之学颇为赞赏,曾曰:"吾所见能布算测天、著书立说,兼通中西之学者,仅有吾邑王寅旭、宣城梅勿庵两人。"❸ 他在《与梅定九书》中叙述了他与王、梅之间的学术交往。❹ 从此信中得知,潘耒专门研读过王、梅的历算著作。如他对王锡阐的数学著作《圜解》评述道:

> 寅旭《寰解》虽本《大测》,而两弦相因、两弧损益等,殊多心得,理深词简……近复得其《五星行度解》一卷,谓土木火三星皆左旋,五纬皆在日天之内,说甚创辟,果如

---

❶ 笔者这样说的理由之一是 1989 年初版、1994 年再版的《明清实学简史》(齐鲁书社)无潘耒传,1995 年出版的《清代人物传稿》(中华书局)上编第八卷"潘耒传",只字未提他的实学思想。

❷ 潘耒:《遂初堂文集》卷五"与梅定九书"、卷六《晓庵遗书序》、卷七"方程论序",康熙刻增修本,四库全书存目丛书·集部第 249—250 册,齐鲁书社,1997 年。梅文鼎与潘氏书,见《绩学堂诗钞》)。

❸ 潘耒:《遂初堂文集》卷七"宣城游学记序"。

❹ 潘耒:《遂初堂文集》卷五。

其说,则历术大关键也。

在此提及的《寰解》即为《圜解》一书,主要讨论三角八线的性质与两角和差的正弦、余弦公式。[1]《大测》为耶稣会士邓玉函所译,编入明末《崇祯历书》及清初修订的《西洋新法历书》。看来,潘耒对王著的西学渊源颇为了解,而对王氏《五星行度解》的评述也颇具眼力。尽管王锡阐在《五星行度解》中提出土木火皆左旋的说法,在今天看来是错的,但王氏为改进和完善西法中的行星运动理论,试图建立自己的宇宙模型("五纬皆在日天之内"说)[2],其独创精神显然已经引起潘耒的注目。

他对梅文鼎的著作评曰:"读大著《疑问》(按:即《历学疑问》)、《举要》(按:即指《三角法举要》和《弧三角举要》)三种,凡历中盘根错节处,一一剖析疏通,诚后学之梯航"。而潘耒与梅氏有关购买和借阅西洋历算书的交往,更显潘、梅二人对西方科学怀有共同的兴趣。据潘耒自述,梅氏曾托他在京城购买《西历启蒙》等历算书,因未觅得此书,潘耒遂以其兄潘柽章(字力田,1626—1663)所著《辛丑历辨》[3]奉寄;同时,他还向梅氏借阅薛凤祚(清初兼通中西历算之名家,详见第八章)的《天步真原》与《天学会通》诸书。

潘耒倾心王、梅之学的原因,除了他与王氏有师生之谊外,主要是出于他对这两位"实学之士"治学风格的崇尚。潘耒表达其实学思想最精彩的论述,见于他为梅文鼎《方程论》所作的序文:

古之君子不为无用之学,六艺次乎德行皆实学,足以

[1] 梅荣照:《寰解提要》,《中国科学技术典籍通汇·数学卷》第4册,页303。
[2] 有关《五星行度解》在天文学史上的地位,请参见《中国古代科学家传记》下册"王锡阐传"(江晓原撰),科学出版社,1993年。
[3] 此文收于凌淦编:《松陵文录》卷一,同治十二年刻本。

经世者也。数虽居艺之末，而为用甚钜：测天度地非数不明，治赋理财非数不核，屯营布陈非数不审，程功董役非数不练。古人少而学焉，壮而服习焉，措诸政事、工虞、水火，无不如志。后世训诂帖括之学兴，而六艺俱废，数尤鄙为不足学。一旦有民社之责会计簿书，头岑目眩，与一握算，不知颠倒。自郡县以至部寺之长，往往皆然。于是黠胥猾吏得起而操官府之权，奸弊百出而莫能诘，则亦不学数之过也。古算经诸书多不传，九章诸术今人不能尽通，由于学士大夫莫肯究心，而贾人胥吏习其法而莫能言其意。近代惟西洋《几何原本》一书，详言立法之故，最为精深，其所用筹算亦最简便。然惟历家习之，世莫晓也。❶

在此，潘耒以"数"为实学的思想表露无遗。尤其是他将传统儒学中的六艺之"数"，即所谓"九数"，已经具体化为与国计民生相关的一门实学。在他眼里，数学的应用范围包括了天文、地理、财会、军事、工程等各个方面，甚至关系到国家的政事。可是，中国的传统数学却因学士大夫的长期轻视，已经导致算经失传、知识荒废。而以《几何原本》为代表的西洋数学著作，却展示了一套详尽、精深的逻辑推理方法，它对于中国的传统数学，无疑是一种全新的方法。但是，令潘耒深感遗憾的是《几何原本》的数理方法仅为少数历学官生学习，却不为世人知晓。至此，潘耒要求吸收以《几何原本》为代表的西洋数学方法的主张，已呼之欲出。

其次，潘耒在序中表达的学术动机之一，是要通过比较中西数学之差异，激发有识之士研究数学的热情。因此他非常赞赏梅文

---

❶　潘耒:《遂初堂文集》卷七"方程论序"。

鼎钻研传统数学的精神，称赞他"钩深索隐，发前人不传之秘"，并充分肯定了梅氏著《方程论》的意义："盖《九章》中最难明者无过于勾股、方程二事。西人论勾股割圆之法详矣，方程则有所未尽。于是勿庵著论六卷，专论方程……数学至此神矣妙矣。"显然潘耒视梅氏所著《方程论》，具有振兴传统数学，并与西学竞争的意义。

最后，潘耒阐述了一个极富理论意义的观点——"因数以悟理"。他论道："俾览者因言以得数，因数以知法，因法以悟理，洞然明白而不苦于难习，庶几数学复明而人多综理练达之材，其有裨于世，岂浅尟哉。"潘耒的这种富有逻辑性的推论结果，表明他已经把数学的功用提升到一种思维方式的高度。

以上所述表明，潘耒的数学思想有两个要点：一是以"数"为实学；二是"因数以悟理"。不难看出，潘耒是从以数为实学的思想出发，去接纳西方科学的。而他的这两个观点，使我们很容易联想到明末会通中西的大家徐光启与李之藻等人的数学思想，即"度数旁通十事"说❶与"缘数寻理"论❷。潘耒以数为实学的思想几乎都包括在徐光启提出的应用数学的十个方面之内。而受潘耒推崇的《几何原本》，早已被徐光启称之为"度数之宗"，并认为"此书为益，能令学理者祛其浮气，练其精心；学事者资其定法，发其巧思，故举世无一人不当学。"❸李之藻则说"西学不徒论其数而已，又能论其所以然之理"，"缘数寻理，载在几何，本本元元，具存实义。"显然，在徐、李眼里，《几何原本》的重要意义不单在数学方面，更重要的是在思维方法上。从"缘数寻理"到"因数悟理"，潘耒的实学思想受到过徐光启、李之藻启蒙思想的影响应该是毋庸置疑的。

---

❶ 徐光启："条议历法修正岁差疏"，见《徐光启集》，页 337—338。

❷ 李之藻：《同文算指序》，见（台湾）学生书局影印再版《天学初函》第 5 册，页 2784—2785；"请译西洋历法等书疏"，见徐宗泽《译著提要》，页 253—256。

❸ 《徐光启集》，页 76。

正是基于这种实学思想,潘耒对于"见用于世"即为现实所用的人才观与知识观都有了全新的标准:"夫得浮华之士百,不如得实学之士一;得名世之书百,不如得传世之书一。使寅旭、勿庵而见用于世,高可为杜预、刘晏,下亦不失为洛下闳、一行。"

他所赞赏的经世人才是像王、梅这样的"实学之士",而非"浮华之士";他所崇尚的知识书籍,是像《几何原本》与《方程论》这样的"传世之书",而非徒有虚名的"名世"之作。正是基于其明确的经世致用思想,潘耒对西学中的科学与宗教学说表达了鲜明的取舍态度。其云:

> 更有说焉:西人历术诚有发中人所未言,补中历所未备者;其制器亦多精巧可观;至于奉耶稣为天主,思以其教易天下,则悖理害义之大者。徒以中国无明历之人,故令得为历官掌历事,而其教遂行于中国。天主之堂无地不有,官司莫能禁。夫天生人材,一国供一之用,……设中国无西人,将遂不治历乎?诚得张君(按:此指随梅文鼎学习中西历算的张雍敬,字简庵)辈数人,相与详求熟讲,推明历意,兼用中西之长,而去其短,俾之厘定历法,典司历官,西人可无用也。屏邪教而正官常,岂惟历术之幸哉。❶

从这段文字看来,潘耒一方面对西方天文历学、仪器制造等科学技术持明确的吸纳态度;另一方面他却对传播西学的媒介——传教士和天主教徒相当疑忌,因此他提出了一个独特的建议:通过中国学者与西人相互"详求熟讲",一旦掌握了西方历术之后,"西人可

---

❶ 潘耒:《遂初堂文集》卷七"宣城游学记序"。

无用也"。其功利性的实用主义态度不言而喻。究其原因,一种合理的解释是:西方传教士身兼宗教与科学传播者的双重身份,迫使明末清初的士大夫认真地思考如何才能做到既利用其技术,又摒弃其邪教。潘耒的设想虽然有些取巧,但实际上表征了清初士人是站在儒学的立场上,以实用主义的态度去利用西方科学的。如以李之藻之意,把西学当作理器兼备之学,那么潘耒的态度则是取其"器"而舍其"理",这种态度在清初康熙中叶以后的教外士人中,几乎成为回应西学东渐的主流。

三　康熙中晚期士人回应西学
的趋势:舍"理"求"器"

从遗民学者到博学鸿儒,清初士人对西学中宗教与科学俱存的事实,尤其对传教士天儒会通说的实质,已经洞悉无遗。他们作为清初上层知识界的代表,其接触、理解与选择西学的态度,无疑会对康熙中晚期的整个知识界产生深远的影响。

以编辑《昭代丛书》名垂清代学术史的张潮(字山来,号心斋,1659—1707),他对西学流播的评述,基本上反映了康熙中后期(1705 年"礼仪之争"进入高潮之前)士大夫回应西学的心态及其取舍的倾向。张潮在康熙三十三年(1694)遇王晫同编《檀几丛书》之后,即着手编辑《昭代丛书》甲集,又于康熙三十九年(1700)编乙集,四十二年(1703)完成丙集。可惜印刷很少,鲜为流传。但是从张潮所编丛书的选录内容,我们至少可以参见其在当时的学术视野或学术旨趣。本文在第一章已经指出,张潮在《昭代丛书》中辑录了专记西洋国土风俗、文教制度、人物土产等方面内容的《西方要纪》(甲集卷二十七)。另外还辑录了梅文鼎的《学历说》(甲集卷四)、尤侗的《外国竹枝词》(甲集卷二十六)。而他的笔记体著作

《虞初新志》也辑录了有关西洋地理学等科学知识。该书自序作于康熙二十二年(1683 年),但又有康熙三十九年(1700 年)的"总跋",这大概是随着张潮编辑丛书工作的进展,其学术视野也在不断开阔,故笔记内容是陆续增补的结果。仅据上述事实,足见有关介绍欧洲风土人情、文化制度的西学书籍(包括中国学者所撰写的)已经进入了张潮的学术视野。而耐人寻味的是,张潮辑录这类书籍的动机,竟是出于对海外诸国的好奇心与求知欲:

> 吾尝设一幻想于此,欲使身如飞鸟,忽生两翅,遍游海外诸国,览其山川人物之奇,文字语言之异,朝西暮东,倏忽万里,此身亦更不复知有饥渴。遇异物可爱者,则购之而归,随所见闻咸为记注,如此者二三十年,然后勒为一书,以遍赠宇内好奇之士,斯不亦洋洋乎大观也哉……今读梅庵先生《外国竹枝词》,益深我远游之想矣。❶

张潮的这种远游海外诸国、体验异邦人文风土的渴望与理想,在夏夷之辨、文野之别的传统观念依然根深蒂固的清初士大夫中,不能不说是少见的。他的这种志趣无疑包含了如尤侗《外国竹枝词》所描述的入华西人、西学对他的刺激因素。而当我们翻阅《昭代丛书》中张潮为西学书籍所作的序、引、跋,以及他的笔记作品中评述西学的内容,就能更加清楚地了解,西方世界和西方文化,在一位清康熙中后期的学者心目中,究竟是怎么样的? 他又是怎样从中西文化的比较中,去理解和取舍西学的?

其一,对欧洲西方世界的认识。张潮描述的西方世界是一个人情风俗、科学技术皆优的社会:"其人则颖异聪明,其学则星历医

---

❶ 《昭代丛书》甲集卷二十六"外国竹枝词小引",世楷堂本。

算,其俗则忠信耿直,其器则工巧奇妙,诚有足令人神往者",并且特别指出,这个西方世界完全有别于同样以西方为名的"天竺诸国土"。因为后者是早已为儒家们所熟知的那个"清净寂灭"的西方世界——"无男女居屋之乐,无爵禄名位之荣,无饮旨烹鲜之奉",因此当张潮设问"此两西方应何所择乎?"❶ 人们不难看出,张潮心目中的欧洲西方社会几乎是一个完美的世界,这与其说是源于传教士所著《西方要纪》的偏面介绍,还不如说是他受西学书籍的启发,而描绘的符合儒家理想世界的社会蓝图。

其二,对西方科学的理解。张潮在《学历说小引》中对西方历学之精密,有深刻的理解:

> 自明神庙时,有利玛窦者自泰西来中国。其国人精于历学久,迄今遵而用之。岂天于泰西独厚、多生异人耶?良由彼国以历法取士,用心为独专耳。今历之异于古者,如一日之为刻九十有六,及十七日之望三节之月之类是也。今历之密于古者,如节气之迟早,昼夜之长短,日月蚀分数之多寡,各省不同之类是也。夫后代之法密于前代,不独历家为然,而历为尤著。❷

在此,他不仅揭示了西人精于历学的原因在于"以历法取士"的用人标准,而且从西法密于旧法的事实中认识到科学的发展总是后代胜过前代的规律。

又如在《西方要纪小引》中,他对于曾被许多中国士大夫怀疑,甚至是愿意接受西方科学的人拒绝过的西方地圆说,并未断然否

---

❶ 《昭代丛书》甲集卷二十七"西方要纪小引"。
❷ 《昭代丛书》甲集卷四。

定,而是以他自己独到的见识作了理解性的阐述：

> 泰西之言以大地为圆球,上下四方皆成世界。洵如所
> 云,则所为泰西者,亦第自中华言之；苟就彼地而论,安知
> 其不自以为中,而反以中华为东耶是？殆不然,彼盖以天
> 星为准,南极北极天之枢纽,彼地在西,安得不以西名哉。

而在《学历说跋》中他又指出了西方科学不同于传统旧学的特点：
"泰西之学为多非从古纸中来,是以其说精而不浮,博而且当。"其
意是说,西学并非因循守旧之学,而是不尚虚浮,讲求精确；论据充
分,说理恰当。显然,张潮对西方科学的理解已经多少触及到它的
实证精神与论证方法。

其三、从中西科技的比较中,寻找中西科学差距的原因。在
《虞初新志》卷七中,他记载了一位受西方科学仪器制作技术影响
的能工巧匠黄履庄的生平事迹,在传记之末,他评论道：

> 泰西人巧思百倍中华,岂天地灵秀之气,独钟厚彼方
> 耶？予友梅子定九,吴子师邵,皆能通乎其术,今又有黄
> 子履庄,可见华人之巧,未尝或让于彼,祇因不欲以技艺
> 成名,且复竭其心思于富贵利达,旁及诸技,是以巧思逊
> 泰西一筹耳。❶

在这里,张潮深刻揭示了西人"巧思百倍中华"与华人"巧思逊于泰
西"的原因。他指出并非华人的聪明才智不如西人,而是要归咎于
中国士人学者"不欲以技艺成名"的观念,却把他们的心思都用于

---

❶ 《虞初新志》标点本,页116,河北人民出版社,1985年。

追求功名爵禄和荣华富贵上了。显而易见，这里已经触及到中西文化差异的深层次问题——观念之别。张潮的见解，实际上是对儒家传统观念——"重道轻艺"论的批判。

其四、对西学的吸纳与舍弃。张潮在《西方要纪跋》中明确提出了可以吸收西学的三个方面：

> 西洋之可传者有三：一曰机器，一曰历法，一曰天文，三者亦有时相为表里。今观《西方要纪》所载，亦可得其大凡。然必与其国人之能文者，相与往复问难，庶足以广见闻而资博识也。❶

在此，张潮还特别建议要通过中西文人学士之间的反复辩论与探讨，才能真正获得广闻博识，吸取与利用西方科学。这种建议的理论意义在于，以张潮为代表的清初士人在回应西学东渐的过程中，已经产生了一种要求与西洋诸国开展平等的学术文化交流的愿望。这在 17 世纪的清初知识界是十分罕见与难能可贵的。

然而，张潮对西方科学的吸取仍是在儒学的框架内进行的。他在《虞初新志》卷十九中，摘录了南怀仁《坤舆图说》中介绍西方七大奇迹的内容，并作评论道："极西巧思独绝，然吾儒正以中庸为佳，无事矜奇斗巧也。"❷ 这说明，尽管张潮已经认识到西学的独绝之处，并主张开展中西学术交流，但他的思想并没有提升到一个更高的层次——与西方竞争的观念，反而重申儒家的中庸之道，不提倡与西学进行"矜奇斗巧"的竞争，这正反映了清初士大夫的时代局限性。

---

❶ 《昭代丛书》甲集卷二十七。
❷ 《虞初新志》标点本，页 380。

张潮对西方宗教学说的舍弃,也是基于对天儒之别的理性思辨之上的。《西方要纪小引》曰:"夫泰西之说诚胜于诸教,惜乎以天主为言,则其辞不雅驯,流于荒诞,搢绅先生难言之。苟能置而不谈,则去吾儒不远矣。"为此,张潮特别就天主教与儒教在"言天"这个关键问题存在的差异作了解释,他说:"吾儒之言天,亦非仅虚空无物之状,若有神焉以主之,然初未尝言有母有形,及生前死后之事迹也,此吾儒与彼教之别欤。"

毫无疑问,对于沉浸在儒学传统入世观念的"搢绅先生",天主教宣扬的天主创世与天堂地狱说等超性之学,尤其是其核心教义——崇拜一个超理性的、至上的人格神天主,确实是难以理解的"荒诞"之论。不过,张潮对天主教的舍弃,采取了一种较为温和的态度,即"置而不谈"。这或许是康熙中叶稍后时期,西方传教士及其天主教传播事业得到康熙帝特别优容的形势之下,"搢绅先生"们"难以言之",不便公开激烈排教的心态反映。

值得一提的是,张潮为安徽新安(今歙县)人,竟是清初反西学旗手杨光先的同乡。尽管杨氏发动"历狱"期间,张氏尚在幼年,不可能对西学表态,但他与后来的程廷祚(比张潮小32岁)同样作为杨光先的同乡里人,两相比较,则明显可见其思想倾向的差异:张潮积极吸纳西方科学的立场,而程氏却把杨光先视为乡贤,对其反西教的事迹大加褒扬(事见第三章)。

年龄稍长于张潮的陆次云(字云士,钱塘今杭州人),在康熙癸亥(1683年)所著《八纮译史》(第二章已述及)中对西学的取舍则要比张潮干脆得多。他在该书"例言"中说:"西域奇人梯航异国,周遍遐荒,为章亥所未及。其《职方外史》一书令人闻所未闻,弟其中处处阐明彼教,听倦言繁,余悉芟除,仅取其三之一。"❶

---

❶ 《八纮译史》卷首,宛羽斋刻陆云士杂著本,见四库全书存目丛书·史部第256册。

陆氏主张用删削著作文字的方法,摒弃天主教学说,与张潮的"置而不谈"同样是一种文人式的温和拒绝。

但是,康熙中后期也有少数士人,在不得不承认西方科技优势的同时,却对西教士的活动产生了很重的疑忌心理,并主张采取激烈的排斥行动。其中陆次云的杭州同乡郁永河(字沧浪,约1645—?)❶的态度十分鲜明。郁氏曾于康熙三十六年(1697)渡海赴台湾采硫半年,作见闻录《裨海纪游》,书中"海上纪略"一编专记亚、欧等国概况,内有"西洋国"一篇,谈西人、西学、西教颇详:

> 西洋国在西海外,去中国极远。其人……析理务极精微,推测象纬历数,下逮器用小物,莫不尽其奇奥;用心之深,将夺造化之秘,欲后天地而不朽。苟有所为,则静坐默想。父死不遂,子孙继之;一世不成,十世为之。既穷其妙,必使国人共习而守之,务为人所难为。其先世多有慧人入中国,窃得六书之学。又有利马豆者能过目成诵,终身不忘,明季来中国三年,遍交海内文士,于中国书无所不读,多市典籍归,教其国人,悉通文义。创为《七克》等书,所言虽孝悌慈让,其实似是而非;又杂载彼国事实,以济其天主教之邪说。诱人入其教中,中国人士被惑,多畈其教者。今各省郡县卫所皆有天主堂,局门闭甚密,外人曾不得窥见,所有不耕不织,所用自饶。皆以诱人入教为务,谓之化人。彼国多产白金,自明时,已窃据粤之香山澳。虽纳贡赋,而丑类实据我边陲矣。又岁运

---

❶ 生年据方豪、费海玑先生推测,参见方豪:《〈裨海纪游〉合订本弁言》,(台湾)文献丛刊第七辑,(台湾)大通书局印行。费氏:《裨海纪游研究》,(台湾)《书目季刊》第6卷第1期。

白金钜万,至香山澳,转送各省郡邑天主堂,资其所用。
京师天主堂,屋宇宏丽,墙垣周复;又制为风琴、自鸣钟、
刻漏、浑天仪诸器,皆神镂鬼斧,巧夺天工。为费不可量,
穷年积岁,制造不辍,不籍中国一钱。"❶

这里郁永河对西方人孜孜以求、坚持不懈地钻研科学的精神,以及
对各类西洋科学仪器制作技术之精湛,给予了充分的肯定与高度
的评价。他对利玛窦的记忆力(利氏著有《西国记法》,介绍记忆
术)与庞迪我的《七克》印象深刻,明显可见他阅读过不少西学书
籍,而且对西书中介绍的西方宗教伦理学说做过钻研,如他把《七
克》在"孝悌慈让"等伦理道德方面的附儒之说指责为"似是而非",
可谓切中了西教士会通天儒说的要害。

另外,郁氏论述西学源流的一个观点也值得我们重视,即云
"其(按:指西人)先世多有慧人入中国,窃得六书之学",此曰"六
书"应指六种汉字书写规则,但从上下文判断,"六书"似为"六艺"
之误,若此推断不误,即意指西方科学乃是其西洋先人从中国传统
的"六艺"(即礼、乐、射、御、书、数六种科目)之学窃取的。此论在
今天看来显然是无稽之谈,但出于郁氏之口,却有其特定的历史和
文化背景:一方面,郁氏对西方科学的先进性已眼见为实;另一方
面郁氏撰写"西洋国"一文之际,正是清初西学东渐的黄金时期(参
见第一章),清廷早已利用西方科技为其服务。郁氏作为一名在儒
家文化中成长起来的中国士大夫,既要面对不可否认的西方科学
的优势,又要顾及"夏夷之辨"的传统观念,指称西洋科学原来是从

---

❶ 《裨海纪游》有多种版本与抄本,今据《昭代丛书》戊集续编,上海古籍出版社影
印 1990 年;又据清同治十年周氏抄本,现藏浙江图书馆,此抄本不在上述方豪
"弁言"所列二十二种版本之内。

中国窃取的观点,无疑是解决这种思想矛盾的最佳出路。它既满足了士大夫的文化优越感,也为接纳西方科学寻找到一种合理的借口。虽然郁氏没有进一步阐明中西之学的源流关系,但其思维逻辑与清初盛传的"西学中源"说是一致的。

郁永河在肯定西方科技之精的同时,却把天主教描绘成一个与澳门的西方"丑类"有勾结的邪教组织。因而,他是怀着很深的疑惧心理,质疑西教士来华的真实意图:

> 计中国郡邑卫所天主堂何止千余百区,而居堂中丑类不下数万人(三四万人),皆捐父母妻子,远来必有所为矣,为名乎?为利乎?为游中华之名山大川,观中华之礼乐政教乎?其国君岁驱其民于中国,又岁捐金钱巨万资给之,曾无厌倦,果为朝会纳贡来乎?抑岁岁饥馑,移民以就食于中国乎?既无一于此,殆复何求?其有(大)欲存焉,不待智者然后知也,而堂堂中国曾无一人能破其奸,已为丑类齿冷。脱有不信余言者,试问日本何以禁绝丑类不令蹈其境乎?❶

郁永河的这种怀疑,与前述"康熙历狱"期间杨光先的排教言论颇为相似。鉴于西教士具有上述种种无法理解的动机,郁氏主张清廷应仿效日本,也以武力驱逐欧洲天主教传教士,这与康熙初年杨光先的排教立场是一致的。但郁氏并未如杨光先那样,将西方科技也一并排斥。可以想见,造成郁氏对西学采取的这种取舍态度,既有其自身思想观点的因素,也有清初西学东渐形势变迁的原因。

还有一件值得关注的事情是,笔者发现郁永河竟与清初会通

---

❶ 《昭代丛书》戊集续编本,括号内所注为不同抄本间的异文。

中西的名家梅文鼎有交往。据梅氏《绩学堂诗钞》记录，康熙三十八年(1699)郁氏曾把《裨海纪游》呈送梅文鼎览阅，书中所叙海上见闻及台湾风情，尤其是郁氏对西方殖民势力东来的忧虑，令文鼎大为感慨，遂赋诗抒怀，如诗前小序所言："今郁子据舶师计更海道，约为小图，洋程数万，瞭若掌纹，切切隐忧，正略同矣。"❶ 惟梅氏所记郁永河的字号与《裨海纪游》抄刊本上的作者字号略有差异，笔者所见《裨海纪游》作者均称郁氏字沧浪，而梅诗则称郁沧波，然梅、郁既有交情，若非《绩学堂诗钞》误刊，则"沧波"或为郁氏另有一字。由于郁氏送书仅在他赴台游历两年之后，故梅氏此诗，实为考察《裨海纪游》成书时间与版本，乃至评价郁、梅西学观，提供了一份新的重要史料。

在康熙晚期回应西学的士人中，王棠(字勿翦，安徽歙县人)对西学的舍"理"求"器"颇有代表性。前述王棠在其《燕在阁知新录》(作于康熙五十六年)中，明确支持杨光先《不得已》书中对天主教义的驳论，既称天主教义"甚荒诞不根"，又赞光先"持论甚正"❷(参见第三章)，可见他是一位坚决拒绝天主教义的士人，但他对西方科学却表现出了浓厚的兴趣。笔者细检《知新录》，发现书中辑录了不少西教士所传的西方科学与西洋奇器。如卷四"经天要略"条，即从当时流行的西书中，摘录了有关南北极、赤道、五带、九重天等说，以及西洋历法中的日月食、五纬等概念。❸ 卷五"日月"条，又记述了西洋观测方法。❹ 卷二十六"眼镜"条，则记载了西方

---

❶ 梅文鼎撰、梅毂成编：《绩学堂诗钞》卷四"武林郁沧波以《裨海纪游》见示得三十五韵"(己卯)，乾隆承学堂刊本。

❷ 王棠：《燕在阁知新录》卷九，四库全书存目丛书·子部第100册，页266，齐鲁书社，1995年。

❸ 四库全书存目丛书·子部第100册，页181—190。

❹ 同上书，页192—193。

207

天文学的重要观测工具——"以长筒窥之,可照数十里"的"千里镜"(即望远镜)。❶ 另外他还在卷六列专条,记录了清初中西历法之争的主角杨光先的代表作《不得已》对西法"十谬"的指责。❷ 他还明确肯定西洋天文历学之精优于我国的传统历法,卷四"历代治历"条言:"今本朝历,命西洋人主之,术益精、历益密,又《授时》所不及也。"❸ 卷六"不得已论十谬"条又谓"今历法仍守汤(若望)之矩矱,以其星学有独得之秘也"❹,其取舍态度十分明确。透过这些材料,可以认定王棠对明末清初的西学东渐相当关注,并且对西方科学持一种开明的接纳态度。

需要指出的是,康熙中晚期清廷对西士、西学的态度变化,乃是影响士人学者取舍西学的重要外在因素:一方面,随着罗马教皇特使多罗(Carlo Tommaso Maillard de Tournon)于康熙四十四年(1705)第一次出使中国,将"礼仪之争"推向高潮,自此清廷又开始采取比较严厉的禁教措施;另一方面,康熙后期清廷对西士、西学的利用,已明显具有节取其技能、舍弃其宗教的倾向。如从康熙四十七年(1708)起,清廷利用传教士的西洋地理学知识,实测地理,编制《皇舆全览图》。康熙五十二年(1713)至六十一年(1722)完成编撰《律历渊源》一百卷,其中的《数理精蕴》、《历象考成》和《律吕正义》三部书系统整理和总结了我国传统天文历法和数学的成就,也吸取了西方天文数学知识。清廷的这种官方态度,无疑会对清初士人回应西学产生一定的导向作用。

总之,本章对清初知识界具有重大影响的士人群体遗民学者和博学鸿儒对西学作出何种反响,以及清初士人回应西学的趋势

---

❶ 同上书,页605。

❷ 同上书,页220—221。

❸ 同上书,页180。

❹ 同上书,页221。

作了初步的考察。如果说，本章对清初知识界究竟如何回应西学东渐，还仅仅止于表面上的探析，那么要深入探讨西学东渐对清初学术文化的影响，则需进一步考察清初主流学派对西学的反应。

第六章　清初理学名士与西学

清初理学家作为当时中国知识界一个有重要影响的士人群体，他们对西学的接触与反应，无疑是我们考察明清之际中西文化冲突与交流的一个重要方面。前文在论及清初士人对"康熙历狱"的反应时，有一个特别引人注目的现象是同样身为正统士大夫的清初理学家陆陇其，在如何看待西洋历法的问题上，竟然站到了杨光先的对立面。那么接着的一个疑问便是，清初理学家面对西方文化的冲击，出于何种动机，根据怎样的思维模式和价值标准去理解与评判、接受或拒斥西学的，这就是本章探讨的要点。

清初理学家接触西学的一个共同学术背景是：在实学思潮高涨下掀起的朱学复兴潮流。他们在反思明朝覆亡的过程中，普遍认为晚明王学的空虚是导致明亡的重要原因。于是继承明末东林学派回归朱学以重振理学的思想主张，在学术界掀起了一股"尊朱辟王"的社会思潮。陆陇其曾明确提出"救弊之法无他，亦惟有力尊考亭(按：朱熹驻地)耳"❶。由于这一学术宗尚是在明清鼎革之际实学思潮高涨的背景下形成的，因此清初的朱学不能不带有某些实学的特征。而康熙帝在选择程朱理学作为其驭御全国的思想

---

❶　陆陇其：《三鱼堂文集》卷五"答嘉善李子乔书"，四库全书本。

工具的同时,一再强调他提倡的是言行相符的"真理学"❶,这又助长了清初朱学的实学风气。上承明末以来的实学流变思潮,下得清初统治者的大力扶持,遂使清初标榜朱学的理学名士纷纷崛起于朝野。而际会于同一时空的西学东渐,则将大量与中国传统文化性质迥异的西方学术,以"泰西"实学的面貌呈现于正在寻求各种经世途径的明清士大夫面前。清初理学家们在选择以实救虚、复兴朱学的学术道路中,不会不对以实证、实测见长的西方学术视而不见。同时,仅从一般意义上说,清初理学家作为封建统治和礼教纲常的维护者,自然也要对流播朝野的西方异质文化作出回应。然而清初理学家对西学的反应同样存在着个体的差异,而探讨造成这种差别的原因,无疑将有助于深入地了解西学东渐在清初社会获得的反响。

本章选取的魏裔介(1616—1686)是官至一品的清初理学名臣,他通过与传教士的交往,接触西学,最终走向了皈依天主。而被康熙帝誉为"天下清官第一"❷ 的理学卫道士张伯行(1651—1725),却力主铲除天主教。以"江东两陆"并举的理学名士陆世仪(1611—1672)与陆陇其(1630—1692)则对西学表现出较为平和、理性的态度,其中陆世仪对西方科学的吸纳,显现了清初朱学士人的最大开放性。至于身为皇帝近臣的李光地(1642—1718),其西学志趣与他的朱学宗尚一样,打上了迎奉康熙意志的印记,并明显地折射出清初西学东渐冲击中国官僚士大夫阶层的历史轨迹。

---

❶ 中国第一历史档案馆整理:《康熙起居注》康熙二十二年十月二十四日,第2册,页1089。上曰:"朕见言行不相符者甚多,终日讲理学,而所行之事全与其言悖谬,岂可谓之理学? 若口虽不讲,而行事皆与道理符合,此即真理学也",中华书局,1984年。

❷ 《张清恪公年谱》任兰枝序。

一　魏裔介与张伯行对天主教的两极反应

清初理学名臣魏裔介,字石生,号贞庵,直隶柏乡人(今河北省柏乡县),历仕顺、康两朝,官至保和殿大学士又加太子太傅,雍正十年(1732)特旨入祀贤良祠,乾隆元年追谥文毅。[1] 他"学宗朱子"[2],曾疏请顺治"举行经筵日讲,以隆治平"[3],又精研二程理学而撰成《约言录》内外篇,此书与《薛文清读书录纂要》问世后,"海内言理学者咸推"[4] 之。

魏裔介与西学接触的直接史料,虽然仅见于《赠言》中收录的两首赠汤若望的诗文,但从中可以窥见他与天主教相知颇深。顺治十八年(1661),魏裔介与胡世安、金之俊、龚鼎孳、王崇简等清初名士,因汤若望七十寿辰与新获荣荫而纷纷书赠祝贺诗文,[5] 大多在褒扬汤氏以历算之长效职朝廷的贡献,独魏氏贺文重在关注西教士们比较天儒异同的学说。其文曰:

> 先生之教,疑之者半,信之者半,与儒者有异同,吾子将何择焉? 余曰子未熟察夫先生之教也。夫先生之教,以天主为名原。夫太始之元,虚廓无形,天地未分,混沌无垠,冥昭瞢暗,谁能极之? 阴阳之合,何本何化? 九重

---

[1]　《魏文毅公奏议》卷首本传,丛书集成初编本。

[2]　《文献征存录》卷一《魏裔介》。

[3]　《魏文毅公奏议》卷首本传。

[4]　《魏贞庵先生年谱》,页15,畿辅丛书本。

[5]　《赠言》系清初士人赠汤若望诗文合刊本,原藏于上海徐家汇天主教藏书楼,黄伯禄《正教奉褒》(1904年版)、英敛之作序重刊本《主制群徵》(1915年,天津大公报馆印)已选录魏氏等人的部分贺文。陈垣先生1919年编刊的第三版《主制群徵》附录《赠言》全帙。

孰营？八柱何当？凡皆天帝之所为也。主教尊天，儒教亦尊天；主教穷理，儒教亦穷理……古圣贤懔懔于事天之学者如此，而后之儒者，乃以隔膜之见，妄为注释，如所谓"天即理也"，含糊不明……先生之论岂不开发群蒙，而使天下之人各识其大父，而知所归命哉。谓先生为西海之儒即中华之大儒可也。

前文已述，从利玛窦到汤若望采用拟同天儒与诉诸古儒、反对近儒（即宋明理学）的方法，宣扬所谓天主教合儒、补儒之论，并通过否认宋儒的"太极"本原论与"天理"主宰论，最终确立"天主"主宰论（详见第四章）。魏文中完全赞同利、汤的会通天儒论，且把汤若望奉为"中华之大儒"，可见魏裔介对西学的推崇。在此，引人注目的一个事实是，作为一名清初理学家，他竟与利、汤等西教士同唱一个调子，在文中公开指责"后儒"（指宋明理学家）对古儒的"事天之学"妄加注释，宋儒所阐论的"天即理也"之哲学命题实为"含糊不明"，此与清初理学的志趣颇不协调。

魏氏赠若望寿文中另有二处值得注意的表述，是他对汤若望宣教活动的关注及其传播天学之功的褒奖：

前此，先生未至中华时，有利先生玛窦者宣扬其教，一时颇有信从之者，然犹汍暗未著。自先生由海壖北上，广著鸿书，阐发至论，如《群徵》、《缘起》、《真福》诸籍，与此中好学之士共闻共见，而又接引后来，勤勤不倦，乐于启迪。

余向聆先生之绪论，见其谆谆以兴起教化为念，而其著书之奥博宏瞻，尝愧不能穷究其说。

由上述文字透露，魏裔介与汤若望早有交往，他对汤氏撰写的天主教教理书《主制群徵》(1629)、《主教缘起》(1643)、《真福训诠》(费赖之、徐宗泽均称出版年、月、地未详，此见该书至迟在 1616 年前已刊)也相当熟悉，❶ 又从"尝愧不能穷究其说"一句，隐约表示有意钻研天主教理学说。因此，魏氏评价若望传播天学之功在利玛窦之上并非奉承之词，乃是由衷之言。尽管我们不排除魏氏之文在汤若望寿庆的特殊氛围下难免沾染溢美之意，但综观其对西士西学的熟悉程度，即已明显地表达出魏氏已有被利、汤的附儒之论引向信仰天主的倾向。

《赠言》中所收另一首魏裔介赠若望的《题扇》诗，亦可作为其熟悉教义的佐证。诗曰："大道先从沕漠开，羲文妙义一中裁，异端久溺虚无内，圣教还由敬慎来，凛凛心源思奉事，昭昭帝鉴在胚胎，堪怜愦愦多时辈，谁向洪钟叩几回?"诗内用"异端"与"圣教"作对比，从中来思考"奉事"，显然与耶稣会士排佛补儒、指斥异端迷信，而劝人奉事天主的宣教主张颇有几分合拍。遗憾的是在《四库全书》所收的魏裔介《兼济堂文集》(由其子魏荔彤请詹明章汇辑)中不仅未见以上两文，且也难觅他与西教士交往的蛛丝马迹。

但笔者从美国学者恒慕义(A. W. Hummel)主编《清代名人传略》"魏裔介传"❷ 中得知刘声木《苌楚斋随笔》所载，魏曾自称信教，且有他给西教士的一封信为证，又说此信藏于上海徐家汇书楼。经查刘氏原文，称魏氏致教士书札且有多件，可惜笔者至今未

---

❶ 《在华耶稣会士列传及书目》中译本，页 182—183；徐宗泽《明清间耶稣会士译著提要》，页 373。

❷ (美)恒慕义著、中国人民大学清史研究所译：《清代名人传略》上册，页 361，青海人民出版社 1995 年。原著 A. W. Hummel: *Eminent Chinese of the Ch'ing Period* (*1644—1912*), pp. 849—850, "Wei-I-chieh" (Fang Chao-Ying), Washington: United States Government Printing Office, 1943.

能查得。然而,读刘声木记叙魏氏奉教之事,可谓言之凿凿:

> 文毅学宗朱子,诗文亦醇雅,不失为儒者之言……孰
> 知其生平夙奉天主教,列名氏于上海徐家汇天主堂中。
> 当时致天主教神甫书札甚多,皆藏于天主堂藏书楼中,备
> 言奉天主教原委,实为文毅极大羞辱,此事当时竟未有知
> 之者,直至光绪年间始发见此事……文毅内怀奸尤,外昭
> 理学,真小人之尤,罪不容诛者也。❶

刘氏为清末民初人,似无理由蓄意造假攻击一位清初士人,即
便从刘氏的反西教立场出发,也不至于将清初的理学名臣魏裔介
诬为天主教徒。因此刘氏所述魏裔介奉教之事应有一定的可信
度。

笔者在进一步追踪有关史料中发现,魏氏晚年的生活与精神
旨趣颇为特殊。他从康熙十年(1671)"以老疾乞休"后家居达十六
年,期间他"优游林泉,紬绎经史百家之书,拳拳服膺于穷理尽性之
义,有所深省独得而不以告人"❷,那么他如此深沉地自我省悟,究
竟醉心于何方? 笔者从他晚年所作的《生死说》一文中,似可窥知
一二,其曰:

> 今人谓孔孟之道,止于治世,生死之说,皆是异端,殆
> 未然也……世间章句之儒,不浅陋则迂阔……知有此天
> 地世界人物而已。此世界之外,有无边世界;此天地之

---

❶ 刘声木:《苌楚斋随笔》卷五,直介堂丛刻初编 1929 年排印本。

❷ 徐乾学:《柏乡魏公裔介墓志铭》,见《碑传集》卷十一,标点本第 1 册,页 249,中
华书局,1993 年。

外,有无量天地。又天地之前,复有无量天地;天地之后,复有无量天地。我从何处来,我从何处去? 要如此讨究,一日不明,千劫不了。我此身现在有官、有禄、有富、有贵、有权力、有才智、有眷属、有子孙,此不过电光沤影,倏来倏去者耳。❶

尽管魏氏之说,究竟是向佛或向天主,不甚明了,❷ 但魏氏于此显现的关注"无边世界"、"无量天地"的精神及其超脱尘世的思想境界,无疑具备了走向皈依天主的精神动机。联系前述他在顺治末年已经显现的对天主教信仰的认知迹象,判断魏氏于晚年居家深省时,最终投身天主的可能性是存在的。同时,我们还不应忘记魏裔介家居期间的康熙十年至康熙二十五年,又正是清初天主教事业由南怀仁主持重振的鼎盛时期,直隶地区更是西士传教的重地。

张伯行,字孝先,康熙二十四年(1685)进士,官至礼部尚书,卒谥清恪。一生笃学程朱,"主敬以端其本,穷理以致其知,躬行以践其实"❸。其著述甚富,仅《四库全书总目》著录即达十四种,清人评曰"辑《道学源流》、《道统录》,以明圣贤之宗传;辑《伊洛渊源录续录》,以明诸儒之统绪"❹。他不仅深谙理学,而且广传理学。一方面他以崇扬程朱之学为己任,及门受学者达几千人;另一方面又致力于编刊理学著作,如为清初理学名家陆世仪订刊《思辨录辑

❶ 魏裔介:《樗林闲笔》,康熙龙江书院刻,四库全书存目丛书·子部第 113 册,页 640。
❷ 《四库全书总目提要》在评论魏氏《樗林三笔》时也称:"是编多以二氏为宗,殆不可解",可见清朝学者对魏氏晚年之学的宗教色彩颇感疑惑,页 1107,中华书局,1965 年。
❸ 唐鉴:《国朝学案小识》卷二"仪封张先生"。
❹ 李元度:《国朝先正事略》卷十"张清恪公事略",岳麓书社,1991 年。

要》，为陆陇其选刻《陆稼书文集》，为应撝谦刻《潜斋文集》，❶ 因
而他有清代"传道"名人之誉。其刻书之功还博得了康熙帝的赏
识，曾御批张伯行奏折云："尔在南刻书最多，可以当进之书进呈朕
览。"❷

　　张伯行对西学的态度，特别是他的反天主教主张，见于其康熙
四十八年(1709)所撰《拟请废天主教堂疏》。❸ 此疏开宗明义，呼
吁"为请废天主堂，以正人心、以维风俗事"，显见其排斥天学之立
场完全在于维护封建伦理和纲纪。细读此疏，则能看出张伯行对
西洋人和天主教的斥逐，虽然其措辞与"历狱"期间杨光先之论(详
见第三章)颇有相似之处，但他对待西学的立场和观点，主要是基
于对天儒之别的理性认识。因而，张伯行与杨光先的显著区别在
于，他并未将西洋天文历法一概排斥。这与康熙中叶以来日渐显
现的士大夫回应西学的趋势——舍"理"求"器"(详见第五章)颇为
一致。且看张伯行对西学的理解和取舍。

　　首先，他在承认西洋历法精妙，赞同清廷利用西法的同时，却
对西洋教士有组织宗教活动的潜在危险，表示严重关切。其疏言：

　　　　切见西洋之人，历法固属精妙，朝廷资以治历，设馆
　　京师，待以优礼，于理允谊。不谓各省建立天主教堂甚
　　盛，边海地方如浙江、广东、福建尤多。臣莅任以来，细查
　　确访，见其徒众日广，意诚有未安者……沿海各郡县，布
　　置尤多。每教堂俱系西洋人分主，焚香开讲，收徒聚众，
　　日增月益，不可禁止，诚恐其意有不可测。臣以菲才，谬

<hr>

❶　张伯行：《正谊堂全书》序；光绪《杭州府志》卷一百三十八"应撝谦传"；(美)恒
　　慕义主编《清代名人传略》"张伯行传"，中译本上册，页665—667。
❷　《康熙朝汉文硃批奏折汇编》第8册第3069件，档案出版社，1985年。
❸　张伯行：《正谊堂续集》卷一，丛书集成初编本，以下同引此疏文，不作注。

膺皇上特达之知，授以严疆重任……此事尤臣在闽所目
睹而不得不言者。

此见张伯行对于朝廷利用西法、优待教士，大致持赞同的态度，这
说明他并非是一个保守的排外者。而他以一种强烈的忧患心理来
描述天主教活动的危害，首先是基于封建士大夫对一切有组织性
民间活动的本能性的防范心理，更何况这种活动的组织者是彻头
彻尾的西洋"夷人"。因此，当这位肩负"严疆重任"的理学名臣眼
见这种由西洋人"收徒聚众"的活动"不可禁止"时，便油然产生一
种"以夷乱华"的强烈危机感，实乃势所必然。

其次，张氏富有洞察力地体认到天主教与儒家思想文化在伦
理、风俗，乃至在宇宙观方面的深刻差异。他指出：

凡人之生，由乎父母，本乎祖宗，而其原皆出于天。
未闻舍父母、祖宗，而别求所为天者；亦未闻天之外别有
所谓主者。今一入其教，则一切父母、祖宗，概置不祀，且
驾其说于天之上，曰"天主"，是悖天而灭伦也。尧、舜、
禹、汤、文、武列圣相承，至孔子而其大道大著。自京师以
至于郡县，立庙奉祀，数千年来，备极尊荣之典。今一入
其教，则灭视孔子而不拜，是悖天而慢圣也。且皇上以孝
治天下，而天主教不祀父母、祖宗；皇上行释奠之礼，而天
主教不敬先圣先师，恃其金钱之多，煽惑招诱，每入其教
者，绅士平民、分银若干，各以次降。臣愚以为渐不可长。
且入教之人，男女无别，混然杂处，有伤风化。

在此，张伯行指责天主教的礼仪活动在孝敬父祖、祭祀孔子与男女
有别三方面违背了儒家传统的伦理道德。众所周知，祭孔、祀祖的

218

习俗,乃是中国沿袭了几千年的重要礼制,尤其在理学的纲常说教中更有重要的意义。作为理学卫道士,张伯行自然要对西教的漠视表达极大的关切与义愤。而对于天主教的核心教义——天主至上论,更毋论难以接受了,因为在张伯行等士大夫服膺的儒学思想体系内,尽管他们承认天地万物有其主宰,但这个主宰绝不是超越世界之上、纯精神性的实体。因此他们拒绝在儒学已有的世界主宰"天"之外,"别求"一个凌驾其上的"天主",故张伯行怒斥"天主"论为"悖天而灭伦"之说,当在情理之中,此亦显现理学家与西教士在宇宙观上的严重对立。总之,张伯行排斥天主教的思想实质,在于儒学的世俗理性主义与天主教的宗教信仰主义之间的根本冲突。

正是基于对天主教危害的高度警觉与天儒之间本质差异的洞察,张伯行提出了铲除天主教的建议:"伏望皇上特降明诏,凡各省西洋人氏俱令回归本国籍,其余教徒,尽行逐散,将天主堂改作义学,为诸生肄业之所,以厚风俗,以防意外。"

上述清初两位理学家魏裔介与张伯行对天主教的两种截然相反的态度,不得不使人产生一个疑问:同样是清初理学家,魏、张二人为何对天主教的态度有如此巨大的差异? 以笔者所见,要完全准确地揭示造成这种差异的原因是困难的。因为它涉及包括个人对宗教、人生的心理体验在内的诸多复杂因素。不过,至少我们可以比较清楚地看出,引起这种差异的重要的社会条件或外在因素之一,是耶稣会士的传教策略与清朝廷的天主教政策。从魏裔介皈依天主的大致历程中,我们可以明显地看到利玛窦、汤若望采行附儒、合儒的"学术传教"策略对清初士人学者的作用。正是魏氏在顺治朝与备受荣典的耶稣会士汤若望"共闻共见",为他走向天儒合一并皈依天主的信仰打下了基础。

如果说魏裔介对西学的接纳受到了清初西学东渐兴盛时期氛

围的影响,那么张伯行对西学的拒斥则多少体现了清廷对天主教的政策趋于严酷的事实。因为,张氏攻击天主教的三个要点:敬天主、祭祖宗、祀孔子,正好与两年前开始公开化的康熙与罗马教廷间的礼仪之争先后呼应。康熙四十六年公历 1707 年 2 月 7 日罗马教廷特使多罗在南京公布其携来的致在华传教士公函,宣布天主教徒不许祭孔、祭天、供祖宗牌位,不许以天或上帝称天主。❶康熙帝针锋相对,以是否遵守"利玛窦规矩"❷ 作为传教士在华居留的准则,并在传教士中施行"信票"制度,凡不尊重中国风俗的西教士,一律解送澳门,仅在多罗宣布公函后的 3 月至 5 月,即有十几名西洋教士遭驱逐。当然,张伯行对天主教的排斥,总体上是基于对天儒差异与冲突的理性思考,即便在排教的具体措施上,主张将天主教堂"改"而非"毁",可见与杨光先有别。可以认为张伯行的反教主张,在一定程度上代表了清初儒家思想文化对西方宗教神学的理性拒绝。如果说魏、张二人的态度还不足为据,那么下述"江东二陆"对西学的反应则可进一步证实这样一个事实:西学东渐在一定程度上促使了清初正统士大夫的思想裂变。

二 "江东二陆"对西学的关注与吸取

清初理学界以"江东二陆"为复兴朱学巨子。如清人所说"本朝诸儒恪守程朱家法者,推二陆为正宗"❸。所谓二陆,一为陆世仪,一为陆陇其。关于他们对西学的理解与选择,学术界罕有论及,本文的初步揭示将为进一步探讨"二陆"之学的渊源和思想特

---

❶ 方豪:《中国天主教史人物传》中册"多罗传"。
❷ 陈垣辑:《康熙与罗马使节关系文书影印》第四件。
❸ 李元度:《国朝先正事略》卷二十七"陆桴亭先生事略"。

征,提供新的参考。

1. 陆世仪的"六艺"实学与西学因素

陆世仪,字道威,自号桴亭,学者尊为桴亭先生。他自明末为学之始,即不满王学之虚空习气,而"力矫时趋,黜华崇实"。● 入清后,绝意仕途,潜心治学,长期居乡讲学。顺治末应邀赴东林、毗陵等地书院主讲,❷ 一时弟子达数百人之多。康熙十一年(1672)卒于家。陆世仪一生著述不下 50 余种,❸ 其治学宗旨为务求实用,乾隆时学者评说:"世仪之学主于敦守礼法,不虚谈诚敬之旨。主于施行实政,不空为心性之功,于近代讲学诸家最为笃实。"❹ 其最重要的代表作即为《思辨录》,时人称:"今桴亭先生著述甚富,而微言奥义,尤炳著于《思辨录》一书。"❺

《思辨录》一书系陆世仪逐日累记学思所得。初稿所记内容为自崇祯十年至顺治五年间,经好友江士韶、盛敬二人整理,编次类辑为《思辨录辑要》。顺治十八年刊行前,又补入顺治五年至十七年间所撰各条。初刻本分为前集二十二卷,后集十三卷。此书一问世,即受到清初士人学者的欢迎。顾炎武致书陆氏,称:"昨岁于蓟门得读《思辨录》,乃知吾当世而有真儒如先生者"❻,并将自己所著《日知录》寄奉请教。颜元也致书陆世仪称赞"当今之时,承儒

---

❶ 张伯行:《陆桴亭文集·序》。
❷ 全祖望:《陆桴亭传》,丛书集成初编本《思辨录辑要》卷首。
❸ 应宝时:《思辨录辑要后集·跋》,同治十三年刊本。又见《中国历史大辞典·清史》第 272 页"陆世仪"则云"四十余种",上海辞书出版社,1992 年。
❹ 永瑢等撰:《四库全书总目》卷九十四·子部儒家类四"思辨录辑要",页 798,中华书局,1965 年。
❺ 《陆桴亭思辨录辑要》卷首"马序",丛书集成初编本。
❻ 《顾亭林诗文集·余集》"与陆桴亭札"。

道嫡派者,非先生其谁乎?"❶ 陆世仪去世后,张伯行对此书作了重订辑刊,将前后集通编为三十五卷,增补了陆氏顺治十八年后的续记。其中二十二卷刊入张氏《正谊堂全书》,即今《丛书集成初编》本。由于张伯行为一时理学名臣,此书遂广为流传。《四库全书》收录的即为三十五卷张刻本。道光中,安徽学政沈维乔依江、盛之旧重刊。同治十三年应宝时据沈本,与张本校定重刊,"重出者悉删去之,有错杂可疑者则注于其下以仍其旧"❷。

《思辨录辑要》的内容充分表现出陆氏之学的实学色彩,它自礼乐、学校、封建、贡赋到天文、地理、河渠、兵法,无不"源流毕贯"。他在书中倡导的治学主张,具有鲜明的经世致用的实学思想色彩:"今人所当学者,正不止六艺,如天文、地理、河渠、兵法之类,皆切于用世,不可不讲。俗儒不知内圣外王之学,徒高谈性命,无补于世。"❸ 可见,陆世仪已经赋予儒家传统"六艺"之论以新的内涵,他所提倡的经世之学"已超越了传统的以井田、学校即以《周礼》为基本内容的经世思想"❹,而致力于各种切用于世的实用学问。从《思辨录辑要》中反映,陆世仪本人特别注重兵、农、水利之学,并明确主张学习西方科学知识,其治学范围和旨趣已远远超出一般的清初理学家。本文探讨的重点不在于陆氏的理学思想,❺ 而在于这位清初理学家是如何关注来自欧洲的异质文化,陆氏经世之学究竟容纳了多少西学因素?

经过考察,可知陆世仪接触的西学范围涉及西方数学、天文、

---

❶ 颜元:《存学编》卷一"上太仓陆桴亭先生书",丛书集成初编本。

❷ 应宝时:《思辨录辑要后集·跋》,同治十三年刊本。

❸ 《陆桴亭思辨录辑要》卷一,丛书集成初编本。

❹ 陈鼓应等主编:《明清实学简史》,页521,社会科学文献出版社,1994年。

❺ 有关陆世仪理学思想的研讨,参见陈祖武:《清初学术思辨录》,中国社会科学出版社,1992年。

地理、火器等科技知识，他对西学的关注已经直接影响到他的学术视野，并已触动其儒学思想体系中的一些重要方面。在明清实学思潮高涨中诞生的陆氏"六艺"实学，已经明显融进了西学的因素，而他强调的"切于用世"实学思想，无疑是他接纳西学的前提。

首先，陆世仪主张的学校教育知识结构中已经包容进了西学的内容。他提出学校的教育制度应该仿效宋代胡瑗（安定）的"湖学教法而损益之"，即设经义、治事二大类，其中"治事"一类应设立天文、地理、河渠、兵法诸科，并"各聘请专家名士，以为之长，为学校之师者"。他反对把天文兵法"皆当慎秘，不当设科于学校"的守旧观点，认为设立此学可使"储才有法，国家受天文兵法之利"。❶ 从下述陆氏本人对西方天文历算等学的理解和吸取来看，"治事"之学显然涵盖西方科技知识。陆氏向学子们提出的一个"学有渐次，书分缓急"的读书计划中，即列有徐光启的《农政全书》。❷ 而此书在水利知识方面吸收了由徐光启与耶稣会士熊三拔合译的《泰西水法》，是众所周知的。

其二，主张吸收西算之精，注重经世致用的数学思想。陆世仪在《思辨录辑要》中记道："西学有几何用法，《崇祯历书》中有之。盖详论句股之法也。句股法九章算中有之，然未若西学之精。嘉定孙中丞火东更为详注推演，极其精密，惜此书未刊，世无从究其学耳。"❸ 这段记录颇有史料价值：

一则透露了陆世仪读过西学巨著《崇祯历书》。须知该书虽以历书命名，但它实际上是一部介绍西方数理天文学方法，即几何模型方法的著作，而中国传统天文学则是纯代数方法。故陆氏称《崇

---

❶ 《思辨录辑要》卷二十"治平类"。
❷ 《思辨录辑要》卷四"格致类"。
❸ 《思辨录辑要》卷十五"治平类"。

祯历书》中有"几何用法"显然是内行话。此书应是陆氏学习西方天文数学等科学知识的主要源泉。

二则表明陆氏从中西数学的比较中,已经认识到中学的落后,而他对明末精研西方数学的学者孙元化(号火东,嘉定人,1581—1633)的推崇,则表示他对引进西方数学持赞成的态度。又从陆氏对孙元化之作的评述推知,他很可能读过孙元化的西算著作《几何用法》的抄本。据知,孙元化曾随徐光启学习西洋火器和数学,且皈为天主教徒。他于1608年据利、徐二年前合译的《几何原本》而纂《几何用法》,但"十余年无有问者",至1620年因友人索要而凭回忆重编一个节本。现有此书抄本传世。❶

此外,陆世仪对徐光启早年的实用数学著作也很感兴趣,如他在谈到"开河之法"时建议:"(开河之法)其要处全在算土派工,算土莫善于徐玄扈先生送上海县公条例"❷,这里所谓的"送上海县公条例"即指徐光启(号玄扈)于万历三十一年(1603)送给上海知县刘一晃的《量算河工及测验地势法》,❸ 其内详述句股测算之法。

正是基于上述陆世仪对数学知识从理论到应用的关注,他十分强调数学在各门科学中居有基础性的重要地位。他指出:"数为六艺之一,似缓而实急。凡天文、律历、水利、兵法、农田之类,皆须用算。"尤其可贵的是,陆氏主张只有精研数学,具备真才实学方能为世所用,他说:"学者不知算,虽知算而不精,未可云用世也。"因而他特别强调在吸收西方数学时,必须要做到"精熟",曰:"泰西筹算不如中国珠算之便,但珠算易差,须精熟斯妙耳。"❹ 陆氏的这

---

❶　方豪:《中国天主教史人物传》上册"孙元化传"。
❷　《思辨录辑要》卷十五"治平类"。
❸　王重民辑:《徐光启集》上册,页57—62,中华书局,1963年。
❹　《思辨录辑要》卷一"小学类"。

种以数学用世的思想,与明末徐光启所提"度数旁通十事"❶ 所包含的实用数学观如出一辙。这充分说明陆氏理学的开放性。

其三,在西学东渐刺激下形成的开明与保守、正确与错误杂陈的知识观。天文历学在中国古代一向为封建皇家所垄断,严禁私习,至明初仍旧。自明中叶后开始松弛,明人沈德符称:"国初学天文有厉禁,习历者遣戍,造历者殊死。至孝宗弛其禁。"❷ 明末耶稣会士向中国输入西方天文学理论和仪器,与《崇祯历书》的编刊和流行,更促进了民间传习天文学的兴趣。❸ 陆世仪正处于明末清初中国天文学逐渐民间化的时代,而作为一名理学家,他对学习天文历法表现出了相当开明的态度。他说:

> 若历数则人人当知,亦国家所急赖,自立法以来未闻有以天文历数犯禁者,如徐光启、邢云路诸公,则又明明以天文历数建明于时,何可不学也?❹

在这里,陆氏已经明确主张破除天文历学的官方垄断地位,他特别例举的徐光启,即在明末主持了大规模的引进西法、改革旧历与译编《崇祯历书》的活动,从而使天文历算之学倡明一时。此见,陆氏对徐光启钻研天文历算、会通中西之学相当推崇。

读《思辨录辑要》便知,陆氏不仅相当关注而且有意吸纳西方天文历法知识。如他在论及"岁差"时公开承认,中国所测岁差数据远不如"近时西学"之精密,其原因是:"盖欧罗巴人君臣尽心于

---

❶ 王重民辑:《徐光启集》下册"条议历法修正岁差疏",页 337—338。

❷ 沈德符:《万历野获编》卷二十"历学"。

❸ 江晓原:《十七、十八世纪中国天文学的三个新特点》,《自然辩证法通讯》1988年第 3 期。

❹ 《思辨录辑要》卷四"格致类"。

天,终岁测验,故其精如此。"❶ 可知,陆氏对西方天文历学有过一定的钻研,并且还思考了西法精于中法的原因在于"尽心于天"和"终岁测验",意指西人既在思想上高度重视天文历学,又在工作中坚持长期观测天象的变化。

而他在谈到中西天文图时,曾说"盖天不如浑天,人知之矣。然浑天旧图,亦渐与天不相似,惟西图为精密,不可以其为异国而忽之也"❷。这里,我们姑且不论他对中西天文图有多少研究,令人注目的是他所提出的对待"西图"的态度——不以异国而忽之,这已经触及到了儒家传统的"夷夏"观念。作为一名理学士大夫,对于外来的西方科学,不但不以"夏夷"观念盲目拒斥,反而主张认真地加以吸取,这不能不说是一种思想上的突破。这在清初理学界是难得的。

当然,陆世仪并非是一位科学家,而是一位哲学思想家。因此,一方面他不可能有很强的科学理解能力;另一方面传统旧学对他的影响还根深蒂固。从而导致他对天体运动现象的解释,呈现科学与谬误并存的矛盾状态:一方面他承认日月五星的运行自有常规,不能作为占卜吉凶的根据;另一方面却又坚持认为天体的运行仍具"气运"、"国命"等星占学的意义。他说:

> 西学绝不言占验,其说以为日月之食,五纬之行,皆有常道、常度,岂可据以为吉凶,此殊近理。但七政之行,虽有常道常度,然当其时,而交食凌犯,亦属气运,国家与百姓皆在气运中,固不能无关涉也。……亦不无小有微验,

---

❶ 《思辨录辑要》卷十四"治平类"。
❷ 《思辨录辑要》卷十四"治平类"。

况国命之大乎？或以为西洋有所慎而不言,则得之矣。❶

同时,他对西方天文学的一些科学结论仍然表示难以理解和接受。例如他对西学日月食理论与地圆说即持怀疑甚至否定的态度。他说:

> 西学言日月蚀为地影所障,似亦有理,然即以地影之说求之,恐未必然。……月中之景,古今相传为山河大地,近以西洋望远镜窥之,良然。今为地影之说者曰:日之体大于地,地之体大于月,故日之光能及于月,而月之光每障乎地,其所以或障或不障者,以其去地远,中间空处多故也。

但他根据月中景象不是圆形而为散形,而且又是黑白不一的现象来判断,"则知地之形,未必为球,而地之大,未必仅大于月,地球间隔之说,犹有可议也。"❷ 显然,陆氏对西人日月食之说仍表示不可理解。

而对传教士输入的西方地圆说,陆世仪觉得更加难以理解。他诘问西法:"地在天中,四围俱有生齿,海水周流于地,其说似不可信",理由是"若海水附地周流而行,尤非水无有不下之理?"❸ 从陆氏否定地圆说的论据看来,显然是中国士大夫习用的经验主义思维方法。众所周知,地圆说是经过欧洲大航海活动验证的科学结论,陆氏之论再次显现了明清之际中西方思维方式的巨大差

❶ 《思辨录辑要》卷十四"治平类"。
❷ 《思辨录辑要》卷十四"治平类"。
❸ 《思辨录辑要后集》卷三"天道类",清同治刻本。

异。西方科学的实证精神与演绎推理的思维方法,无疑反衬出陆世仪的那种想当然的主观直觉思维方法的粗陋。

其四,对西洋火器的重视。研习兵阵之学是陆世仪"六艺"实学的重要内容。其研究重点有二:一为阵法,二为兵器。他对明末以来入传的先进武器西洋火炮的发展尤为关注:"夫近代之火器,则始于交趾而弥甚于西洋。西洋之器,其大者能摧数仞之城,能击数十里之远,当之者无不糜烂。自有此器,而守者不可为守,战者不可为战矣。"他已经认识到西洋火炮的发展,给中国传统兵法中的攻防体系带来的冲击,进而主张国家应采用它作为坚固国防之"长城",故说:"因念国家既有此器,将凭以为长城,欲尽去之,不可得矣"。但他又担心火炮为"盗贼"所用,会给封建国家的统治造成危害,因而在"尝欲思一断绝之法而不得"之后,主张当局实行严厉管制。他建议凡是管理火器之官员都要像天文官一样世袭,禁止民间私习火器,且只在京师一地设立火器营。❶ 陆氏对西洋火器的重视,自然要比崇祯年间理学名家刘宗周之流将引进西洋火器斥之为"不恃人而恃器"、"创为奇技淫巧"这类的愚见,❷ 要进步得多。

综观陆世仪对西学的理解与评判,可以看出他已经基本上接触到了明清之际西学东渐的主要科学领域,而他作为清初正统儒家学术的代表对西学的种种回应,无疑是考察清初中西文化交汇值得重视的个案。

2. 陆陇其与传教士的交往及其对西学的取舍

陆陇其,字稼书,学者多称之为当湖先生,常与陆世仪并举"二

---

❶ 《思辨录辑要》卷十七"治平类"。

❷ 刘宗周:《刘子全书》卷十七"感激天恩恭陈谢悃疏"。

陆",曾因世仪之子所请而作《陆桴亭思辨录序》。❶ 康熙九年进士,后来曾任嘉定、灵寿两地知县,官至监察御史。他为官清廉,刚正不阿,颇得时誉;加之他专心致力于程朱之学,攻阳明之学不遗余力,所以故世后声名大振。同为理学名士的张伯行,在陇其卒后17年(即1709年)评述其学行道:本朝理学"其笃信朱子之道而力行之者,尤莫如陆稼书先生。先生之为学也,主敬以立其本,穷理以致其知,返躬以践其实,一以朱子为准绳";又"本其所学,以见诸实用者,两膺邑宰,而德教深洽于民心",因而"士大夫倾心景慕,海内学者闻其名,敛衽而起敬。"❷ 张氏的评说多少有点溢美,不过陆陇其在清初理学界声名之高,确是事实。至雍正初,他成为有清一代第一个从祀孔庙的理学名臣。乾隆初赐谥清献,追赠内阁大学士,故乾隆时人对他的评价更高:"陇其尚朱子之学,为国朝醇儒第一。"❸《四库全书总目》收录其著作11部,主要有《三鱼堂文集》等。另有张伯行刻《陆稼书先生文集》,《指海》本《三鱼堂日记》(二卷,1839年刊,收入《丛书集成初编》),柳树芳校刊本《陆清献公日记》(十卷,笔者所见版本,题道光辛丑即1841年刻,胜溪草堂藏版,但卷首又有张履道光二十二年即1842年序,故必为后刻之校刊本)等著作传世。有关陆陇其与传教士和西学的接触,主要见于他的《日记》以及由他的同乡吴光酉所辑《陆稼书先生年谱》等。有必要指出的是,《指海》本《三鱼堂日记》与柳校本《陆清献公日记》在内容上互有出入,特别是《指海》本缺丙午至乙卯日记,致使陆陇其与西学接触的大量事迹失载,故笔者引用史料以柳本为主,并参考《指海》本《日记》及吴光酉辑《年谱》等。

---

❶ 张伯行辑:《陆稼书先生文集》卷二,正谊堂全书本。

❷ 张伯行:《正谊堂文集》卷七"陆稼书先生文集序"。

❸ 永瑢等撰:《四库全书总目》卷九十四·子部儒家类四"三鱼堂胜言",页799。

229

在清初士人中，像陆陇其这样有机会直接、多次接触传教士，并不多见。康熙十四年(1675)和十七年(1678)，陆陇其曾先后到北京与西教士及钦天监历官问谈西学。这是他一生中接触西学最多的时期。有关他与西教士的交往事迹及其对西学的反应简述如下：

陆陇其在北京交往的主要是两位耶稣会士，即意大利人利类思和比利时人南怀仁。他首次与西教士晤面，是在康熙十四年三月进京赴部谒选之际。据《日记》所载，● 他从三月十九至四月十九日与利类思、南怀仁多次交往晤谈，并获赠西书多部，开始对西方天文历学产生兴趣。当时，南怀仁早已为钦天监监副(康熙八年任)，主持西法修历事务，且正为康熙讲授西学、制造西式火炮。利类思则专心于著书传教，自然乐于接见像陆陇其这样的中国士大夫，陇其也"以扇、笔、笺送利类思，止领一扇"(四月十九日)。康熙十七年四月陆陇其再度进京，七月(年谱记八月)又赴钦天监与邵武峰谈西法。陆氏记载的有关细节与背景摘述如下：

(1)康熙乙卯年(1675)三月十九日"游天主堂，见西人利类思，看自鸣钟。利送书三种曰《主教要旨》、曰《御览西方要纪》、曰《不得已辨》，又出其所著《超性学要》示余，其书甚多，刻尚未竟。"此四种书均为利类思译撰或参编。《主教要旨》刻于1668年，为宣扬天主教义书，徐宗泽称它"为导引教外人研究圣教之书，多哲理"●。《御览西方要纪》系利氏与安文思、南怀仁同编，1669年刻，此为进呈康熙以条答皇上所问西洋风土国俗之书。其中如"西学"、"西士"与"教法"诸条，简介了西方文字、文理学科、天主教义及教士等内容。《不得已辨》为利类思专门驳杨光先反西教之作《不得已》而著，刻于1665年。而《超性学要》则是欧洲天主教神学名著圣托马

<hr />

● 以下所引据《陆清献公日记》，道光辛丑刻本。
❷ 徐宗泽：《明清间耶稣会士译著提要》，页167，中华书局，1989年。

230

斯·阿奎那《神学大全》的节译本,今传利氏译本有三十卷,自顺治十一年(1654)至康熙十七年(1678)分部续刊而成。❶ 陆陇其所见必为顺治十一年所刻之部分《天主性体》四卷(卷首有清初名臣胡世安序,参见第二章,续译第二部分至康熙十五年始刻),这与陆氏所言"其书甚多,刻尚未竟"也完全吻合。利类思送《超性学要》给陆陇其,其意显然在于传扬天主教义。

(2)三月二十八日"南敦仁遣人送《赤道南北两总星图》"。南敦仁应即为南怀仁,因怀仁字敦伯。查南氏著作目录,知陆陇其所得南氏此书又名为《赤道南北星图》,刚于3年前(1672)刊印。

(3)四月初五"至天主堂晤利类思,以《中星简平规图》归。因前南敦仁送星图有'时盘',未知用法,故以问利……"。南怀仁著有《简平规总星图》,陆氏所得《中星简平规图》即为该书之一部分。查费赖之《书目》、徐宗泽《提要》均不著此书刊印时间、地点,而陆氏所记可证该书必在康熙十四年(1675)初之前刊出。

(4)四月初八"西人利类思以南怀仁《不得已辨》来送。因前初五日,愚曾以岁差及太阳过宫之疑叩之,故以此书相赠。"南怀仁《不得已辨》一书系专为驳斥杨光先攻击西洋历法之作《摘谬十论》(参见第三章),故又称《历法不得已辨》,1669年刊。

以上所记,为陆陇其通过与传教士的交往,直接接触西学书籍与西学知识的情况,具有相当可靠的真实性。此外,根据《日记》反映,陆陇其还在北京亲自购买、借阅了一些最新出版或最负盛名的西学图书:

(5)乙卯年(1675年)五月二十五,在北京报国寺购买"日躔表"二本,自述"乃西洋历书中之一种也"。此曰西洋历书,应指汤

---

❶ 参见冯承钧译《在华耶稣会士列传及书目》,页243—244,中华书局,1995年;方豪《中国天主教史人物传》中册,页83—85。

若望在顺治二年据明末《崇祯历书》删订之《西洋新法历书》)。

(6)同年闰五月初六,又从友人处借阅《灵台仪象志》,"其书凡十六卷,内二卷系仪象图,另为大板,凡一百十七图。"此书系南怀仁所作,刻于1673年,陆氏专门借阅此书,意在特别关注最新的西洋科学知识。同时,此条记载可证,南怀仁《灵台仪象志》一书,原刻本应为十六卷,这与南氏自述也完全一致,❶ 其中图二卷另为一种大刻本。然费赖之作《南怀仁传》将此书分列为《仪象志》十四卷、《仪象图》二卷,或许即因《仪象图》"另为大板"之故,但费氏之说容易使人误解为两部书。

(7)戊午年(1678)正月二十九,"会王天市携南怀仁所送《坤舆图说》、《熙朝定案》及戊午《七政历》以归,盖因吉水有天主堂,天市迁吉水而南怀仁送之也"。南氏《坤舆图说》刻于1672年,是继艾儒略《职方外纪》后介绍西方地理学的又一重要西学著作。而陆氏有关南怀仁《熙朝定案》的记录,亦为研究该书的版本流传提供了一个重要证据。《熙朝定案》是一部专门收录与西教士相关的奏疏及谕旨等文献的著作,具有较高史料价值。台湾《天主教东传文献》初编与续编中,分别影印了罗马梵蒂冈图书馆藏不分卷本与方豪私藏本。但这两本内容各异,前者自康熙七年至十二年,后者则始于康熙二十三年,中间有13年断缺,方豪据柏应理(Philippus Couplet,1624—1692)用拉丁文撰写的天主教中文书目(撰于康熙二十五年,1686),知该书原为3册三卷,故判定"天壤间当有一本,始为完璧"❷。另据《圣教信证》甲本(纪事至康熙十七年)著录,《熙朝定案》为二卷,因此,陆氏于康熙十七年所见《熙朝定案》,虽

---

❶ 南怀仁:《新制灵台仪象志》卷首康熙十三年正月二十九日上疏,称此书有图有表,"次为十六卷,名曰《新制灵台仪象志》"。

❷ 方豪:《影印〈熙朝定案〉第二种序》。方豪的判断是正确的,今北京中科院自然科学史所、故宫博物院均藏有三卷抄本。

232

未注明卷册,但不可能为方豪提及的三卷本,只能为二卷本、不分卷本,或另一种原刻本。

(8)戊午三月初三,"有书客来……又兑得旧板《伊洛渊源录》、《西洋天问略》"。明末耶稣会士阳玛诺著有介绍西方天文历学的《天问略》,刻于1615年,崇祯二年(1629)被辑入《天学初函》。陆陇其既曰《西洋天问略》为旧版书,则可知他当时见到的应为明末刊本。

从上述陆陇其直接接触过的西学书籍来看,他涉猎的西学内容已包括了欧洲宗教神学、天文、历算、地理等领域,不过他最感兴趣的是西方天文历算知识。

陆氏曾向南怀仁询问过有关浑天仪的情况,并亲自到天主堂去观看浑天球,称赞"西人最巧算"(《日记》乙卯三月二十一、二十三日条)。有一次,当陆氏就岁差等天文历法方面的问题询问利类思时,利氏建议他去阅读南怀仁的《不得已辨》,并赠予此书,陆氏果然"读之豁然,西法曾未易吹毛",意指西法之精密确实到了难以吹毛求疵的地步(乙卯年四月初八日条)。又如四月十三,陆氏再次向利氏请教西法的时刻度分,陆氏作了详细记录:"会利类思,愚因阅南怀仁《不得已辨》云:太阳在本道,永久平行,一日约五十九分,疑日一日行一度。西法以一日为九十六刻,则宜有九十六分,如何云五十九分?举以问利",利氏作答:"西法一日分为九十六刻,一度止分为六十分,盖度自度日至日度至三百六十日,有三百六十五,故一日平行约五十九分也",且建议陇其要弄懂西洋历法"须尽看诸历书"。此见,陆氏对西洋天文历学曾经作过一番钻研。

陆陇其还明确反对杨光先之流的反西学论点,他在1675年的日记中写道(乙卯年四月初八条):"午未间,杨光先之说方才行,士子为《历法表》者,有云:'知平行实行之说,尽属尘羹;考引数根数之谈,俱为海枣。'何轻易诋呵如此?"1678年他又看到了杨光先的

《不得已》书，其中杨氏以为驳西法最有理的一条，即说以西法 250 里而差一度计算，那么欧洲距中国应是 9 万里，而利玛窦只说 8 万里，岂非自相矛盾？但陆陇其认为杨氏此说驳不倒西法，他引用傅维麟(字掌雷)《明书》中的观点，认为，造成中欧距离有 8 万、9 万、10 万之异说的原因是"皆以海程计，势迂回，若有陆路可通，不过五万里。"(《日记》戊午五月二十七条)

戊午七月二十六(年谱为八月)陆氏又赴钦天监拜访历官邵武峰，请教岁差等天文知识，"邵言西法不能出古法之范围，而多改头换面以自异。如岁差消长之法，西法不能异于古也……惟以地为圆体，此为独得。而弧矢算法，亦胜于郭守敬"。(此条记录并见于《三鱼堂胜言》卷十)邵氏的西学观颇为独特：一方面，他承认西方地圆说为"独得"，并认为与西方历学相应的计算方法也胜过中国的传统古法。另一方面，他又说西法不出中国传统历法的范围，大多为改头换面与标新立异之说。这种议论与当时开始流行的"西学中源"说，颇有几分相似。看来，邵武峰的西学观明显地表现为在接纳西方科学的同时，竭力维护中国传统科学的思想倾向。从陆陇其对邵氏有关岁差的解说作肯定性的评价("武峰之言凿然")来看，他对邵氏的西学观大致持认同的态度。

但是，陆陇其明确拒绝了天主教义，他表示："西人之不可信，特亚当、厄袜及耶稣降生之说耳。"(《日记》乙卯四月初八日条)显然，利类思、南怀仁想方设法宣扬的天主教信仰，对于陆陇其这样的清初理学家来说却是难以理解的。

以上所述可见，陆陇其与西学的直接接触远多于陆世仪，而直到晚年，陆陇其仍然关注中西科学之会通。如他在庚午岁(1690，卒前二年)始与清初会通中西科学的名家梅文鼎相交于京邸，❶

---

❶ 梅文鼎：《绩学堂诗钞》卷五"书陆稼书先生谇言后"，乾隆承学堂刊本。

次年(辛未)正月初六,他"从梅定九借郑世子《历学新意》"。四月二十九,又在拜访李光地(号厚庵)时谈梅氏历学,对光地所言"梅定九之历书皆从前所未有"印象深刻。九月十五至天津会梅文鼎,得梅氏所言"本朝言历者,有吴江王寅旭(即王锡阐),其历法高于陈献可"。可见,陆氏对清初梅、王之辈的会通中西之学相当关注。

遗憾的是在张伯行为陆陇其所刻的《陆稼书先生文集》及《四库》所收《三鱼堂文集》等著作中,除极个别与《日记》重出的事例外,均难觅其回应西学的见解。即便在日记中透露的他对西学的态度,也缺乏陆世仪的那种精义之论。其中的主要原因,恐怕在于陇其之学与世仪之学的差异:世仪为学,志存经世,"六艺"实学,广博通达;陇其治学专以"尊朱辟王"为事,深陷门户,学识偏狭,因而对于西方异质文化的接纳自然大打折扣。不过,比起他对王学末流的坚决排斥论,陆陇其对西学的态度要平和得多;再与那些空谈"夏夷之辨",将西方科技也一概排斥的保守士大夫相比,也要开明得多,因为他毕竟对西方天文历学有所钻研,有所理解。

总结本节所论,笔者以为"江东二陆"回应西学的重要性不在于他们对西学的引进与传播有什么特殊的贡献,而在于这样二位被赞为"当世真儒"的清初理学家的学术思想中竟然包涵了西方文化的因素,这一点本身就十分值得注意,它在一定程度上表明了清初中西文化交汇的广度和深度。

三 李光地的西学好尚及其意义

在清初的政治和学术史上,李光地可算得上是声名显赫的人物。他字晋卿,号厚庵,卒谥文贞,福建安溪人,故学者尊称其为安溪先生。他与陆陇其同为康熙九年(1670)进士,后来又多有交往。❶ 康熙十一年授翰林院编修。自此累官直隶巡抚、吏部尚书、文渊阁大学士。因其笃信程朱之学,深得康熙赏识,于是"凡御纂《朱子全书》及《群经性理》诸编,多命公参订"❷,遂成为康熙朝的理学名臣。李光地传世的作品,除理学著作外,还有《榕村集》、《榕村语录》及其后代所辑《榕村语录续集》等文集。❸ 作为清初的名士硕儒,他对西方文化的反应态度,无疑具有值得关注的典型意义。这既是考察清初西学流播士林的重要个案,又是探讨李光地学术宗尚的一个新角度。

李光地对西学的反应可以康熙二十八年(1689)为界分为二个时期,前期主要接触了西方天文地理学,如地圆论等,但他并未从科学思想上加以吸取,仍坚持以中国传统的"天圆地方"论解释宇宙万物的运动变化;后期受康熙帝热衷西方科学的影响,开始钻研西方历算之学,但他研究西学的动机颇有迎合、趋附圣上所好之意。

1. 从李光地与西教士的问答到南京观象台的君臣问对

据李光地自述,康熙十一年(1672)某月他曾与南怀仁讨论天体结构问题,这是他首次与传教士直接交锋。时年,他刚被授为翰林院编修,南怀仁则已巩固了在钦天监中的主导地位。李光地撰《记南怀仁问答》云:

> 怀仁深诋天地方圆之说及以九州为中国之误。其言
> 曰:天之包地,如卵裹黄,未有卵圆而黄乃方者。人以所

---

❶ 陆陇其:《三鱼堂日记》辛未四月至十月各条。

❷ 李元度:《国朝先正事略》卷七"李文贞公事略"。

❸ 《榕村集》、《榕村语录》有《四库全书》本和《榕村全书》本,《榕村语录续集》为清光绪宣统间石印本。现又有陈祖武点校本《榕村语录·榕村续语录》上下册,中华书局,1995年。

见之近,谓地平坦而方,其可乎? 天地既圆,则所谓地中者乃天中也。此惟赤道之下,二分午中日表无影之处为然。怀仁与会士来时,身履其处,此所谓地中矣。愚答之曰:天地无分于方圆,无分于动静乎? 盖动者,其机必圆,静者其机必方。如是则天虽不圆,不害于圆,地虽不方,不害于方也。且所谓中国者,谓其礼乐政教,得天地之正理,岂必以形而中乎? 譬心之在人中也,不如脐之中也,而卒必以心为人之中,岂以形哉?❶

　　李光地与南怀仁的问答,实际上代表了中西两种天文宇宙观的差异。南怀仁对"天圆地方"说的批判是从科学意义出发的,他和其他西教士传播的地圆说、九重天说等宇宙理论也是属于天文科学范畴的,而李光地坚持的传统"天圆地方"论,"圆"与"方"都不是指天体的形状,而分别指不停的运行变化过程与静止不变的意义,这已不是一种科学意义上的天文学理论,而是属于一种社会天文学的哲学思辨。

　　事实上李光地在康熙二十八年(1689)前,对中西天文历学所知极浅,甚至某些基本常识都还缺乏,只有"动静方圆"之类的社会天文学观念。而他开始对中西天文历学的真正钻研,竟是受了一次突发事件的激发,此事的因缘与结局,颇能使我们体会李光地好尚西学的个中缘由。这一事件便是李光地扈从康熙南巡期间,发生在南京观星台上的一场君臣问对。其确切时间为康熙二十八年二月二十七日,其问答的内容摘述如下:❷

---

❶　李光地:《榕村集》卷二十"记南怀仁问答",影印四库全书本。
❷　据中国历史第一档案馆整理:《康熙起居注》第 3 册,页 1843—1844,中华书局,1984 年。

（是日）酉刻，上幸观星台，召部院诸臣前，上问："汉臣中有晓知天文者否？"（时群臣）皆奏曰："臣等未尝通晓。"上又问掌院学士李光地："尔所识星宿几何？"光地奏曰："二十八宿臣尚不能尽识。"上因令指其所知者。

又问："古历觜、参，今为参、觜，其理云何？"光地奏曰："此理臣殊未能晓"。上曰："此殆距星或有谬误。以观星台仪器测之，参宿在天中，确在觜宿之先。观于此，足知今历不谬矣。"

又问："《尧典》中星今移几度？"光地奏曰"据先儒言，已差五十余度。"

上又问："恒星（天）动否？"光地奏曰："臣不能知。惟新历言恒星天亦动，但其动也微耳。"上曰："郭守敬仪器不可行于今，由不知恒星天动故也。"❶

上又问："历家言五星如联珠，可信乎？"光地奏曰："五星有经纬度，联珠之说似乎荒唐。"上笑曰："自来史志历法多不可信，质之以理，类空言无实。"……

上又历指三垣星座问光地，不能尽举其名。……

上又披小星图，案方位，指南方近地大星，谕诸臣曰："此老人星也。"光地奏曰："据史传谓，老人星见，天下仁寿之征。"上曰："以北极度推之，江宁合见是星。此岂有隐现耶？"

李光地本人也对此次问对作了记录，但与《起居注》的记载在细节上颇有出入，特别是对康熙帝的情态描述颇为生动，如关于"老人星"与"恒星天"的问答，光地记曰：

---

❶　整理本《起居注》此处标点有误，均将"恒星天"一名点断为"恒星、天"。

予说:"据书本上说,老人星见,天下太平。"上云:"甚
么相干,都是胡说!老人星在南,北京自然看不见,到这
里自然看见。若再到你们闽、广,连南极星也看见。老人
星在那一日不在天上,如何说见则太平?"上怒犹未平
……问恒星天的说话。予欲答,上云:"且止,令张玉书
说。"张云:"不知"。予始云:"即古岁差之说。西洋人方说
有'恒星天'"。上问:"谁是?"予曰:"似洋人说得是些。"❶

从问答涉及的中西天文历学知识而言,康熙帝对中国传统天
文历学中流行的一些附会性说法提出了质疑与批评,而且对西洋
历法知识显得相当内行,并明确表示赞成西法对中历的改变,如对
传教士变更觜、参二宿先后次序(即被杨光先指摘为西法"十谬"之
一)的肯定。然而,令康熙帝大为不满的是,李光地等人对他提问
的中西天文知识,或茫然不知,或一知半解,甚至以民间星占术数
之说搪塞。但是,令人费解的是,康熙帝为何要在李光地等汉臣已
经声明对天文历学"未尝通晓"的情形之下,仍执意追问考究? 甚
至到了声色俱厉、有意刁难的程度,使得号称博通古今的堂堂掌院
学士如此窘态百出。

深入考察此次问对发生的前因后果,即可发现它并非是一场
单纯的君臣对话,而是一次涉及官场斗争的政治事件。据载,时因
徐乾学与高士奇(字淡人,1645—1704)的权势之争已现裂痕,1688
年徐得知康熙帝将于次年南巡,拟定在南京召见熊赐履(字青岳,
1635—1709,湖北孝感人,因母丧在金陵守制),便派出心腹速至南
京通报熊氏,并告知康熙所不喜者,高士奇、李光地、王鸿绪(字季

---

❶ 《榕村语录续集》卷十四"本朝时事"。

友,1645—1723),所喜者徐氏兄弟,请他在皇帝召见时"喜者当极力推荐,不喜者当极力排斥也"。次年二月,康熙南巡至南京果然召见了熊氏。且看李光地的记录:

> 果见孝感日中而入,上屏退左右,与语,至黄昏始出。上问孝感:"李某(指光地)学问何如?"(熊氏)曰:"一字不识,皆剽窃他人议论乱说,总是一味欺诈。"上曰:"闻得他晓得天文历法。"曰:"一些不知,皇上试问他天上的星,一个也认不得。"孝感才出,上便卒然上观星台。众人奔挤上山……上又传呼,急切非常。既登,予与京江[按;指张玉书(1642—1711)]相攀步上,气喘欲绝。上颜色赤红,怒气问予云……❶

接着便是上述问对的一幕。李光地如此详尽地描述问对的起因,显然是在暗指此事的发生带有政治阴谋色彩。令人惊讶的是,从传教士记录康熙帝当日在南京的活动情况来印证,观星台的君臣问对确实是有预谋的。据《熙朝定案》记述:二十七日早上,皇上差侍卫赵哈邬,携礼物拜访在南京天主堂的法国耶稣会士洪若翰(Jean de Fotaney,1643—1710)和意大利耶稣会士毕嘉(G. Gabiani,1623—1694):

> 至中午,洪、毕赴行宫谢恩随带方物十二种,值驾他往。洪、毕即入宫门,俟候少顷,圣驾回宫……回堂未几,侍卫赵又奉旨来堂,问老人星江宁可能见否,出广东地平几度,江宁几度等语。洪毕一一讲述,侍卫赵即飞马复

---

❶ 《榕村语录续集》卷十四"本朝时事"。

旨。后洪毕因匆遽回答,恐难以详悉,至晚戌初时分,观看天象,验老人星出入地平度数,详察明白,另具一册,于二十八早,送入行宫。❶

综合以上《起居注》、《榕村语录续集》、《熙朝定案》三家记述,可以了解二月二十七日观星台问对事件发生的真实起因。是日辰时(早上七时至九时)康熙视察江宁府教场,赐宴、阅兵后回行宫(据《起居注》),已至中午时分,正值洪、毕二神父前来谢恩,送别神父后不久,熊赐履即于"日中"入见,熊氏诋毁李光地学问浅薄、不识天文历法,促使康熙帝顿生考究李光地之念,为此他特遣侍卫赵某再赴天主教堂向洪、毕请教关于老人星的常识,以备考问。至酉时(傍晚五时至七时)与熊氏密谈一结束,即登上观星台,有意考究李光地等汉人官员。而问对的后果,对李光地的政治前途的确产生了不利的影响。回京数月后,康熙帝即于同年五月,将他降为通政使司通政使。尽管据康熙帝自述,李光地被剥夺掌院学士一职的直接缘由,系因其"所作文字不堪殊甚",而被指责为"冒名道学","何以表率翰林"?❷ 然而究其根本原因,乃是当时李光地的学术宗尚还未与康熙帝合拍。❸ 笔者以为,这不仅指两者在理学思想上(康熙的崇尚朱学与李光地的徘徊朱、王)倾向不一,而且也包括李光地与康熙帝自我标榜的博学志向(尤其对西洋科学)各异

❶ 《熙朝定案》,天主教东传文献续编,页1766—1770,(台湾)学生书局影印再版本,1986年。

❷ 《康熙起居注》第3册,页1870。

❸ 陈祖武先生指出李光地当时的学术宗尚游移于朱、王之间,未与康熙崇奖朱学的趋向相合,见《清初学术思辨录》页210—211,中国社会科学出版社,1992年。关于李光地被削学士之由,李清植《李文贞公年谱》康熙二十八年称"(帝)南巡既还,公卿争献赋,公(指光地)不与,……上意不怿",笔者以为此说是不可靠的。

其趣。

　　经受降职打击的李光地，反思其痛，终于深明其意，于是一改过去的为学宗尚，在学问旨趣上积极向康熙帝靠拢。其后的李光地即以笃信朱学为标榜，关于这一点已有学者阐明。本文所要揭示的是，李光地对西学的兴趣，同样也是由康熙帝激发的。因为严酷的政治现实，迫使李光地清醒地意识到，如何逢迎康熙帝的西学好尚，已是攸关自身宦途沉浮的大事。

2. 结交梅文鼎，逢迎康熙帝

　　经历仕途曲折的李光地，急于求习与钻研天文历算之学，以便趋附康熙的兴趣。但是，学习历算科学对于年近半百的李光地来说并非易事（至康熙三十年满五十岁）。光地曾自记曰："某天资极钝。向曾学筹算于潘次耕（即潘耒），渠性急，某不懂，渠拂衣骂云：'此一饭时可了者，奈何如此糊涂！'其言语又啁啾不分明，卒不成而罢。"❶ 正当李光地一筹莫展之际，仅仅在降职五个月之后，他幸遇了进京参修《明史·历志》的历算大家梅文鼎，"公（指光地）往叩所学，遂与订交"❷。梅氏也曾自述"己巳年（即康熙二十八年）入都，获侍诲于安溪先生"❸。而据梅氏之孙梅毂成的记载，犹可洞悉李光地结交梅文鼎的迫切心情，"先徵君（指梅文鼎）于康熙己巳岁至都门，主家侍御桐崖先生，公（指光地）闻而先之，且设馆

---

❶　李光地：《榕村语录续集》卷十六"学"。
❷　李清馥（李光地裔孙）：《榕村谱录合考》卷上康熙二十八年条，《榕村全书》第120册，道光九年刻本。关于梅文鼎进京的原因，李清馥在该条中记曰："是时以访南怀仁入都"，但南怀仁死于康熙二十六年十二月，距梅氏二十八年十月抵京，相差一年零十个月，显系误记。梅氏首次进京实应史局之邀请，此有文鼎自述为确证，见《勿庵历算书目·历志赘言》。
❸　梅文鼎：《勿庵历算书目》，页10，丛书集成初编本。

242

焉"❶,此情此景,足以表证李光地求习历算之学的良苦用心。不久,当他得知梅氏正在着手编著一部卷帙浩繁的《古今历法通考》,便立即提出建议:"历法至本朝大备矣。经生家犹苦望洋者,无快论以发其意也。宜略仿元赵友钦革象新书体例,作为简要之书,俾人人得其门户,则从事者多,此学庶将益显。"❷ 李光地请梅文鼎作历算之学的"简要之书",与其说是为了传播与普及梅氏之学着想,还不如说是为了他迎合康熙学术志趣的现实需要。数年后名震学界的《历学疑问》,即是梅文鼎依李光地所请而作的历学通俗读本。

李、梅相交,可谓正逢其时,如光地自述,其所学历算知识"今得梅先生,和缓善诱,方得明白"❸。仅二、三年之后,李光地钻研历算之学竟是名声在外。康熙三十一年(1692),历史仿佛为李光地重演了,同样是君臣问对,同样就天文历学问题。然而,此时的李光地再也没了当年的窘态。某日,康熙帝与李光地谈及熊赐履的《闲道录》,"上曰:其所论历法何如? 汝亦有历理之书与渠(指熊赐履)相合否?"光地奏曰:"臣于历甚浅,识梗概耳。况本朝历法超越百代,其间千条万绪,臣实不能穷究。"❹ 此时的李光地,不但其钻研历算之学之后着手撰写的第一部历学著作《历象本要》(其初稿已经梅文鼎订证)❺ 已为康熙帝所知,而且他本人在与康熙问对历算问题时,也一改当年一问三不知的口径,在承认对历学钻研不深的同时,却能比较从容地表示已经略知"梗概"。这无疑是他努力求习的结果。

---

❶ 梅毂成:《历象本要·序》,乾隆七年作。
❷ 梅文鼎:《勿庵历算书目》,页 10—11。
❸ 《榕村语录续集》卷十六"学"。
❹ 李清馥:《榕村谱录合考》卷下康熙三十一年条。
❺ 梅毂成:《历象本要·序》。

而更为巧合的事情是,当年在康熙面前中伤李光地不懂天文历法的熊赐履,却在这一年里,被康熙帝以同样的历算问题揭出了丑态。李光地当然不会放过熊氏献丑的一幕,且看他对学生们的描叙:

> 壬申年(即康熙三十一年),上问孝感历算,《律吕新书》与郑世子书(按:指明代学者朱载堉所著《律学新说》、《律吕精义》等书,因载堉之父为明朝郑恭王朱厚烷,故时人称他为郑世子)孰是? 孝感原不知道,漫应以季通书(按:宋朝蔡元定字季通,《律吕新书》即为他所著)是。上大不平,曰:"管将以用之乎? 抑但以著书乎? 若测量天地大处,差得秒忽犹可,今以小管,便算得差了,如何可用?"……是日,问京江(指张玉书),京江不能答,孝感蛮说蔡季通是,又不能言其故。上向于振甲(即于成龙,字振甲,1638—1700)云:"汝平日是公道人,汝以为何如?"于云:"臣晓得甚么?"上因云:"你们汉人全然不晓得算法,惟江南有个姓梅的他知道些。他俱梦梦。"❶

李光地如此详尽地讲述熊赐履问对献丑一事,可见他对此事的感触相当深刻。究其原因,固然可以理解为这是李光地对熊氏怀有政治恩怨的一种宣泄,然而真正引起李光地关注的,更是历算之学已然成为康熙帝召对汉臣的热点问题,尤其在康熙帝眼里,汉人学士的历算知识,除了梅文鼎之外,其余皆为"梦梦"之辈。因此,李光地透过熊氏事件更加清醒地认识到,要真正迎合皇上的趣味,还必须付出更大的努力,而如何更好地结交擅长历算之学的梅文鼎,

---

❶ 李光地:《榕村语录续集》卷十七"理气"。

便成为李光地实现其政治意图所面临的最现实的问题。

第二年(1693),李光地即为梅文鼎《历学疑问》作序,言语间透露出他竭力促成梅氏撰写此书的动机。其曰:

> 余谓先生宜撮其指要,束文伸义,章逢之士(按:意指从事历算之士)得措心焉。……先生肯余言,以受馆之暇为之论百十篇而托之以疑者。或曰子之强梅子以成书也,于学者信乎? 当务与曰:畴人星官之所专司,不急可也;夫梅子之作辨于理也,理可不知乎? ……固我皇上膺历在躬,妙极道数,故草野之下亦笃生异士,见知而与闻之;而梅子用心之勤,不惮探赜表微,以归于至当,一书之中述圣尊王兼而有焉。❶

不难看出,李光地要求梅文鼎撰写的历学著作,是侧重于强调所谓的"历理",即中国传统的历法理论,并以"述圣尊王"为宗旨的应时之作。从该序中表达的历学思想来看,李、梅从事天文历学研究的旨趣并不完全一致。就在同一年,梅文鼎即辞京南归,临别前他告知李光地"尚有宜补之篇目及其图表,拟至山中续完",而光地不仅表示"余犹得竟学而观厥成",而且此后屡屡致书文鼎相勉。❷可见光地对梅氏历学一直寄予厚望。

李光地在1694—1698年提督顺天学政(或说直隶学政),以及在1699—1705年担任直隶巡抚期间,❸ 积极提倡学习历算之学,有两件事情特别引人注目:其一,李光地再度聘请梅文鼎到府署保

---

❶ 李光地:《梅定九历学疑问序》,见《榕村集》卷十二。

❷ 梅文鼎:《勿庵历算书目》,页11;李光地:《梅定九历学疑问序》。

❸ 此据李光地年谱、《清史稿》本传及"疆臣年表"记载,光地升任直隶巡抚在康熙三十七年十二月,已入1699年。

定传授历算之学,并招揽了一批对历算科学怀有兴趣的知名学士,如魏廷珍、王兰生、王之锐、陈万策、徐用锡诸位,加上其子李钟伦,梅氏之孙梅毂成也来到保定,"公(指光地)悉令受业于先征君"❶,遂使保定成为当时的算学学习中心。有学者指出"这批学习算学的人才,后来参加了《律学渊源》的编撰,迎合了康熙的需要"❷。其二,为梅文鼎刊刻了多种历算著作,如《弧三角举要》、《环中黍尺》、《堑堵测量》等,上述五位学士及钟伦、毂成均参与了校订工作。❸ 其中,1699 年刻于上谷(今河北易县)的《历学疑问》❹,无疑是李光地在此期间所刊的梅氏著作中影响最大的一部。

正是梅文鼎的《历学疑问》,为李光地讨好康熙的历算兴趣提供了一次良机。1702 年康熙南巡驻跸德州,旨令扈从南巡的李光地取所刻书籍进览。李光地当时的回答是:"匆遽未曾携带,且多系经书制举时文,应塾校之需,不足尘览"❺,于是将他刊刻的梅文鼎《历学疑问》三卷呈上。然而个中原委,很值得思考。试想,既然"匆遽未曾携带",那为何偏偏随身带着《历学疑问》? 笔者以为,合理的解释是李光地此次扈从南巡,想必预先作过应付康熙问对的

---

❶ 梅毂成:《历象本要序》。

❷ 参见韩琦:《君主和布衣之间:李光地在康熙时代的活动及其对科学的影响》,(台湾)《清华学报》新 26 卷第 4 期,1996 年 12 月。在本书修改过程中,承蒙中科院自然科学史研究所韩琦博士惠赠此文,深受教益。

❸ 梅文鼎:《勿庵历算书目》,页 36。

❹ 关于《历学疑问》刊刻时间,文献记录略有出入:李清馥《榕村谱录合考》卷下记曰"康熙三十八年冬十月(1699),刻梅定九所著《历学疑问》",但据梅文鼎《勿庵历算书目·历学疑问》云"先生视学大名,遂以原稿付之雕版";又梅毂成《梅氏丛书辑要》卷首"校阅助刻姓氏"记曰:李光地"督学畿辅,校刊《历学疑问》进呈御览,有恭记刻于卷首。而李光地提督顺天学政在 1694—1698 年,升任直隶巡抚在 1699 年(参见前页注)。据此,《疑问》至迟始刻于 1698 年光地"学政"任上,而梅氏年谱所记 1699 年或为此书刻成时间。

❺ 李光地:《榕村集》卷十四"御批历学疑问",影印四库全书本。

准备,其所带《历学疑问》或为自备用于应对之参考书,或为准备伺机奉呈圣上之书。果然,康熙对光地进呈梅氏《历学疑问》一书很感兴趣,当即表示:"朕留心历算多年,此事朕能决其是非,将书留览再发",二日后(原文"日"误为"月")康熙又召见光地说:"昨所呈书甚细心,且议论亦公平,此人用力深矣,朕带回宫中仔细看阅。"❶ 直到一年后才发回原书,李光地发现书上御览批点甚细,可知康熙确曾用心研读过《历学疑问》一书。

李光地进呈梅氏《历学疑问》的特殊意义在于,他终于得到了一次奉承康熙帝历算志趣的机会,尤其是让康熙帝感受到了他治学宗尚的转变。可以说,此事增进了李光地与康熙帝在学习科学知识方面的君臣之谊。就在同一年(1703),康熙亲赐《几何原本》与《算法原本》两本历算书籍给李光地。其中《几何原本》一书是被明末徐光启称为"度数之宗"的西学名著,徐氏并且认为"能精此书者,无一事不可精;好学此书者,无一事不可学"❷。然而,年过五十的李光地"虽经指受大意,未能尽通,乃延梅定九至署,于公暇讨论其说"❸。可知,身为直隶巡抚的李光地,为求习历算之学以迎合康熙对西方科学的好尚,乃是他再度聘请梅文鼎为师的主要动因。

又是在 1703 年,康熙曾再次召对李光地。"时方命西人自京师至德州水地平以准天度,计二百里而差一度。上以语公,公曰:'里差之算,古云二百五十里,今二百里,正以古尺当今尺八寸故耳。上大然之。'"❹ 显而易见,与以往多次君臣问对不同的是,此次李光地的回答已明显带有内行的口气,从而终于赢得了康熙的

---

❶ 同上书。

❷ 王重民辑:《徐光启集》上册,页 75—76。

❸ 《李文贞公年谱》。

❹ 李清馥等:《榕村谱录合考》卷下。

首肯。

从此以后,康熙与李光地的君臣之谊与日俱增,据载"圣祖尝诏群臣:'知光地者,莫若朕;知朕者,亦莫若光地'"❶。然而,可以毫不夸张地指出,李光地卓有成效地迎奉康熙对西方科学的好尚,乃是其晚年仕途发达的重要因素。

3. 李光地对梅氏西学的理解与超附

经康熙帝的激励与梅文鼎的指授,李光地对西方天文历算科学的理解与认识大有长进。如他所著的《算法》一文,❷ 即集中体现了他对《几何原本》和西方数学的见解。李光地在该文中,不仅比较了中西数学的差异,充分肯定了以《几何原本》为代表的西方数学之精密,并且对西方数学的应用前景,有相当明智的识见:

> 古人精密之法不传,而后世所用悉皆疏率。故所谓径一围三、径五斜七云者,不过约略之算;而其方圆相求,三分进益,虚加实退,皆非真数也。……至于今日而新法立焉,其于方圆、围径、幂积之算,不爽纤毫矣,而其书有所谓《几何原本》者,则以点、线、面、体为万数之宗。
>
> 其立法加妙,用之加广,则非古人之所及也。……欲通新法者,必于几何求其原,以三角定其度,较之以八线,算之以三率,则大而测量天地,小而度物计数,无所求而不得矣。

上述李光地对《几何原本》与西方数学的认识,当然不是他的

---

❶ 李元度:《国朝先正事略》卷七"李文贞公事略"。

❷ 李光地:《榕村集》卷二十"算法"。

创见,而主要应归功于梅文鼎的授传。正如阮元在《畴人传》中指出:"光地尝与梅文鼎讲论历术,故所著书皆欧罗巴之学"❶,正好点明了李光地西学知识的主要来源。

此后,梅文鼎的历算之学,成为李光地西学志趣关注的焦点。难怪李光地把梅氏历算之学置于明末清初各家之首:"梅先生定九历算之学,超越前代……近年徐文定公及薛仪甫、王寅旭诸贤,始深其道,然于中土源流反有忽遗。惟先生能会其全而折其中,故其学大以精,而其言公以当。"❷ 他甚至不惜以奉承、吹捧之词评说梅学,称"梅定九之历算,皆穷极精奥,又确当不易,虽圣人复起,弗能易者"❸,"从来历学,须以梅定九为第一"❹。可以说,梅氏之学左右了李光地的西学志趣。

晚年的李光地更加关注梅氏学说,尤其是对梅氏鼓吹的"西学中源"说可谓推崇备至(关于梅氏"西学中源"说的论述详见第八章),因而予以竭力阐扬。如曰:"梅定九讲算法,存古《九章》。渠言西学,总不出吾中国学内,只是中国失传。"❺

李光地在他所撰的《西历》、《历法》等文章中,详细举证了西方天文历学与中国传统天文学的许多暗合之处,进而推导出西学为中国古已有之的结论。如在《西历》一文中,李光地即称西方地圆说,"其说与《周髀》合";九重天说源于《楚辞·天问》所云"天有九重,孰营度之";而宗动天说,"其说则历代岁差之说是也"。❻ 而在《历法》一文中,再论西洋历法源于《周髀》之说:

❶ 《畴人传》卷四十"李光地传"。
❷ 李光地:《榕村集》卷十三"定九恩遇诗引"。
❸ 李光地:《榕村语录续集》卷十六"学"。
❹ 李光地:《榕村语录》卷二六"理气"。
❺ 李光地:《榕村语录续集》卷十六"学"。
❻ 李光地:《榕村集》卷二十"西历"。

新历以地为圆体，南北东西随处转移。故南北则望
极有高下，东西则见日有早暮。望极有高下，而节气之寒
暑因之矣；见日有早暮，而节气之先后因之矣。推之四海
以外，四方上下，可以按度而得其算，揆象而周其变，其说
与《周髀》合。❶

必须指出的是，李光地阐述的"西学中源"说，从立论到举证几
乎都是循着梅文鼎的思路，尤其是完全采纳了梅文鼎将西洋历算
之学推原于《周髀算经》的论点。试将李、梅之论作一对比：

其一，关于西历寒暑五带说，梅文鼎论道："《周髀算经》汉赵君
卿所注也，其时未有言西法者。今考西洋历所言寒暖五带之说，与
周髀七衡吻合，岂非旧有其法欤。且夫北极之下，以半年为昼、半
年为夜……"而李光地对寒暑五带说的解释是："其南北两端，以
去日远近为寒暑之差；东西以见日早晚为昼夜之度。东之夜乃西
之昼；南之暑乃北之寒也。如是，则东西南北安有一定之中？南北
或以极为中，或以赤道为中者，亦天之中也。此理《周髀》言之至
悉，而汉氏以下莫有知者。近新历之家，侈为独得，历诋前说，几数
万言。惜乎无以《髀》盖之术告之者。"❷ 同时，李光地不但赞同西
历寒暑五带之说源于《周髀》，而且采用梅文鼎的论据来阐述，并明
确指出西历源出《周髀》之说是由梅文鼎发明的："《周髀》自张平
子、蔡伯喈，皆以为非周公之书，后人遂谓其荒诞不经。惟唐人赵
君卿为之注……至梅定九始大加发明，遂至统括中西之学，为历学
不祧之祖，其功甚大。《周髀》言：'北极之下，有朝生而暮获者'，人
指为谩。赵氏注之云：'以北极之下，有以半年为昼，半年为夜者故

---

❶ 李光地：《榕村集》卷二十"历法"。
❷ 李光地：《榕村语录》卷二十六"理气"。

也。'此语忒煞聪明。盖北极下,日在天腰,其在上半盘绕时全是昼,及旋到下半,便全是夜。此理甚确。"❶

其二,关于地圆说,李光地称:"天圆而地亦圆,四方上下皆人物,所居各以戴天为上,履地为下也,其说与《周髀》吻合。且浑天之术,本谓如卵裹黄,乌有卵圆而黄不圆乎?"❷ 而梅文鼎说:"《周髀算经》虽未明言地圆,而其理其算,已具其中矣","又言北极下,地高旁陀,四隤而下,即地圆之大致可见,非不知地之圆也"。❸

显而易见,李、梅所论如出一辙。需要说明的是,上述梅氏之论,虽然在其晚年所著《历学疑问补》中表达得最为充分,而此书正式刊行时李光地先已作古,但是断定李光地所论源于梅氏之说仍然是无庸置疑的。理由如下:

首先,梅氏《历学疑问补》正是在李光地的催促下陆续完成的,书中表达的一些观点已为光地所知。如 1700 年初梅文鼎在给李光地的信中称:"入闽已将两月,闲暇无事,拟补作历论寄正。"❹ 1700 年,梅氏在致光地次弟李鼎徵(字安卿)的信中再次提及:"拙著历论已承中丞授梓……尚有欲补之篇,因循未报。"❺ 1704—

---

❶ 李光地:《榕村语录》卷二十六"理气"。

❷ 李光地:《榕村集》卷二十"西历"。

❸ 梅文鼎:《历学疑问补》卷一"论周髀中即有地圆之理",见梅瑴成《梅氏丛书辑要》卷 49。

❹ 梅文鼎:《绩学堂文钞》卷一"寄李安溪先生书"。据《勿庵历算书目·古历列星距度考》,梅氏入闽在康熙己卯(1699),然此信中梅氏又说:"去岁小儿书来言,拙著《方程论》令弟已为授梓",而据《绩学堂诗钞》卷四梅氏所作"李安卿孝廉刻余方程于安溪古诗四章寄谢",知《方程论》刻于己卯(1699),故将此信断为1700 年初。

❺ 梅文鼎:《绩学堂文钞》卷一"寄李安卿孝廉书"。该信内云"去岁小儿家信,言门下业将方程论付刊"即可印证此信与上引"寄李安溪先生书"应作于同一年,即 1700。又从此信首言"辛年晤别"一句得知,文鼎与安卿别后已有 8 年,则他两分别之时也在文鼎离京南归的 1693 年。

251

1705年间,文鼎又在给李鼎徵的信中谈到:"其《历学疑问》尚有当补之篇,宜附之图而久未成者,惰废之愆,真难自解。"❶ 既然是续撰而成,而且李、梅一直保持密切联系,那么梅氏在此书中的观点,甚至部分内容先为李光地所知,当在情理之中。而从该书的最终成稿时间上推断,这种可能性也完全存在。因为据梅毂成《历学疑问补》引言,称此书至文鼎"暮年始克誊稿,而文贞公已作古人,竟未得见"❷,而李光地卒于1718年,梅文鼎卒于1721年,可知《历学疑问补》之撰写历经二十几年,仅在光地卒后二三年内才最后完成。换言之,《历学疑问补》的许多篇幅当在李光地生前即已完成。

其次,事实上,梅文鼎在该书卷一首条"论西历源流本出中土即周髀之学",以及第三条"论周髀中即有地圆之理"所表达的西学源于《周髀》的思想,也确实已为李光地所知并加以吸取。如在李光地《榕村语录·理气》篇中即已明确表白,西学源于《周髀》之说乃是梅文鼎的创见。其中,除上文已经引述的李光地称《周髀》之义,经梅定九大加发明,始为中西"历学不祧之祖"外,他又进一步阐论道:

> 天地如鸡卵,古人虽有其说而未竟其论……而皆不知天地之俱为圆体。自西人利玛窦辈入中国,言地原无上下,无正面,四周人著其上。中国人争笑之,……至梅定九出,始发明《周髀经》,以为原如此说,何必西学。❸

总之,李光地对梅文鼎会通中西历学的关注,几乎伴随着他后

---

❶ 梅文鼎:《绩学堂文钞》卷一"再寄李安卿孝廉书"。因此信首语"自违诲益一纪有余",一纪为12年,自1693年至1704年,相隔整12年。

❷ 梅毂成:《梅氏丛书辑要》卷49《历学疑问补》卷首。

❸ 李光地:《榕村语录》卷二十六"理气"。

半生最为荣耀的仕宦生涯。然而,正如他当初聘请梅文鼎为师一样,李光地晚年大力附和梅氏"西学中源"说的动机,同样是为了迎奉圣上所好。有关康、梅共同倡和"西学中源"说,以及李光地在其中所起的作用,将在第八章阐述。

4. 李光地西学好尚的实质与意义

李光地虽然吸取了梅氏历算之学的成果,并且接受了梅文鼎的某些思辨方法,努力理解与评析西方科学,但他毕竟是一名理学家而非科学家。所以,李光地对西方科学的理解与接纳,并无什么科学上的新意和创见;尤其是由康熙的问对而激发的,李光地的西学好尚,从一开始就带有明确的政治意图,即为了奉承皇上所好,因而他关注西学的目的主要不在科学上,而在于政治功利。

惟其如此,我们就不难理解尽管李光地接触了那么多的西方科学,并且专门聘请精通中西科学的名家为师,然而在科学观念上却仍然充满矛盾。例如,一方面他相信西方的"天地俱圆"说,称:"天地如鸡卵,古人虽有其说而未竟其论。唐之淳风、一行,宋之尧夫,元之郭太史、许鲁斋,明之刘伯温,皆聪明绝世,而皆不知天地之俱为圆体。自西人利玛窦辈入中国,言地原无上下,无正面,四周人著其上,中国人争笑之。岂知自彼国至中国,几于绕地一周,此事乃彼所目见,并非浪词"❶;另一方面却仍以"天圆地方"的理论来解释宇宙万物的运动变化,从其早年与西士南怀仁问答时提出"盖动者,其机必圆,静者其机必方。如是则天虽不圆,不害于圆,地虽不方,不害于方",到晚年依然强调"天圆地方之说,盖以动静体性言之。实则形气浑沦相周,古人卵中裹黄之喻是已"❷,可

---

❶ 李光地:《榕村语录》卷二十六"理气"。
❷ 李光地:《榕村语录》卷二十六"理气"。

见他虽然接受了西方地圆说的科学结论,却并未吸纳西方科学的思维观念,在宇宙观上仍然停留在"动静体性"的唯心思辨中。

再则,李光地虽然承认西方历算科学之精密,但他又以中国传统天文历学中的星占术数迷信观念,指责西方历学不通天人感应之理,且看他的表白:"西人历算,比中国自觉细密,但不知天人相通之理。如古人说日变修德,月变修刑,西人便说日月交食,五星凌犯,乃运行定数,无关灾异。……通天地人之谓儒,扬雄谓:'知天而不知人则技。'西人此等说话,直是阴助人无忌惮,天变不足畏之说。"❶

由此可见,李光地对西方科学的了解程度是相当浅显的,只及于西方科学的几个新异结论或某些实用价值,几乎没有触及西方科学的思想内涵,更不要说利用西方科学作为探索和发现自然规律的方法。上述李光地看待西方科学的思想矛盾,实际上代表了中国传统学术的经学思维方法与迈向近代的西方数理思维方式的对立。

当然,揭示李光地西学志趣的实质在于逢迎康熙所好,并不等于完全否认李光地求习与钻研西学的意义,相反这可以使我们更为深刻地理解,他作为清初理学名家接触西学的动机与回应西学的立场。应该看到,李光地的西学志趣固然怀有附庸圣上的政治意图,然而从西学东渐的角度考察,其重要意义主要在于,李光地求习西学的活动本身就是清初西学流播扩展与深化的一种标志,它意味着西方异质文化已经深入到清初正统理学家的学术视野;同时,康熙与李光地君臣之间对西方科学一唱一和所造成的特殊影响力,无疑在客观上有力地刺激了清初学界的西学风尚。李光地在直隶学政和巡抚任上延揽的对历算科学有兴趣的学士,成为

---

❶　李光地:《榕村语录》卷二十六"理气"。

后来编纂汇集中西科学的《历律渊源》与《历象考成》的骨干人才;❶ 他在此期间刊印的梅文鼎历算著作,也成为清初士人了解与学习西方科学的重要参考资料。因此,李光地的西学好尚,至少在客观上有利于推动西方科学的进一步传播。

但是必须指出,李光地对西学东渐的反应是被动和消极的。这不仅指李光地的西学志趣主要是受康熙帝激发和梅文鼎的影响,而且更指他面对西方科学的挑战毫无理性思辨的创新,仍然拿起传统儒学的教条来抵御异质文化的冲击,甚至不惜趋附他人之说,以作仕途荣进的资本,这实在是反映了清初正统理学的僵化和没落。而一旦这种趋附他人的学术风气被统治者所利用,在学术思想界形成一种氛围,那么清初的中西文化交流步入歧途,将是不可避免的。

❶ 参见前揭韩琦论文:《君主和布衣之间》。

第七章　清初启蒙学者对西学的反应

　　明末清初实学思潮高涨的重要标志,就是涌现了以黄宗羲、王夫之、顾炎武、方以智为代表的一批进步思想家。他们从国家衰亡与民族危难的亲身体验与痛苦反思中,普遍地将批判的矛头指向封建君主专制主义与官方哲学宋明理学,而在构建未来理想社会模式与倡导经世致用之学中,表现出具有启蒙思想色彩的初期民主思想和科学精神。

　　作为明清鼎革时代的思想文化巨子,启蒙学者以其广博的学术视野,在抨击王学末流、倡导学以致用与追求务实学风的思潮中,都曾把目光投向充满异质文化气息的西来之学。然而,在国内学术界对他们与西学的关系,除个别人物如方以智等之外,很少作过专门的研究。显然,他们作为清初知识界一流学者的代表,考察他们究竟在多大程度上接触了西学,又是如何理解、接纳或拒斥西学的? 进而探讨他们回应西学的共性与差异,尤其是要指出他们面对同样的西方文化,为何会产生褒贬不一、取舍各异的认识? 这无疑会有助于我们更加深入地了解清初中西文化碰撞与交融的程度。

一　方以智的质测之学与西学观

　　在明清之际的启蒙学者中,方以智是以科学精神的倡导者著称的。他在总结和批判中国古代自然科学中,借鉴西方科学,提出了重实证、重实践的"质测之学"。有关他与西学的关系,学术界已有不少研究成果。❶本节将从中西文化交流史的角度,考察方以智接触西学的渠道及内容,揭示方氏提倡的"质测之学"所包含的西学观及其在清初士林中的特殊影响。

1. 方以智西学知识的来源

方以智初识西学早在明朝末年,有关概况可以参见其笔记《膝寓信笔》中的自述:

> 西儒利玛窦泛重溟入中国,读中国之书最服孔子。其国有六种学,事天主、通历算、多奇器,智巧过人,著书曰《天学初函》,余读之多所不解。幼随家君长溪,见熊公,则谈此事。顷南中有今梁毕公,诣之问历算、奇器,不肯详言,问事天则喜。❷

结合其他文献,即可以考见方以智早年接触西学的主要渠道是:

其一是阅读《天学初函》等西学书籍。《天学初函》即为李之藻于崇祯二年(1629)编刊的,由入华耶稣会士编译的汉文西学丛书。

---

❶ 张永堂:《方以智的生平和思想》,台湾大学历史所博士论文;蒋国保:《方以智哲学思想研究》,安徽人民出版社 1987;侯外庐:《方以智的生平与学术贡献》,《方以智全书·前言》,上海古籍出版社 1988;任道斌:《方以智简论》,《清史论丛》第 4 辑 1982;罗炽:《方以智对西学的批判吸取》,《湖北大学学报》1988:2;W. J. Peterson (美国彼得森):Fang Yi Chih:"Western Learning and the mvestigation of Things"(《方以智的西学与格物》),收于 Prof. W. T. de Bary(戴百瑞)主编:*The Unfolding of Neo - Confucianism*(《理学的发展》),pp. 389—399, Harvard University Press, 1975.

❷ 方昌翰编:《桐城方氏七代遗书》本,页 25—26。

方以智所述"其国有六种学"即源于该丛书所收艾儒略《西学凡》一书中介绍的欧洲大学分为六种学科,即文科勒铎理加(Rethorica)、理科斐录所费亚(Philosophia)、医科默第济纳(Medcina)、法科勒义斯(Leges)、教科加诺搦斯(Canones)、道科陡录日亚(Theologia)。虽然方氏初读西书时,对许多西学新知还难以理解,但这毕竟是他学习和掌握西学知识的开端。

其二是拜师"熊公",请教有关西学的内容。这里所说的"熊公",就是明末清初学者熊明遇(1579—1649),字良孺,号坛石,他死后学者们私谥曰"文直先生",故后人称熊氏为"文直先生"❶。明遇与西人、西学多有交往,曾在明万历四十二年(1614)为西班牙耶稣会士庞迪我《七克》作序,名《七克引》,同年十一月又为意大利耶稣会士熊三拔《表度说》作序。此两序均辑入熊明遇之子熊人霖为其父所刻诗文集《文直行书》(包括诗十三卷,文十七卷,首一卷)内,其中《七克引》在"文"卷卷五,《表度说序》在卷四,但易名为《西域天官书叙》。1615年熊氏擢为兵科给事中,据说或为葡萄牙耶稣会士阳玛诺《天问略》初刻本校阅。❷ 显见熊明遇于西学有直传。从他为西士所作的书序中看出,他对西人、西学入华持明确的赞赏和接纳态度,如《七克引》称:"西极之国,有畸人来……绝海九万里,观光中国,斯亦勤已。所携图书巧作及陈说海外,谣俗风声异哉……诸公大雅宏达,殚见洽闻,精天官、日历、算数之学,而犹喜言名理,以事天帝为宗,传华语,学华文字,篝灯攻苦,无异儒生,

---

❶ 熊明遇:《文直行书》卷首章士鸿"文直先生传",熊氏生于万历七年己卯,卒于顺治己丑六月,终年七十一岁,辛卯(1651)夏熊氏既葬,学者私谥之曰"文直先生",清顺治十七年熊人霖刻本,原藏北京图书馆。

❷ 据王重民:《中国善本书提要》页278,称"《天学初函》本《天问略》,题友人熊明遇等九人校阅",但笔者查(台湾)学生书局影印《天学初函》本《天问略》,未见熊氏等九人校阅之题署,徐宗泽《译著提要》也无此说,王氏或见另版《天问略》。

真彼所谓豪杰之士也耶!"❶《表度说》序说:"西域欧罗巴国人,四泛大海;周遭地轮,上窥玄象,下采风谣,汇合成书,然理解。仲尼问官于剡子曰:天下失官,学在四夷,其语犹信。"❷

明遇在此借用的孔子问郯之典故,源出《左传》,据载鲁昭公十七年东夷人郯子来朝,孔子曾向郯子请教有关自然知识,事后孔子深有体会地说:"吾闻之,'天子失官,学在四夷',犹信。"熊氏将西士比作郯子,充分显示他愿意像当年孔子问郯那样,向西士请教西学。

明万历末年,熊明遇因被怀疑与东林党串通,而"出为福建金事"❸。方以智于万历己未年(1619)随父入闽,首次向熊明遇投问西学。同时,方以智又开始钻研《天学初函》,熊氏为《七克》《表度说》所作两序,均可从中读到,故熊氏对西士、西学的态度必然为方以智所瞩目。

其三是直接来自西教士的传授。方以智与西教士的初次接触,是他流寓南京(崇祯七年至十二年,1634—1639)期间拜访过意大利耶稣会士毕方济(F. Sambiasi,字今梁,崇祯四年至十六年即1631—1643年在南京)。此事,方以智另有《赠毕今梁》诗为证❹。毕方济曾以译编《灵言蠡勺》著称,该书专门介绍了西方研究灵魂的学问即所谓亚尼玛(Anima)之学。此书初刻于1624年,后又刊入《天学初函》理编。方以智在南京向毕氏投问"历算、奇器"与"事天"之学,即已涉及东传西学的主要内容——西方科学与宗教。不过,毕方济作为肩负宗教使命的传教士,所传西学当然重在西方神

---

❶ 《天学初函》影印本第2册,(台湾)学生书局1986年重印本。
❷ 徐宗泽:《明清间在华耶稣会士译著提要》,页283。
❸ 《明史》卷二五七"熊明遇传"。
❹ 《流寓草》卷四,诗曰:"先生何处至,长揖若神仙。言语能通俗,衣冠更异神。不知几万里,尝说数千年。我厌南方苦,相从好问天。"

哲学,而对于方以智投问西洋历算、器用之学,自然"不肯详言"。

因此,方以智尽管较早接触过西学,但因得不到良师指点,仍然对西方科学不甚了了。方以智开始深刻理解与接受西学知识的转折点,是在他步入三十而立之际,即与著名耶稣会士汤若望的结交。崇祯十三年(1640),方以智中进士,由此揭开了他在北京的"曼寓"生涯,直至明朝覆亡。期间,他有幸结识了正在北京参与译编《崇祯历书》的汤若望。由于得到了汤若望的直接传授,方以智终于日趋精通西学。❶

从现存方以智的著述中,我们可以明显地发现他所吸取的西学知识主要有两大来源:其一是耶稣会士汤若望直接传授的西方科学知识;其二是来自《天学初函》等西学著作,包括大量吸收过西学知识的中国学者的著作,特别是熊明遇的《格致草》。

方以智的上述西学知识渊源,主要反映在他的科学思想代表作《物理小识》中。据美国学者彼得森(W. J. Peterson)统计,《物理小识》中约有百分之五的篇幅的资料来自西学著作,其中有 50 余处引文来自意大利耶稣会士艾儒略译著的《职方外纪》❷(此著编入《天学初函》)。

在《物理小识》中,不仅记录有汤若望亲自授传的西方科学知识,而且对其译述的《坤舆格致》也相当关注。在卷七"金石类·砒水"中写道:"其取砒水法,以琉璃窑烧一长管,以炼砂取其气。道未公(汤若望字道未)为余言之。崇祯庚辰(1640)进《坤舆格致》一书,言采矿分五金事,工省而利多。"❸ 据考证,汤若望译述的《坤

---

❶ 方中通:《陪诗》卷二《与西洋汤道未先生论历法》云:"先生崇祯时已入中国,所刊历法故名《崇祯历书》。与家君交最善,家君亦精天学。"

❷ W. J. Peterson: Fang Yi Chih : "Western Learning and the mvestigation of Things" , W. T. de Bary: *The Unfolding of Neo-Confucianism* , p.396, Harvard University Press, 1975.

❸ 《物理小识》卷七"金石类"。

舆格致》之底本,是欧洲文艺复兴时期科学家乔治·阿格里柯拉
(GerogiusAgricola,1494—1555)所著矿冶学经典《矿冶全书》十二卷
(*De re Metallica*,Libri XII,Basel ,1556)。❶ 又从《增订徐文公集》所
收李天经奏疏中得知,李天经是《坤舆格致》汉译的直接主持者。
翻译工作自崇祯十一年(1638)至十三年(1640)完成。李天经在崇
祯十三年六月所呈"题为遵旨续进《坤舆格致》疏"中说:

> 臣报国有心,点金无术,因于旁通十事内,采译西庠
> 《坤舆格致》一端,成书三卷,于去岁七月内恭尘御览,
> ……既奉明旨纂辑续进,微臣曷敢少缓?因即督同远臣
> 汤若望及在局办事等官,次第纂辑,务求详明;昼夜图维,
> 于今月始获卒业,为书四卷,装璜成帙,敬尘御览。❷

可知,该书汉译共为四卷。方以智所记《坤舆格致》的进呈时间与
主要内容,均相当准确。

《坤舆格致》进呈御览后,崇祯帝曾有意将其下发各省,令地方
官依照西洋之法组织开采矿产,以充国用。但朝中阁臣对于是否
采纳《坤舆格致》实施开矿之事发生了争论,时任翰林院侍讲的方
以智也特别关注此事,曾专门作了记述。如在《物理小识》中记载:
"壬午(1642)倪公鸿宝为大司农亦议之,而政府不从。"❸ 稍后,他
又在《钱钞议》一文中提及:"前年远臣进《坤舆格致》一书,而刘总
宪斥之。"❹ 方以智所提"倪公鸿宝",即为倪元璐(1594—1644),字

---

❶ 参见潘吉星:《阿拉里柯拉的〈矿冶全书〉及其在明代中国的流传》,《自然科学
   史研究》1983 年第 1 期。
❷ 徐宗泽编:《增订徐文定公集》卷四,1933 年铅印本。
❸ 方以智:《物理小识》卷七"金石类·砒水"。
❹ 方以智:《浮山文集前编》卷四"曼寓草中"。

玉汝,号鸿宝,"大司农"乃明代对户部尚书的通称,而所谓倪氏奏议不为政府采纳一事,详见《倪文贞公文集》,实指倪氏针对明廷颁发《坤舆格致》令各省开矿之议,特上《请停开采疏》建议停止开矿,但未被崇祯帝采纳。而据《明史·倪元璐传》,倪氏于崇祯十五年九月被召为兵部右侍郎兼翰林院侍读学士,次年五月拜户部尚书兼翰林院学士,❶ 故知方以智与倪元璐是翰林院的同僚。《物理小识》中有关倪元璐奏议开矿之事应该是方以智的亲身所闻,不过他将此事发生的时间误记了一年。另据学者考证,方以智《钱钞议》中所说的"远臣"显系西士汤若望,而"刘总宪"则为崇祯十五年(1642)八月擢任左都御史的刘宗周(1578—1645)。❷

方以智一再提及明廷内部对于颁行《坤舆格致》和西洋开矿之法而引发的争议,可以想见他对此事的关心程度。从上述方以智的有关记叙来看,他虽然并未公开批驳倪元璐和刘宗周之说,但是从他称述《坤舆格致》介绍的采矿冶金业"工省而利多"来看,他对采行西法开矿之议是持赞成态度的。由此可见,方以智与倪、刘二位名臣虽然同朝为官,但他们对西洋科学的认知,显然志趣各异。

方以智西学知识的另一大渊源,即是他早年拜问西学的师长熊明遇及其晚年修订定稿的《格致草》。❸ 熊明遇与西教士和西学的关系,已略见前述。《格致草》作为熊氏吸收西学的代表作,大量征引了耶稣会士译著的西学书籍,而方以智则明显地吸取了《格致草》的某些内容与观点。

《格致草》初名《则草》,稿成于万历年间,刻于华日楼,一时"海

---

❶ 《明史》卷二六五"倪元璐传"。

❷ 参见潘吉星前揭文。

❸ 熊明遇:《格致草》六卷,分2册,刊入《函宇通》内,清初刻本,北京图书馆善本室藏。

内宗之"。❶ 此后,该书续有修订扩编,并改名为《格致草》。清顺治五年(1648),熊明遇为避战乱迁居福建潭阳,因见《大统》旧历、《西洋新法历书》等历算著作,便对《格致草》作了最后的订补。❷同年,熊志学将《格致草》与熊明遇之子熊人霖著《地纬》合刊,并以《格致草》言天、《地纬》谈地而命名为《函宇通》,一套四册行世(前者为元册、亨册,后者编为利册、贞册)。据熊志学《函宇通·叙》称,《格致草》"分至、金水诸论,则今戊子考测乃定",戊子即为顺治五年,可见《格致草》中涉及天文历算的部分内容,直到清初熊明遇去世前一年才最终定稿。

《格致草》共为六卷(目录中不分卷数,书内分卷),其内容主要是探讨天文、历法、生物、地理及其他各种自然灾异现象,前三卷基本上讨论了天文历算问题,据其征引的材料分析,他着重参考了耶稣会士所传的西洋天文历学,特别是《崇祯历书》和《天学初函》。卷四、卷五运用西方科学原理,辨析自然界风云雷雨等现象的变化与成因,卷六阐论天地之成由,在《大造恒论》、《大造畸说》等条的讨论中,甚至谈及天主教神哲学问题,如西方灵魂说、上帝造世说等。

已有学者做过仔细统计,称《格致草》征引耶稣会士编译的西学书籍主要包括:利玛窦《乾坤体义》、《坤舆万国全图》,李之藻编《天学初函》理、器编十余部书,傅泛际《寰有诠》,高一志《空际格致》,徐光启和李天经监修的《崇祯历书》,汤若望《远镜说》、《西洋新法历书》等。❸

值得注意的是,笔者从熊明遇诗文集《文直行书》中发现,熊氏

晚年对西方科学的认识已经具有相当的理性水平,如他对徐光启主持编译的《崇祯历书》以及由西教士传播的西方历算之学评价说:

> (崇祯)即位之初,特允礼臣徐光启之请,修正大统历,兹十余年已有《崇祯历书》,珍藏石渠金匮中,其所刊定,实前古所未有十数事焉……惟今时秘府藏万国图书,郏子之官梯航九万里,鞮译而至。南北两极之间,黄赤二道之下并经亲测。日月之著明,星辰之彪列,确乎有据。宜畴人子弟及草泽耆宿,不能与之争疏密远近也。❶

众所周知,随着明末《崇祯历书》的译编及清初《西洋新法历书》的颁行,西方数理天文学体系得以全面引进。熊明遇不但敏锐地觉察到《崇祯历书》所传的西方科学是前所未有的,而且已经看到了西方实证科学的优势,可见他对西方科学的认识无疑走在了同时代学者的前列。尤为可贵的是,熊明遇直到临终前一年,仍在钻研西方传教士译传的西洋天文历学,不断修订其科学专著《格致草》,并以"孔子问郯"的精神,尽可能将最新传入的西方科学更多地包容进他的"格致之学"中。因此,方以智把熊明遇的"格致之学"作为他从事"质测之学"的重要参考对象之一,实在是明智的选择。

今见方以智的代表作《物理小识》,确实有多处征引了熊明遇之说。如卷一"天类"的第二条"天象原理",就是综合《格致草》卷一"原理恒论"与"原理演说"二节的主要内容而成。方以智在该条结尾处自述:"万历己未年(即明万历四十七年,公元 1619),余在

---

❶ 熊明遇:《文直行书·文》卷十二"钦天册"。

长溪,亲炙坛石先生,喜其精论,故识所折衷如此。"❶ 显然,方以智对年幼时有机会当面领教熊明遇的学识印象深刻,并且表示熊明遇谈论西学的见解对他深有启发。《物理小识》卷一"历类·节度定纪"在概述明末清初学界有关历法研究的情况时,也提到了熊明遇:"近惟海宁朱康流、槜李陈确庵,皆事黄石斋先生,知历法。山东薛仪甫究此廿年。六合汤圣弘好读书,知《授时历》,与黄俞邰善。建阳游子六,因良孺熊公而推之,闻其褐塞,研极不厌,终当一块。"此外,《物理小识》卷一"南极诸星图"、"九重"等条也引述过《格致草》的论说。

尤为重要的是,方以智的《物理小识》在学术思想上接受了熊明遇的影响。例如,《格致草》卷一"原理演说"中表达的地球纬度和气候影响人类文明论,即被《物理小识》所采纳。熊明遇说:

> 中国处于赤道北二十度起至四十四度止,日俱在南,既不受其亢燥,距日亦不甚远,又复资其温暖,禀气中和,所以车书礼乐、圣贤豪杰为四裔朝宗。若过南逼日太暑,只应生海外诸蛮人。过北远日太寒,只应生塞外沙漠人。若西方人所处北极出地与中国同纬度者,其人亦无不喜读书、知历理。不同纬度便为回回诸国,忿鸷好杀,此又一端也。❷

熊明遇的这段论述几乎原封不动地被方以智征引在《物理小识》卷一"天象原理"中。如果从学术思想上来理解这段话的含义,无非是说相同的地理条件会产生相似的人类文明,这一观点会使

---

❶ 《物理小识》卷一"天类",万有文库本。
❷ 《格致草》卷一"原理演说"。

人联想到具有近代意义的"地理环境决定论"。不过,熊、方提出此论的本意主要是为平等地对待入传的西方文化找到一种合理的解释。然而,此论的精义更在于,他们将中国文明与传教士代表的西方文明置于同一层次考察,并且承认西方人与中国人同样也是知书达理者,这显然已经超出了儒家传统思想"夏夷之辨"论的樊篱。这种较为开明的文化心态,正是方以智理解与吸纳西方科学的思想前提。而方以智在《物理小识》中表达的"借远西为郯子"❶ 的高见,与前述熊明遇在《表度说序》中借"仲尼问官于郯子"来比喻接受西学的意愿,其思想理路更是一脉相承。总之,熊明遇利用西方科学所从事的"格致之学",对方以智的"质测之学"产生了直接的影响。

当然,方以智的西学知识除了上述两大主要来源外,还有清初传教士最新译著的西学书籍,如由波兰耶稣会士穆尼阁授传、清初学者薛凤祚(字仪甫)译述的《天步真原》与《天学会通》等。由于方以智在清初生活的时间长达 28 年(卒于康熙十年,即 1671 年),恰好经历了清初汤若望时代的西学东渐,因此他能读到的清初西学代表作,除了前述熊明遇所见的汤若望《西洋新法历书》之外,还有熊明遇不可能看到的《天步真原》等西学著作。这在方以智的《物理小识》和《通雅》中均有明显反映。❷

2. 方以智"质测之学"的西学内涵

方以智作为明末清初的大科学家和哲学家,其思想体系中最具启蒙色彩的是他提出了尊重科学新知的"质测之学"的理论。这

---

❶ 《物理小识·总论》。
❷ 《物理小识》卷一"历类"与《通雅》卷十一"天文·历测"均引述了薛凤祚会通中西历法之论,以及他为西士穆尼阁笔译的《天步真原》。详见第 3 小节。

既是方以智接受西方科学刺激和影响的思想表证,同时又是他吸纳西方科学的思想基础。

方以智将世间的学术分为三类:一曰"质测",是研究"物理"的,即今指自然科学;二曰"宰理",是研究"治教"的,相当于社会政治伦理学;三曰"通几",是研究"所以为物之至理"的,即今所谓哲学。其中他对"质测"之学的解释是:"物有其故,实考究之,大而元会,小而草木蠢蠕,类其性情,征其好恶,推其常变,是曰质测。"❶换言之,"质测"意即实测、实证,而"质测之学"的研究对象则是整个自然界的客观事物。

在"借远西为郯子"的旗帜下,把西方科学纳入其"质测之学"的范畴,这是方以智对西学的基本反应。借孔子问学于郯子的典故来表达吸收和借鉴西方科学的愿望,是方以智和熊明遇等许多明末清初知识分子对待西学的共同心态。这也表明,方以智等人在正面迎接西方异质文化时,首先是在儒家传统思想的框架内寻找到了接受西学的理论根据,从而巧妙地回避了另一大影响深远的儒家传统思想——"夏夷之辨"论。正因为如此,他们对西学的具体吸收,往往是通过中西学术的比较来进行的,因而西学中的那些明显优于中国传统旧学的西方学术精神,最容易被优先吸取。

方以智正是在比较了中西学术方法的巨大差异之后,尖锐地批判了中国传统象数之学和儒家经学中长期存在的虚妄臆说,清醒地认识到西方科学具备了一种中国传统学术最为缺乏的东西——实证精神。他指出,传统的象数之论"核实难,逃虚易,洸洋之流,实不能知其故。故吹影镂空,以为恢奇,其言象数者,类流小术,支离附会,未核其真"❷;而传统的儒家经学则是"汉儒解经,类

---

❶ 《物理小识·自序》。
❷ 《物理小识》卷一"天类"。

多臆说,宋儒惟守宰理,至于考索物理时制,不达其实"❶。而对于科学研究,中国学者或不屑一顾,或只凭直觉臆断,如方以智所指斥"历数律度,是所首重,儒者多半弗问,故秩序变化之原,不能灼然"❷,"旧说金水在日天下、日天上,皆无确据"❸;反观西洋历法,"历立经度、纬度、日月食分、各省时刻、分秒,可谓密矣",而这主要归因于西人依靠望远镜等天文仪器获得的观测数据,作为制历的依据。❹ 再如关于"天河"(星系)的认识,中国的《博物志》言:"天河与海通,浮槎见织女,归访君平,乃寓言耳",而"西学以窥天镜(即望远镜)窥之,皆为至细之星"❺,意思是说西人经过实际观测才得知,天河是由无数颗细小的星星组成的。又如关于传统的"星土分野"说,方以智指出:"星土分野隋唐之志为详,然自西法图成,则两戒之说荒唐矣,两戒即两界……利玛窦为两图,一载中国所尝见者,一载中国所未见者,……可谓决从古之疑。一行两戒之论,辨若悬河,以今直之,皆妄臆耳。"❻ 显然,在方以智的眼里,西学依靠实测手段得出的结论更具说服力。因此,他在对西学所作的总体评价中,首先肯定了西学的"质测之精",如说:"万历年间,远西学入,详于质测,而拙于言通几"❼;"太西质测颇精,通几未举"❽。由此可见,方以智提出"借远西为郯子"的口号,主要是为了借鉴西方"质测之学"的实证科学精神。

正是基于对西学的这种认识,明清之际出现的一大批西学译

---

❶ 《通雅》卷首之一。
❷ 《物理小识》卷一"天类"。
❸ 《物理小识》卷一"历类"。
❹ 《通雅》卷十一"天文·历测"。
❺ 《通雅》卷十一"天文·历测"。
❻ 《通雅》卷十一"天文·历测"。
❼ 《物理小识·自序》。
❽ 《通雅》卷首。

著,如从明末的《天学初函》和《崇祯历书》到清初的《西洋新法历书》与穆尼阁的《天步真原》等主要西学代表作,都已进入了方以智的学术视野,成为他从事"质测之学"的重要参考资料。

在体现方以智"质测之学"内涵的主要著作《通雅》和《物理小识》中,大量引用了西方科学知识。仅就西方天文历学方面,他就介绍了如地圆论、九重天说、黄赤道、岁差、日月食、历法等知识。如关于地圆说和九重天说,他介绍说:"地体实圆,在天之中,喻如胜豆。胜豆者,以豆入胜,吹气鼓之,则豆正居其中央,或谓此远西之说。"❶ 又说:"九天之名,分析于《太玄》,详于吴草庐,核实于利西江,按《太玄经》九天……此虚立九名耳,吴草庐澄始论天之体实九层,至利西江入中国而畅言之,自地而上为月天、水天、金天、日天、火天、木天、土天,恒星天,至第一重为宗动天……此九层相包如葱头。……地与海本是圆形而同为一球,居天球之中,如鸡卵,黄在青内。"❷ 值得一提的是,方以智以"利西江"称呼利玛窦很可能是他的创造。利氏字(或说号)西泰,那是他把中国人称呼西方为"泰西"二字颠倒而来;以智称以"西江",或许是取利氏是泛海而来的西人之意。稍后在康熙时,尤侗作《外国竹枝词》称"利泰西",是为作诗押韵而改。

在地理学方面,《通雅》卷十一"天文·历测"介绍了西方寒热五带说、世界五大洲说等知识。卷十七"地舆"比较了中西地图,而在卷首一"音义杂论·考古通说"中,则明确肯定了西方地图入传的价值:"至太西人,始为合图,补开辟所未有。"方以智还创造性地介绍了西方世界地理学说,他以瓜比喻地球,以瓜蒂和瓜脐指代南北两极,说:"利公自太西浮海入中国,至昼夜平线,见南北二极皆平转。

---

❶ 《物理小识》卷一"历类"。

❷ 《通雅》卷十一"天文·历测"。

南过大浪山见极出地三十二度，则大浪与中国正对矣（又按西书，南亚墨利加玛八作正中国对足处）。故以瓜喻之，自北蒂而南脐为五带。"❶ 在《物理小识》卷一"历类"中又进一步解释："瓜自蒂至脐，以其中界周围，为东西南北一轮，是赤道也"，并与黄道、经度、纬度相交。这种形象的比喻，无疑为传播西方新知，拓宽中国学者的视野，起了重要的启蒙作用。

此外，方以智也介绍了可资实用的西方奇器，如地球仪、自鸣钟、测量器等。而他在文字音韵学上，通过参考《西儒耳目资》等西学著作，对西方拼音文字的借鉴，❷ 试图实现中外语言"数千载之下，亿万里之外，皆可对翻"的崇高愿望，同样表现出求实、开明的西学观。

方以智在将西方科学纳入其新兴"质测之学"的同时，又从哲学思辨的角度，去审视入传中国的整个西学体系中的"质测"与"通几"的关系。前述，他对西学的评价是"太西质测颇精，通几未举"、"详于质测，而拙于言通几"。那么，方以智所说的西学不善于"通几"，究竟特指何意？

综观方以智对西方质测之学的论述，他贬斥西学"拙于言通几"主要是针对西教士们在传播西方科学时往往掺杂着天主教神学说教。法国汉学家谢和耐（Jacques Gernet）在他的名著《中国和基督教》中指出："当他（方以智）引征由传教士们口授或撰写的科学著作时，便系统地删去了一切与宗教观念有关的著作。"❸ 例如方以智在介绍西方"九重天说"时，就剔除了西教士们宣扬的"诸天

---

❶ 《通雅》卷十一"天文·历测"。

❷ 参见《通雅》卷首、卷一"疑始"、卷五十"切韵"、《浮山文集后编》卷之一"等切声原序"等。

❸ 耿昇译：《中国和基督教》，页88，上海古籍出版社1991年。

悉由一灵而运"❶ 之说。他否认了有所谓天主神灵所居的"静天",指出"所谓静天,以定算为名。所以大造之主,则于穆不已之天乎!彼详于质测,不善言通几,往往意以语阂。"❷ 意即"静天"不过是以数据定算出来的,所谓"大造之主"也只能是运转不已的自然界之天体。可见,方以智明确拒绝了天主教宣扬的神学宇宙观。

同样,方以智在《物理小识》卷三"人身类"中引述汤若望《主制群征》有关人体骨骼、肌肉种类等生理知识时,有意略去了上帝"造化人身"的宗教说教。他对西教士以中国儒家经典中的"上帝"等同于"天主"的附儒之论,作了辨析,说:"物所以即天所以天。心也、性也、命也,圣人贵表其理;其曰上帝,就人所尊而称之。"❸ 意指所谓"上帝"只是人们尊称的一种名词,根本不是什么人格神。可见,方以智批驳西学"不善言通几"的哲学贫困,首先是对准天主创世说之类的宗教神学说教的。

方以智质测、通几之学中的精义之论,是他提出的"质测即藏通几者"❹ 与"通几护质测之穷"❺ 之说。他明确阐析了质测与通几的辩证关系:"不可以质测废通几,不可以通几废质测,或质测,或通几,不相坏也。"❻ 其含义为:自然科学中包含了哲学的认识方法论,而哲学理论对自然科学研究又有指导意义,二者相辅相成。方以智在明末清初之际,能够看到科学实践与思想方法的内在关系确实是超群之见。

---

❶ 傅汎际译义、李之藻达辞:《寰有诠》卷四。
❷ 《物理小识》卷一"历类"。
❸ 《通雅》卷十一"天文·释天"。
❹ 《物理小识·自序》。
❺ 《愚者智禅师语录·示中履》。
❻ 《物理小识·总论》。

271

从方以智的这种先进思想出发，人们有理由相信他应该看到了蕴藏于西方质测之学中的先进科学方法。然而令人遗憾的是，尽管方以智在清初士人中表现出了吸取西方"质测"之学实证精神的一流意识，但他并没有继续提升到对西方科学的逻辑方法进行哲学概括的思想层次。

同样的遗憾也表现在方以智对西学"质测未备"的指责上。当他极富洞察力地批判西方宗教神学的"通几"之拙时，他又认为"彼之质测，犹未备也"❶。当然，从理论上说，包括西方"质测之学"在内的所有科学实践，都是处在不断完善与发展的过程当中，方以智认识到西方科学也有不完备的地方，无疑是正确的；但他指责的西学"未备"之处却未必尽然。如他曾批评利玛窦的宇宙理论："其言日大于地百倍余，余不谓然。日光甚烈，人在地上，必然死矣。写天日大于地，以地影尽而言之也。不知光尝肥，影尝瘦，不可以直线取。"❷ 然而，据有关学者考订，利玛窦《乾坤体义》中说的"日轮大于地球一百六十倍又八分之三"，比的是日轮与地球的体积，而不是直径，因此不能得出太阳直径过大，而离地球太近的结论。这是方以智自己搞错了。

如果说，方以智对西学"质测未备"的指责，多少还有一种不盲从、不迷信西方科学的怀疑精神值得肯定的话，那么，他欲以中国传统象数之学的方法来弥补西方"质测之学"的"通几"之拙，则是一种科学方法论上的倒退，也是他学术思想的自我矛盾与局限之处。如他所说"智每因邵蔡为嚆矢，征河洛之通符，借远西为郯子，申禹周之矩积"❸；"尝借泰西为问郯，豁然表法，反复卦策，知周

---

❶ 《物理小识·自序》。

❷ 《通雅》卷十一"天文·历测"；《物理小识》卷一"历类"有相似记述。

❸ 《物理小识·总论》。

公、商高之方圆积矩全本于《易》,因悟天地间无非参两也。"❶ 方以智是把"远西"的质测和中国的矩积统统归于《易》学象数体系。而中国象数之学到宋明时代已陷于神秘主义的虚妄,徐光启曾猛烈抨击其为"妖妄之术谬言数有神理"。它作为一种思辨哲学的产物,其象数推理方法与西方以科学实证为基础的数理思维方法有着本质的区别。前述,方以智曾经在批判传统象数之学虚妄不实的基础上,努力吸取过西方质测之学的实证精神,而在这里,他又试图用象数之学去弥补西学的"通几"之穷。此举必然陷于方法论的矛盾,大大限制他对入传西学的精华——西方科学思维方法的汲取。因此,方以智从其"质测通几之学"的哲学思辨中引出的西学观,既有对西方科学实用价值与实证精神的灼见,也有对西学内在思辨理论价值的否认而导致的失误。方以智西学观的这种复杂性,只能从 17 世纪中国社会新旧杂陈的时代矛盾中去理解了。

3. 方以智西学观的传播与影响

两部反映方以智西学观的代表作《通雅》与《物理小识》,虽然从明末开始撰写,但在入清后均作了许多修改、整理,特别是吸收了清初入传西学的内容,最终于康熙初年定稿。《通雅》始刻于康熙丙午年(康熙五年,即 1666 年),《物理小识》刻成于康熙丁未年(1667)❷。笔者不同意有些学者将《通雅》和《物理小识》视作方以智早年思想的代表作,而赞成这两部书是方以智中年著作的观点。事实上,笔者认为仅从这两部书征引的有关西学材料,亦可考证其成书时间。如《通雅》卷十一"天文·历测"详细引述了"北海薛氏"所说"中历不及西士者,凡有数种",文末且说"始以三角对数法为

---

❶ 《浮山文集前编》卷六"曼寓草"卷下。

❷ 蒋国保:《方以智哲学思想研究》第四章"方以智著作索考"。

测量新义,详《天步真原》"。这里所说的"北海薛氏"就是清初会通中西的大家薛凤祚。薛氏原为山东益都人,因益都曾是汉代北海郡地,故称凤祚为"北海薛氏"。他于顺治中在南京向波兰籍耶稣会士穆尼阁学习西洋天文历算,并传译穆氏之《天步真原》,后又将其会通中西之作汇编成《历学会通》,刊于康熙三年(1664)。他是第一位引进西方对数方法的中国学者。据此,《通雅》最后编成必在康熙三年至五年间。而《物理小识》卷一"历类"中的"九重"、"岁差"两条,卷二"风雷雨阳类"中的"野火塔光"已经引征了熊明遇《格致草》的内容。前述《格致草》由熊志学刊于顺治五年(1648),此可明证《物理小识》乃方氏清初编定的著作。方以智在《随寓说》中也明确说过:"揭子宣刻我中年之《物理小识》。"❶ 因此这两部书代表了清初方以智的西学观应无异议。

有关《通雅》与《物理小识》以及方以智的西学观在清初士林中的流播与影响,本书第二章已有所论及。值得指出的是,方以智通过家学与师徒授传的方式,影响到了他的儿子方中通、方中履(字素北)和他的学生揭暄(字子宣)、游艺(字子六)等人对西学的兴趣。

据方中通自述:"中通少时,偶尔好算,初讯授时于汤圣弘,己与薛仪甫游穆尼先生所,闻其言彼国近有五十年明一水星者,较之前此诸家,又更精确。"❷ 在《陪集·陪古》卷一"南亩记"中,方中通更加明确地叙述了其父"质测之学"对他的影响:"余少遭难失学,长从泰西穆氏游,好西学,及究声音历律、周髀九数诸学,顾吾中土有过焉者,遂穷象数之奥。初览三式五行家言,固尝疑其不根,逮

---

❶ 康熙《青原志略》卷五。

❷ 揭暄:《璇玑遗述》"方中通序",乾隆三十年会友堂刊本。

侍老父合山,始知通几贵乎质测。"❶

其弟方中履著《古今释疑》❷ 亦对西学多有征引,如卷十二"天地之形"述地圆说云:"至利玛窦入而始畅,其言曰:地与海本是圆形,而合为一球,居天球之中,诚如鸡子黄在青内";同卷"左旋右旋"条引述了《崇祯历书》所载九重天说;而"经星移动"条有言:"今汤道未以西历详考黄赤经纬变易",则知中履已经参考了清初汤若望编刊的《西洋新法历书》等西学新著。又卷十七"切韵当主音和"条,充分肯定了传教士创制的拉丁字母汉语拼音方案,说:"泰西人入中国,立字父母,即以父母为切响,而翻字无漏,何其便乎",接着又详细引述了耶稣会士金尼阁所著《西儒耳目资》中的有关论述,这显然是对其父方以智借鉴西方拼音文字而进行音韵学研究的直接继承。正如当世名士徐乾学对中履之学的评述,可谓数语道破:

> 天下言文章者必推方氏,太史(注:此指方以智,明清时称翰林官为太史,以智曾官翰林院检讨,故称)尝著《通雅》、《物理小识》诸书,援考该博,传于当世。素伯为名父子,耳濡目染,学有原本,是书之作,犹太史之志也。❸

揭暄、游艺和方氏父子,因共同的学术旨趣而结成了一个关系紧密的师友团体。据方中通说"当吾世而言历算之绝学,通得交者

---

❶ 方中通:《陪集》,康熙继声堂刻本。

❷ 方中履:《古今释疑》十八卷,康熙汗青阁刻本,原藏中科院图书馆,现收入四库全书存目丛书·子部第99册,齐鲁书社,1995年。

❸ 徐乾学:《古今释疑序》,载《憺园文集》卷十九,康熙冠山堂刻本,四库全书存目丛书·集部第243册,齐鲁书社,1997年。必须指出,据徐序内称此序乃"承方子之命而序之",但本文前引方中履《古今释疑》康熙汗青阁刻本,虽然录有多达十篇序言,却未录徐序,原因未详。

六人"❶，其中便有揭子子宣和游子子六两人。揭暄曾为方以智刊《通雅》，校《物理小识》，又与方中通辩论"日轮大小"（结论是"光肥影瘦"）、"古今岁差之不同"（结论是"须测算消长以齐之"）以及天体运行等问题，编成《揭方问答》一书。❷ 康熙初揭暄撰《璇玑遗述》，游艺撰《写天新语》。方中通对这两部著作印象深刻，他记曰：

> 嗣入都，闻之道未汤先生，始知游子精西历，获读《天经或问》，累书往复辨难，然犹迄今神交，未一见。及省亲盱江而逢揭子《写天新语》一书，多深湛之思，质测旁征，剖析无留义。❸

而方以智对揭、游两人之学更是热心扶持。他不仅为他们两人撰写了书序，称揭暄"独好深湛之思，连年与儿辈质测旁征，……每发一条，辄出大西诸儒之上"❹；称游艺之学"概言历象，取太西（即泰西）质测以折世俗之疑"❺，并且亲自为这两部书校正。据"易堂九子"之一邱邦士记道："子宣初名其书为《璇玑遗述》……后更就正浮山大师，师子位伯，名之曰《写天新语》，订论尤详，分列之以为数十余条。"❻

因此，游艺《天经或问》中的"天"、"地"两卷卷端并题"皖桐方密之先生鉴定，闽中游艺子六氏辑答"❼，可谓名副其实。正如时

---

❶ 方中通：《陪集·陪古》卷一"中西算学通序"。
❷ 阮元：《畴人传》卷三十六"方中通"。
❸ 方中通："中西算学通序"。
❹ 揭暄：《璇玑遗述》卷首"方以智序"。
❺ 方以智：《游子六天经或问序》，《浮山文集后编》卷之二。
❻ 揭暄：《璇玑遗述》卷首"邱维屏序"。
❼ 王重民：《天经或问跋》，《中国善本书目提要附录·题跋·十三》，上海古籍出版社1983年。

人文德翼所说:"余窃闻子宣当今之儒者也,与吾友印兹、赓之、密之诸君子交至深,从事圣学,而以心印天,以天印心……又闻闽人有游子六者,受西洋玛窦之学,著书曰《天经或问》,两书实表里焉。"❶

文德翼之序已经相当明确地指出了揭、游之学与方以智以及入传西洋科学之间的关系。可见,揭、游二人是方氏"质测之学"的重要传人。

本书第二章已经略述方以智著作的流传情况,尤其是他与清初顾、王、黄三大思想家均有交往,其中王夫之对方氏的质测之学可谓推崇备至,下文将专门述及。值得注意的是《四库全书总目提要》对《通雅》的学术地位给予了特别的评价,称它"考据精核",实开清初考据学风之先河,"风气既开,国初顾炎武、阎若璩、朱彝尊等,沿波而起,始一扫悬揣之空谈"❷。从上述方以智倡导质测之学,以及《通雅》中包含大量西学内容来看,他所开创的清初考据学风,其重实证、讲逻辑的特征,应与西洋科学的刺激和影响有着密切的关系。发人深思的一个现象是,被清代乾隆朝学者列为考据学风继承者的顾、阎、朱三人,亦均与西学有过接触,西学业已成为他们共同关注甚至可资利用的新兴学问。关于顾炎武与西学的关系,将在本章后面论述。至于阎氏,他曾与清初会通中西的历算名家梅文鼎相交,他的代表作《尚书古文疏证》,已将清初依西洋新法制定的《时宪历》用于考证,其卷六云:"今余既通历法矣,仲康在位十三年,始壬戌终甲戌,以《授时》、《时宪》两历推算……"❸ 本书第二章已述朱彝尊不仅收藏有方以智的《通雅》和《物理小识》,而

---

❶ 揭暄:《璇玑遗述》卷首"文德翼序"。

❷ 四库全书总目·子部杂家类三,页1028。

❸ 阎若璩:《尚书古文疏证》卷六上,第81—84条,上海古籍出版社。

且藏有西洋书43本,他与梅文鼎也有过交往。另有史料证实,阎若璩、朱彝尊曾与清初精研西方历算学的大家王锡阐和梅文鼎,以及理学名臣李光地,先后共同校阅过一册康熙朝著名欧洲传教士南怀仁所编的《新制灵台仪象志》,他们看过的这部书至今仍保存在北京图书馆。❶

以上列举的种种迹象表明,考察清初考据学从方以智首创到顾、阎、朱等人继起的历程,西学东渐的刺激和影响应该是不可忽略的要素之一。当然,清初考据学风的兴起,从根本上说是由于明清之际社会嬗变而导致学术思想流变的内在原因所决定的,❷ 然而,揭示刺激清初考据学风兴起的外来因素,无疑有助于我们更加全面、深刻地理解和把握清初学术思潮的内涵与特征及其演变轨迹。

二 黄宗羲对西学的研究、吸收与拒斥

黄宗羲,字太冲,号南雷,世称梨洲先生。他生活在一个被他称为"天崩地解"❸ 的年代(1610—1695),期间正是中国封建社会学术文化的大变革时代,也是明清之际西学东渐趋向高潮的关键

---

❶ 此册乃李光地于丁未(1667年)从南怀仁处索赠,卷首南怀仁"弁言"之后有光地题识,并署"山阴阎若璩校一通","锡鬯、寅旭同观"(锡鬯为朱彝尊字,寅旭为王锡阐字),又署"宣城梅文鼎借览"。参见 Xi Zezong: "Ferdinand Verbiest's Contributions to Chinese Science", *Ferdinand Verbiest*, *S. J*: (*1623—1688*) *Jesuit Missionary*, *Scientist*, *Engineer and Diplomat*, pp.204, Edited by John W. Witek, S. J., Steyler Verlag·Nettetal, 1994.

❷ 有关明清之际学风形成的社会背景及思想特征,参阅谢国祯著:《明末清初的学风》,人民出版社1982年。

❸ 《南雷文定·留海昌同学序》,沈善洪主编《黄宗羲全集》第10册,浙江古籍出版社。

时期。作为 17 世纪中国学界具有远见卓识的一流学者，他对骎骎而入的西来之学自然不会视而不见或漠然处之。就现存史料来看，黄宗羲在青年时期即与西学有过接触，是清初最早研究西学的启蒙学者之一，并多有著述，惜仅存《西历假如》一卷传世。❶ 由于史料的缺佚，学术界尚未对黄宗羲与西学的关系有过系统的论述，笔者试就他与西学的接触途径、对西学的理解和反应的立场等问题作一探讨。

1. 黄宗羲与西学的接触

现知在黄宗羲存世的所有著述中，均未见他与西教士交往的明确记载，但他接触并吸收过西学却是事实。不过笔者在修改本文时，依据新搜集到的史料再结合原有资料进行重新思考后，发现黄宗羲在崇祯年间不仅研读过西学著作，而且极有可能与著名耶稣会士汤若望有过直接交往。如果笔者的推论成立，则无疑是清初启蒙学者接受西学影响的重要证据，也是研究黄宗羲生平与思想值得重视的新材料。

从现有的各种资料来看，黄宗羲开始接触西学的时间应不迟于崇祯年间。其理由之一，为黄宗羲自称在年轻时结交的最令他敬重的四位学友中，至少有两位在崇祯年间曾与欧洲传教士有过直接交往："余束发交游，所见天下士，才分与余不甚悬绝而为余之所畏者，桐城方密之、秋浦沈昆铜、余弟泽望及子一四人。"❷ 此四人中，方以智（字密之）和魏学濂（字子一）均在崇祯年间与西教士交好。子一约于崇祯十五年（1642）为葡萄牙耶稣会士孟儒望（J.

---

❶ 《黄宗羲全集》第 9 册。

❷ 黄宗羲：《翰林院庶吉士子一魏先生墓志铭》，《黄宗羲全集》第 1 册。

Monteiro,1637 年入华)"较(校)正"所著《天学略义》一书。❶ 密之流寓南京时,曾拜访意大利耶稣会士毕方济"问历算、奇器"。仕宦北京时(1640—1644)与西士汤若望(字道未)交善而"精天学"❷。梨洲与密之相交至深,崇祯十二年梨洲赴南京应试时,身患疟疾,密之亲自为之诊尺脉。壬午年(1642)入北京,密之与他言河洛之数,梨洲赞其"另出新意"❸。在现存黄宗羲著作中,惟独提及的西教士就是与方以智相交的毕方济和汤若望。❹ 尽管他并未明确说明他本人与这二位西教士有无直接往来,但方以智无疑是黄宗羲了解西士和西学的中介之一。

其理由之二,是崇祯年间的黄宗羲已经具备了接受西学的思想基础。梨洲发愤读书始于崇祯初年,当时的他就已表现出废虚求实的治学志向,"愤科举之学锢人生平,思所以变之",因而他对经史、九流、百家、天文、历算之书,"无所不窥者"。❺ 这种求学志趣,无疑是黄宗羲接受西方科学知识的思想前提。

理由之三,是在崇祯年间黄宗羲的访学经历中,他完全有机会阅读西学书籍。据其自述,从庚午年(崇祯三年,1630)至辛巳年(崇祯十四年,1641),他曾数度寓居南京黄居中家,将其千顷堂之藏书翻阅殆遍。❻ 本书第二章已据黄虞稷《千顷堂书目》著录,知该堂收藏有二十多部西学书籍。书目卷十三"天文类"所录包括了《崇祯历书》与《天学初函》器编所录十种西学著作。尤为可贵的是在该卷"历算类"著录:"徐光启《崇祯历书》一百二十卷,又历学小

❶ 《天主教东传文献续编》第 2 册,(台湾)学生书局影印。
❷ 均已见前文引注。
❸ 黄宗羲:《思旧录·方以智》。
❹ 黄宗羲:《弘光实录钞》卷三甲申(1644)十二月"庚午,使西人毕方济通南洋船";《南雷诗历》卷三《赠百岁翁陈赓卿》。
❺ 黄宗羲:《天一阁藏书记》。
❻ 黄宗羲:《天一阁藏书记》、《思旧录·黄居中》。

辨一卷,又历学日辨五卷",并列有子目。经查对《徐光启集》(王重民辑)卷七、卷八"治历疏稿一、二"、《明史·艺文志》及阮元《畴人传·徐光启传》所列《崇祯历书》子目,可以判定千顷堂之《崇祯历书》系略有残缺的一百二十六卷明刊本。❶ 这是《崇祯历书》明刊本的最早著录之一。下文将有充分资料证明,黄宗羲在千顷堂极有可能研读过《崇祯历书》等西学书籍。因为他十分熟悉《崇祯历书》的内容,在他清初所著的《西历假如》等书中,还大量引用了《崇祯历书》中的天文历学资料,并认为该书"关系一代之制作",建议将该书的编制作为明代历学的一件要事写入《明史·历志》。❷ 而从丁巳年(1677)黄氏所撰《黎眉郭公传》中透露,他对崇祯朝中西历法之争也相当了解:

> 时言历者四家,原设大统、回回而外,别立西洋为西局,布衣魏文魁为东局,彼此排击,言人人殊……西人欲主西法,而以中法为佐;公欲主中历,而以西洋诸历为佐。❸

尤其引人注目的是,黄宗羲曾经得过西士汤若望所赠的日晷,他们两人很可能直接交往过。此事见于全祖望(号谢山)之诗《明司天汤若望日晷歌》,歌名下自注"得之南雷黄氏"❹。诗末几句云:

---

❶ 笔者所见《千顷堂书目》版本为四库全书本、适园丛书本、好古敏求斋本,以及今人瞿凤起、潘景郑整理本(上海古籍出版社 1990 年)。四库本著录《崇祯历书》为一百十卷,而其余三个版本均著录为一百二十卷。
❷ 黄宗羲:《答万贞一论明史历志书》,《黄宗羲全集》第 10 册。
❸ 《南雷诗文集》上,《黄宗羲全集》第 10 册。
❹ 全祖望:《鲒埼亭诗集》卷二,《四部丛刊》本。

昨过南雷搜古物,片石瞥见委书林;依然二十八宿扪可拾,四游九道昭森森。大荒有此亦奇儿,摩挲置我堂之襟。

谢山言之凿凿,殆非虚言。据载,汤若望从崇祯七年(1634)起,向朝廷进呈自制望远镜、日晷、星晷等西洋仪器。[1] 此后直至1666年去世,他始终没有离开过北京。考察黄宗羲行踪,他在此期间惟独只有壬午年(即崇祯十五年,1642)到过北京,并结交多名新老学友,曾与方以智促膝深谈"河、洛之数",同年冬(十一月)离京南返。[2] 全祖望作日晷歌在清雍、乾间,而歌名仍注以"明司天汤若望",显指日晷为汤若望于明末效职历局、传译西洋天文历法时所造。因此,从时间上看,黄、汤相晤于北京完全有可能。而前述方以智与汤若望交善,黄、汤相交或许正是受了方以智热心西学的影响。

十分可幸的是,笔者从罗振玉《金尼石屑附说》中得见汤若望所赠日晷的拓印图片。据罗氏附说:

汤若望手制日晷二,其小者不知谁氏所藏,其大者初藏黄梨洲先生家,后归全谢山先生,先生有长歌记其事。吴中顾子山观察(文彬),官宁绍台道时得之甬上,予又得之顾氏。此器垂三百年皆为吾乡人所藏,亦一奇矣。[3]

从罗氏书中收录的拓印图片看,大号日晷正面上端横刻"新法

---

[1] 魏特著,杨丙辰译:《汤若望传》,页154—155。

[2] 黄宗羲:《思旧录》"方以智、朱天麟、巩永固"以及"顾玉书墓志铭"均记载梨洲北京之行,《黄宗羲全集》第1册。

[3] 罗振玉:《金尼石屑附说》卷下,《艺术丛编》本。

地平日晷"字样,表面刻有经纬线,经线两端刻注时辰,纬线两端注有二十四节气,即指地球在公转轨道上的二十四个位置,以及太阳经过这些位置的时刻。晷面左右两侧各有一行竖刻铭文:"修正历法远西汤若望创制"和"崇祯十五年岁次壬午日缠东井吉旦"。可知,汤若望所赠日晷的制作时间为崇祯十五年农历五月,❶ 换言之,黄宗羲获赠之日晷是汤若望在四五个月之前新制而成的。笔者虽然不知该日晷现今的下落,但罗氏所记日晷辗转流传的经历十分清楚,故黄宗羲所得日晷即为汤若望赠送的"新法地平日晷"应无疑议。值得注意的是,该"新法地平日晷"保留了中国传统日晷刻注节气、时刻的特点,因此它是一件中西合璧的天文仪器(有关"新法地平日晷"的制造方法和使用原理,在今见据明末《崇祯历书》修订的《西洋新法历书》中已有介绍)。汤若望以体现中西文化相融的日晷作为礼物,赠予中国文人学者,其动机显然在于推行"学术传教"策略。

再从黄宗羲晚年作诗(作于壬戌年,1682),坦言汤若望为其西洋历算知识的启蒙教师,更见他与汤若望的知遇非同一般。其诗曰:

西人汤若望,历算称开僻。为吾发其凡,由此识阡陌。❷

从上述各项证据及推理可见,黄宗羲与汤若望曾在北京相晤,并以西洋新法日晷相赠,此说应该是成立的。以上所述概而言之,黄宗羲在崇祯年间已经对西人和西学有了初步的了解,从而成为

---

❶ 据《礼·月令》:"仲夏之月,日在东井",而仲夏为农历五月。

❷ 《赠百岁翁陈赓卿》,《黄宗羲全集》第 11 册。

他日后研究西学的起点。

　　入清以后,黄宗羲在交游访学中应有更多的机会接触西学。据梨洲自述,他在庚寅年(1650)三月曾至常熟钱谦益(号牧斋)书楼访学:"馆于绛云楼下,因得翻其书籍,凡余之所欲见者,无不在焉。"❶ 本书第二章已据钱氏《绛云楼书目》得知该楼收藏有西学书籍 10 部。另据康熙朝学者刘凝(字二至)考证,钱谦益曾为明末反西学要员密云和尚重刊其代表作《辨天三说》,且以刊者"鸿雪堂主人"❷ 自署。牧斋晚年(卒于康熙四年,1665)理有致梨洲尺牍言:

　　　　自国家多事以来,每谓三峰之禅,西人之教,楚人之诗,是世间大妖孽。三妖不除,斯世必有陆沈鱼烂之祸。今不幸而言中矣!❸

此见,西书、西教乃是梨洲与牧斋共同关注之事。

　　黄宗羲自建藏书楼"续钞堂",曾于康熙五年购得一批绍兴祁氏"澹生堂"散出的藏书,为此曾与吕留良交恶。而翻阅《澹生堂藏书目》,❹ 知该堂也收藏有十几部西书,包括《天主实义》、《畸人十篇》、《七克》、《几何原本》、《简平仪说》等。❺ 以黄宗羲对西学的兴趣,他对澹生堂收藏乃至散出的西书应该是关注的,不过笔者尚未找到直接的史料证实。

　　清初,黄宗羲又从爱好西学的挚友梅朗中(字朗三)处得到了

---

❶　黄宗羲:《天一阁藏书记》。
❷　刘凝:《觉斯录》,转引自方豪《明末清初天主教适应儒家学说研究》。
❸　《南雷诗文集附录·交游尺牍》。
❹　《绍兴先正遗书》本。
❺　主要著录于卷六"儒家类·杂家"、卷十"天文家类·历法",间有重复列入。

一件西教士馈赠的龙尾砚。其事虽小，却也能在一定程度上透露出黄宗羲对中西文化交流的态度。黄宗羲对西士所赠的龙尾砚不仅奉为"绝品"，且赋诗记其辗转得失：

> 一砚龙尾从西士，传之朗三传之我。燕台濒洞风尘中，留之文虎亦姑且。十年流转归雪交（梨洲书室名雪交亭），治乱存殁泪堪把。……昔年送女入甬东，穴避偷儿不相假。吾时闻之在中途，欲行不前奈两踝。❶

梨洲嫁女甬东途中失砚，时在 1654 年冬，❷ 而诗云此砚已有十年流转，可知西士赠砚当在明朝崇祯末年。

有趣的是，此砚遭窃十一年后，失而复得，并转赠吕留良（号晚村）。晚村记其事曰：

> 余姚黄太冲名宗羲所赠也。研八角而不匀，角当四正，体狭长，两旁角阔，额又狭，于下背作屈角，三足，有铭，即六朝回文旧语，而中刻耶苏三角丁圆文。其质则歙之龙尾也。……未几失去，又十一年而复得之，遂以见赠。❸

晚村所谓八角砚，即梨洲所得之龙尾砚。晚村既说梨洲此砚在十一年后失而复得，则可推知梨洲复得及转赠龙尾砚必在康熙四年（1665），并非方豪先生所说的顺治十七年（1660）。❹ 又从"未几失

---

❶ 《南雷诗历》卷一《读上蔡语录……》。
❷ 黄宗羲：《思旧录·万泰》云"甲午冬，余嫁第三女于朱氏（即甬东朱沆）"。
❸ 《吕晚村文集》卷六"友砚堂记·八角砚"。
❹ 方豪：《明末清初旅华西人与士大夫的晋接》，见《方豪六十自定稿》。

去"一句得知,梨洲从得砚到失砚的时间必然短暂,故梨洲得龙尾砚的时间应不迟于 1654 年。而 1653 年以后,正是黄宗羲告别"游侠"生涯,开始潜心于学术之际。

关于吕留良所述龙尾砚铭的释意,方豪先生认为:"三角丁圆文者,峨特式字也。称以耶稣者,亦以拉丁文为教会常用语。"❶但此种解释并不确切。笔者认为,晚村所述砚铭实指耶稣会会徽。该会徽的构图大致为:中间刻有拉丁文字母"IHS",系拉丁文"Jesus Hominum Salvalor"词头缩写,意即"人类的救世主耶稣";上方为十字架,十字中的一竖与字母"H"中间一横相连;正下方为三枚交叉的三角形箭头状铁钉,全图外围饰以光芒圆圈。晚村所述砚铭"即六朝回文旧语,而中刻耶苏三角丁圆文",其所谓六朝回文即指诗词字句回旋往返,皆能诵读通义的文体,若以回文刻围成一个圆圈,再于其中铭刻耶稣会会徽,即与上述耶稣会会徽的构图特征十分吻合。

耶稣会士于龙尾砚上铭刻其会徽,显然旨在扬教。事实上,从利玛窦入华开始,耶稣会士们便利用其会徽来宣扬其宗教信仰。如 1608 年,利玛窦呈献世界地图给万历皇帝,他在致罗马耶稣会总长的信中,特别强调了进呈这幅地图的用意:"这对我们传教十分有利,因为在此地图中有不少耶稣之名,皇帝也知道很清楚,还有本会的徽章,上为耶稣圣名的简字。"❷ 顺治七年,汤若望设计建造的南堂正面门额上也镌刻有耶稣会会徽,其云:"用拉丁文大字母简书救世主名字 ISH 三字,四周更以神光彩饰。"❸ 此会徽也常见于明末清初耶稣会士带来的西书中;耶稣会士撰著的第一部

---

❶ 方豪:《拉丁文传入中国考》。

❷ 罗渔译:《利玛窦书信集》下册,页 389,(台湾)光启社、辅仁大学出版社,1985年。

❸ 魏特著,杨丙辰译:《汤若望传》页 251。

中文教理书《天主圣教实录》，其崇祯年间重刊本之扉页上即印有此会徽。❶ 另据笔者导师黄时鉴先生提供的外文资料，清代乾隆时制造的出口葡萄牙的一件瓷器"圣水盆"上即铭有"IHS"会徽。❷ 此类例证，不胜枚举。可见，在华耶稣会士将其会徽刻印于器物、书籍上乃是其常用的宣教手段。

　　总结以上对龙尾砚的流传及其砚铭的分析，可以得出结论：该砚必为崇祯末年一位在华耶稣会士所赠，而赠砚者很可能为喜结中士的耶稣会士汤若望。耶稣会士以中国文人所嗜好的文房一宝，再铭刻上由中国六朝回文圈围的耶稣会会徽，赠予中国的文人士大夫，足见其迎合中国文化习俗以推行"学术传教"策略之良苦用心；而从受赠方黄宗羲、吕留良等著名学者来看，对这件包容中西文化因素的礼物，显然是印象深刻，并抱着一种欣然接受的态度，其中多少反映出他们对中西文化交流的立场。

　　黄宗羲对西学的了解，还受到两个方面的重要影响：一是他的日本之行，二是他的业师刘宗周。关于梨洲东渡日本问题，至今仍为学术界一大悬案，然而不少学者倾向于认为梨洲在顺治初年到过日本。有关此行的见闻，记录于梨洲的《日本乞师》、《海外恸哭记》和《御史中丞冯公墓志铭》。❸三文均记叙了在日本发生的反西教运动。有些细节的描述显然为梨洲亲眼所见。据考，《乞师》和《恸哭记》初稿约成于顺治六年以后，二者都是梨洲亲身经历的记述，史料真实可信。《恸哭记》云：

---

❶ 见《天主教东传文献续编》第 3 册。

❷ 黄时鉴先生曾于 1994 年参观过美国宾州大学博物馆举办的一次有关中国出口瓷器的展览，名为"Chinese Export Porcelains from the Collection of Dr. and Mrs. Harold L.Tonkin"，其中有一件十七世纪乾隆时代的青花瓷（Blue-and-White porcelains），编录为"P1. Holy Water Font(圣水盆)"，据展品目录册上介绍，盆上铭刻一幅由十字架、三枚钉子和"IHS"组成的代表耶稣会的图案，即耶稣会会徽。

❸ 《黄宗羲全集》第 1 册。

> 先是欧罗巴国欲行其教于日本,其教务排释氏,中国
> 之所谓西学也。日本佞佛,乃杀欧罗巴之行教者。欧罗
> 巴精火器,所发能摧数十里,举国仇日本,驾大舶置火器,
> 向其城击之……

《日本乞师》所述日人排教情形更为详尽:

> 日本发兵尽诛教人,生埋于土中者无算,驱其船于岛
> 口之陈家河焚之,绝西洋人往来,置铜版于五达之衢,刻
> 天主像于其上,以践踏之。囊橐有西洋物,即一钱之细,
> 搜得必杀无赦。

从日本的天主教传播史可以得到证实,黄宗羲赴日期间正值
德川幕府厉行禁教与闭关锁国时期,1638 年幕府镇压了带有浓厚
反禁教色彩的岛原起义。据当时的日本学者井臼石推测,到 1651
年止,幕府杀害的天主教徒约有二十万至三十万。❶ 由此可知,黄
宗羲为我们提供了日本幕府反西教运动的第一手资料,同时字里
行间透露出他对西方传教士和天主教徒在日本的遭遇,以及欧罗
巴火器的威力尤其印象深刻。值得注意的是,黄宗羲把活动于日
本的欧罗巴教等同于"中国之所谓西学",这从一个侧面反映出他
对明清之际国内的西学东渐早有关注。总之,黄宗羲从日本之行
中得到的西学印象,既有正面的又有负面的,这与他后来采取吸取
西方科学与排斥天主教义的态度,不无关系。

黄宗羲于天启六年(1626)尊父命从师刘宗周(卒于 1645)。他

---

❶ 拉吾来斯:《日本天主教史》页 154,(台)中央出版社。

以竭诚师道著称，自称"先生于余有罔极之恩"❶，故宗周对西学的态度，不能不对梨洲产生影响。崇祯壬午年（1642）八月，宗周官至都察院左都御史。尽管刘宗周对中西历理知之甚浅，但他明显表现出反对西法的态度。他在崇祯十五年闰十一月的一份未呈奏疏中说道："臣窃意历家之说大抵随疆域以分占候，故四夷各有星官，未必尽行于中国也。而今且设局多年，卒未有能究其旨者，至历法为之愈讹。"❷ 宗周指斥的矛头显然是针对崇祯朝"设局多年"的由徐光启、李天经先后主持的西法历局。他不仅公开反对利玛窦等西教士传播的天主教义，对于万历末年由沈潅发动的明末第一场大规模反西教运动"南京教案"心存赞意，而且对当时以汤若望为首的耶稣会士执行"缘历局以行一家之说"的学术传教策略洞悉无遗。他指出：

> 万历中，西夷利玛窦来中国，自言航海九万里而至，持天主之说以诳惑士人，一时无识之徒稍稍从而尊尚之，遂为南礼卿沈潅论列以去。不意，其徒汤若望等越十余年复入中国，遂得夤缘历局以行其一家之说。❸

崇祯十五年，内外交困的明朝廷力请并无制炮技术专长的汤若望监造火炮，闰十一月二十九日，崇祯帝召对中左门，上谕"今日以灭寇为第一义，此外俱可缓"，御史杨若桥乘机奏请此事，甚合帝意，当即传旨令杨氏与汤若望具体"讲求"有关事宜，但参加召对的

---

❶ 《思旧录·刘宗周》，《黄宗羲全集》第 1 册。

❷ 《刘子全书》卷十七《辟左道以正人心以扶治运疏》，中华文史丛书第 7 辑，（台湾）华文书局，1968 年。

❸ 《刘子全书》卷十七《辟左道以正人心以扶治运疏》，中华文史丛书第 7 辑，（台湾）华文书局，1968 年。

刘宗周立即表示反对：

> 出班跪奏曰："杨御史之言非也。……今武备积弱而难合者，正徒讲火器而置兵法不问。不恃人而恃器，所以愈用兵而国威愈损也。至汤若望西番外夷，向来倡邪说以鼓动人心，已不容于圣世，今又创为奇技淫巧以惑君心，其罪愈不可挽。乞放还彼国，以永绝异端，以永尊吾中国礼教之极。"上意不怿，曰："火器乃国家长技，汤若望非东寇西夷可比，不过命其一制火器，何必放逐。"（宗周）回奏："火器终无益于成败之数，国家大计，当以法纪为主。"❶

刘宗周有意将火器之事政治化，其排斥西洋火器之论，显然为崇祯帝所不容，故终因"奏对忤旨"而遭革职，同年十二月二日疏辞，初七日离京返乡。❷ 黄宗羲《子刘子行状》卷上也如实地记载了刘宗周参与的这场火器之争。

值得一提的是，《刘子全书》与黄宗羲的《子刘子行状》上述记载，还为我们理清明廷正式诏令汤若望督造西洋火炮的确切时间，提供了重要史料。过去费赖之将此事记为 1636 年，而魏特《汤若望传》则记为 1642 年。❸

耐人寻味的是，黄宗羲在《蕺山学案》中有关这场火器之争的记叙，却删略了刘宗周斥责汤若望的言论，仅仅记曰：

---

❶ 《刘子全书》卷十七附"召对纪事"。
❷ 《刘子全书》卷十七《感激天恩恭陈谢悃疏》。
❸ 费赖之著，冯承钧译：《在华耶稣会士列传及书目》，页 171；魏特著，杨丙辰译：《汤若望传》第 1 册，页 163。

召对中左门。御史杨若侨言火器,先生劾之曰:御史
之言非也,迩来边臣于安攘御侮之策,战守屯戍之法,概
置不讲,以火器为司命,不恃人而恃器,国威所以愈顿
也。❶

此种删削,恐非简单的文字取舍,而是在一定程度上反映了黄宗羲
对待业师刘宗周西学观的态度。据考,《子刘子行状》作于康熙四
年(或说六年、七年),❷ 时值由保守士大夫杨光先掀起清初第一
大教案"康熙历狱"期间。而《明儒学案》自序曰书成于丙辰年(康
熙十五年,1676)之后。此时,康熙帝正热衷于学习西洋科学,并多
次召令耶稣会士南怀仁督造西洋火炮以供平定三藩之乱所用,至
康熙十五年已造西洋炮一百二十位,❸ 康熙十四年和十六年,康
熙帝曾两度发旨,将南怀仁所造火炮送至在江西、湖南前线与吴三
桂作战的安亲王军中。❹ 黄宗羲应当知道其师当年排斥西洋火器
之论已为时所弃,而前述黄宗羲对汤若望所传西洋科技多有接触,
并已显露不同于其师一概排拒西学的倾向,因而认定黄宗羲对业
师的保守言论有意做了淡化处理,应该不是臆断。当然,下文将要
述及的黄宗羲反对天主教的主张,显然也有受师说影响的因素。

综上所述,明末清初的黄宗羲对西学的接触和了解应有多种
渠道,其中特别是他与著名耶稣会士汤若望的交往以及对《崇祯历
书》等西学书籍的研读,成为他日后深入研究和吸取西方科学的基
础。

---

❶ 《明儒学案》卷六十二《忠端刘念台先生宗周》。
❷ 吴光:《黄宗羲遗著考·一》,《黄宗羲全集》第1册附录。
❸ 黄伯禄:《正教奉褒》,页79。
❹ 《清圣祖实录》卷五十八,康熙十四年十一月,卷六十六,康熙十六年三月。

2.黄宗羲对西学的研究

黄宗羲是一位兼通文、理的学术大家,他所撰述的自然科学著作达二十种左右,涉及天文、数学、地理等学科。嘉庆初,阮元撰《畴人传》将他列入科学家行列,可谓名符其实。他对西学的研究,主要以西洋历算学为主。

从现知黄宗羲的著作目录及其学术弟子陈訏(字言扬,1650—1732)❶ 等人的介绍来判断,他有关西洋历算学的著述约有 7 种以上:《西历假如》、《新推交食法》、《时宪历法解》、《句股图说》、《开方命算》、《测圆要义》、《割圆八线解》等。❷ 可惜大多已经佚失,现仅存《西历假如》一卷,目前难以全面评述黄宗羲对西方科学的研究成就,故笔者只能依据《黄宗羲全集》及其他有关资料,作一简要考述。

《黄宗羲全集》第 9 册附录署名为"黄宗羲学"的"日月经纬"(原题《新推交食法》)二卷,吴光先生已据稿本字迹审断其确非梨洲遗作,但他又据稿本末尾一段残缺跋文,推论"所言'明季西儒所撰历书'曾经梨洲寓目批校亦未可知"❸。然而,笔者细读此书稿,可以断定其绝非梨洲《新推交食法》之原作,理由是:书中卷一有两处提到:"今以雍正乙巳岁为历元","今起雍正乙巳岁至甲申年止"。❹ 卷二也有两处提到:"假如乾隆二十五年。"❺ 众所周知,黄

---

❶ 陈訏,字言扬,海宁人,据《海宁陈氏宗谱》(现藏于海宁市图书馆)陈氏生于顺治庚寅五月一九日,殁于康熙壬子七月二十四日。引自李俨:《梅文鼎年谱》,见于《中算史论丛》,页 369。

❷ 阮元:《畴人传》卷三十六"黄宗羲"、卷四十一"陈訏"。

❸ 吴光:《黄宗羲遗著考》,见《黄宗羲全集》第 9 册。

❹ 《黄宗羲全集》第 9 册,页 506、518。

❺ 同上书,页 540、546。

宗羲卒于康熙三十四年(1695),故此书稿必系乾隆以后人所作。

黄宗羲开始深入研究中西历法并取得成果,是在他积极投身抗清斗争的顺治初年。由于历法攸关国家正统之大事,南明政权建立伊始,便依例制订新历,以标榜其为朱明王朝之正统。顺治二年十一月,西士汤若望为完成改朝换代的清朝政权制订了象征新朝国统的历法《西洋新法历书》并进呈御览,清帝旨令"用心肄习,永远遵守"❶。就在同年十二月,黄宗羲却为南明鲁王政权制定了《监国鲁王大统历》,❷ 次年颁行浙东。顺治四年(1647),梨洲抗清兵败避居化安山,仍刻苦研治中西历算学,据他自己回忆:"余昔屏穷壑,双瀑当窗,夜半猿伥啸,布算簌簌,自叹真为痴绝"❸;"丁亥(1647),访某山中。某时注《授时历》"❹。顺治六年(1649),梨洲因受鲁王行朝权臣张名振排挤,失去兵权,闲时"日与尚书吴公钟峦坐船中,正襟讲学,暇则注授时、泰西、回回三历而已"❺。所谓"泰西"历即指西洋历法。以上史料说明,黄宗羲在顺治初年钻研天文历学的动机,仍然是出于中国传统历学的宗旨,即为了编订皇历的政治需要,但因当时采行的中国传统历法在技术上已经落后(这也正是明末引进西洋历法编译《崇祯历书》与清廷正式采纳西洋新法的根本原因),故黄宗羲也已开始关注名噪一时的西洋历法。然而,他所面临的现实是:他经过刻苦钻研所得的天文历学知识,竟然成为无处用世、无人问津的"屠龙之技";"自某好象数之学,其始学之也无从叩问,心火上炎,头目为肿;及学成,而无所用,

❶ 《汤若望奏疏》卷首,中科院图书馆藏本。

❷ 黄宗羲:《行朝录·鲁王监国纪年上》,《黄宗羲全集》第2册。

❸ 黄宗羲:《叙陈言扬句股述》,《黄宗羲全集》第10册。

❹ 黄宗羲:《王仲撝墓表》,《黄宗羲全集》第10册。

❺ 全祖望:《梨洲先生神道碑文》。

屠龙之技,不待问而与之言,亦无有能听者矣。"❶

顺治十年以后,黄宗羲逐渐脱离政治舞台的纷争而专心于著述和讲学。学以经世致用是其学术思想的基本特征。他提出"经术所以经世,方不为迂儒之学"❷。他曾赞赏王正中(号仲撝)"好读实用之书,不事文采"的学风。❸ 他本人更是身体力行,讲求经世实学。他在丙申年(顺治十三年,1656)所作《亡儿阿寿圹志》中自述:"予注律吕、象数、周髀、历算、勾股、开方、地理之书,颇得前人所未发。"❹ 可见,黄宗羲退出政坛后,其学术研究领域大为拓宽,对自然科学的研究更趋深入。不过,他作为清初学术大师的地位主要是在康熙年间奠定的。同时,他深入研究西学与传播西学的活动也主要是在康熙年间展开的,而此期间正当清初西学东渐进入高潮阶段。

清顺、康年间,由于以汤若望和南怀仁为首的耶稣会传教士出色地贯彻了利玛窦开创的"学术传教"方针,尤其是成功地赢得了顺、康二帝的优容,因而这一时期成为明清之际西学东渐的黄金时代。清廷定鼎北京当年(1644),汤若望便取得新朝之信任,受命用西洋新法编制民历,名为《时宪历》,同年十月奏进顺治二年《时宪书》,并得钦命"依西洋新法",颁赐百官,通行天下。顺治二年十一月,经汤若望删订的《西洋新法历书》进呈颁行。自此,西洋新法正式取得合法的地位,遂风靡一时。康熙帝尤好西学,召请西士南怀仁、白晋等进宫,为其讲解西洋科学。康熙帝与洋教士的融洽关系,更为西学传播推波助澜。与此同时,清初士林亦形成了一股好治西洋历算之学的风尚(参见第二章第三部分),部分学者对西方

---

❶ 黄宗羲:《王仲撝墓表》。

❷ 全祖望:《梨洲先生神道碑文》。

❸ 《王仲撝墓表》。

❹ 《黄宗羲全集》第10册。

科学的研究还相当深入,例如在当时有"南王北薛"❶ 之称的王锡阐与薛凤祚,均有研究西学的专著问世(如王氏的《晓庵新法》,成书于 1663 年,薛氏的《历学会通》,刊于 1664 年等),并且影响深远。现知黄宗羲唯一一部仅存于世的西学专著《西历假如》,就曾参考了薛凤祚《天学会通》的西洋历算资料。

薛凤祚于顺治年间在南京随波兰籍耶稣会士穆尼阁学习西洋新法,曾协助穆氏翻译《天步真原》等西学著作,从而"尽传其术",且"本《天步真原》而作会通"❷。故薛凤祚的天文学理论主要取自穆尼阁的《天步真原》,其中《天学会通》即为其代表作《历学会通》之一部,它是专门解说推算交食之法的历算学著作,《四库全书总目》评价该书"盖用表算之例,殊为简捷、精密"❸。但该书对西法有一个重要的变动,即"以西法六十分通为百分",就是采纳中国传统历法《授时历》的 100 分 1 度的划分法取代西法的 60 分制。

黄宗羲所著《西历假如》实际上是一部用表算法解说历法推算的通俗读物。它的内容分日躔、月离、五纬、交食四部分,分别是依据西洋历法关于日、月、五星及日、月食的计算方法,采用现成的西法计算表格及数据,举例介绍推算日月食和日、月、五星位置的方法。现《黄宗羲全集》所收《西历假如》有姜希辙(号定庵)康熙癸亥年(1683)序言:

> 余友黄梨洲先生,所谓通天地人之儒也……尝入万山之中,茇舍独处。古松流水,布算籔籔,网络天地。其发明历学十余种,间以示余。余取其《假如》刻之。梨洲亦颇吝

❶ 阮元:《畴人传》卷三十六"薛凤祚"。
❷ 梅文鼎:《勿庵历算书目·天学会通》。
❸ 四库全书总目·子部·天文算法类一"天学会通"条,页 900。

惜。余曰："圣人之学,如日行天,人人可见。凡藏头露尾私相受授者,皆曲学耳。夫以儒者所不知,及知而不以示人者,使人人可以知之,岂非千古一快哉!"梨洲曰："诺。"

序中所言"万山之中"即指梨洲顺治初年避居之山,又知《假如》是应姜定庵所请才同意刊印,故此为初刻本当无疑议。现北京图书馆收藏有康熙癸亥年姜氏初刻本。

由此看来,黄炳垕所撰《黄梨洲先生年谱》,❶ 将《西历假如》的著作时间系于顺治四年丁亥条,称此书成稿"约在此数年中"是不正确的,当时仅为梨洲开始研究西法或着手撰写此书之际。而在今见《西历假如》中已能找到其确切成书时间的证据。如该书第一节"日躔"使用了"明年壬戌"、"当年辛酉"等时间标志,再联系第四节"交食"部分自注说明"以上据海岱薛凤祚本,著其所查表名及数目舛错,为之更定"❷,因薛凤祚所著《历学会通》初刊于 1664 年(康熙三年),此见《假如》一书必在康熙时最后定稿,则知"壬戌"、"辛酉"并非虚指,而为实指康熙朝纪年,故可知《假如》成书于康熙辛酉年(1681)。

经仔细比对,《西历假如》"交食"部分确实本于薛凤祚的《天学会通》。❸ 但是黄宗羲在参考《天学会通》时,也对该书的个别内容作了订正,如"求太阳实会度"条,薛氏注为双女宫,梨洲注谓"当在人马宫,此必有误。今姑依薛本"❹。

《西历假如》除"交食"以外的其他三部分,即日躔、月离、五纬

---

❶ 《黄宗羲全集》第 12 册。

❷ 《黄宗羲全集》第 9 册,页 323。

❸ 据影印文渊阁四库全书本《天学会通》查对。

❹ 《黄宗羲全集》第 9 册,页 317。

所引证的资料,主要来源于《崇祯历书》。❶ 黄宗羲在书中大量引用了《崇祯历书》中的天文数据表等许多资料。这正是他多年来研读《崇祯历书》的结果。上述黄宗羲在崇祯末年即有机会得读《崇祯历书》,康熙十八年(1679)诏修《明史》,总裁徐元文征梨洲门人万言(字贞一)参修。后万言承徐氏之命,请梨洲审阅由吴任臣(字志伊)执笔的《明史·历志》稿,以期"去其繁冗,正其谬误",黄宗羲在复万言书,即《答万贞一论〈明史·历志〉书》中,对"历议"部分提出了重要的修改意见,并对《崇祯历书》的历史地位和科学价值作了公正和精深的评价。❷ 一方面,他对清初某些好谈西学者湮没《崇祯历书》的历史地位提出批评:"及《崇祯历书》既出,则又尽翻其说,收为己用,将原书置之不道,作者译者之苦心,能无沈屈?"本着对历史负责的态度,他指出:"顾关系一代之制作,不得以繁冗而避之也。以此方之前代,可以无愧。"因此他亲自将《崇祯历书》的编制经过补充撰入《明史·历志》稿。从现今所见《明史·历志》的内容看,确实比较系统地叙述了从崇祯年间徐光启主持以西法修历,到期间展开的中西历法之争,及至清初把《崇祯历书》"用为时宪书"的经过,这与黄宗羲的建议不无关系。另一方面,他又列举了《崇祯历书》中的恒年表、周岁平行表等十一种天文历法数据表,并对它们的学术价值给予充分的肯定。以上足证梨洲对《崇祯历书》研读颇深。

概而言之,黄宗羲《西历假如》的西法资料来源,主要本于薛凤祚的《天学会通》和徐光启主编的《崇祯历书》,而这二部书又是穆尼阁、汤若望等耶稣会士对华输入西方数理天文学知识的代表作,因此黄宗羲的西方历算学知识实际上渊源于入华耶稣会士。

❶ 据影印文渊阁四库全书本《新法算书》查对。

❷ 《答万贞一论明史历志书》,《黄宗羲全集》第10册。

3. 黄宗羲的西学观:吸纳、调和与排拒

黄宗羲通过对西学的接触和研究,对包括天主教神学在内的西学采取理性分析、选择取舍的态度,成为清初士人早期西学观的代表之一,并且产生了一定的影响。

黄宗羲政治社会思想的代表作《明夷待访录》,撰成于康熙元年(1662),它全面描绘了他设计的理想社会的蓝图。其中他在对这个社会的文教与选官制度的设想中,特别主张将号为"绝学"即包含历算、测量、火器、水利等科学知识与其他专门学问,作为国家选拔人才的考核项目,要求提拔在"绝学"上实有研究的发明者。他说:"绝学者,如历算、乐律、测望、占候、火器、水利之类是也。郡县上之于朝,政府考其果有发明,使之待诏。否则罢归。"❶ 不难看出,黄宗羲的"绝学"思想,无论其知识内涵,或是价值取向,都已经超越了传统旧学的范畴,而恰好与当时输入中国的西方科学的主要门类及学术精神相符,这显然是他接受西学影响的结果。

如果说《明夷待访录》仅仅是黄宗羲的经世实学思想借鉴西学的开端,那么到海昌讲学期间(1676—1680)则已是他提倡以西学为致用之学的思想实践。梨洲讲学一改明人空谈流弊,注重讲授自然科学知识,并鼓励学生自由辩论,独立创见,提出"各人自用得着的,方是学问"❷·的见解。他告诫学生,要反对"封己守残"、"天崩地解,落然无与吾事"❸ 的迂儒学风。海昌(今海宁市)县令许三礼(号西山)深慕梨洲讲学风格,特邀其主讲,同时还亲自向梨洲学习有关授时、西洋、回回三历的科学知识,两人引为"知己"❹。

---

❶ 《明夷待访录·取士下》。

❷ 《陈叔大四书述序》,《黄宗羲全集》第 10 册。

❸ 《留别海昌同学序》。

❹ 《兵部督捕右侍郎西山许先生墓志铭》,《黄宗羲全集》第 10 册。

最令梨洲欣慰的是,他培养出了一位有志于科学研究的青年学子陈訏(字言扬)。他曾教导这位得意门生:"句三股四弦五此大较也,古来钜公大儒从事于实学者,多究心焉,可弗讲乎?"❶ 明确提出以数学为经世实学的思想。梨洲门生万经在《寒村七十寿序》中回忆海昌求学时的盛况道:

> 维时经学、史学以及天文、地理、六书、九章至远西测
> 量推步之学,争各磨厉,奋气怒生,皆卓然有以自见。❷

其称"远西测量推步之学"即指西方历算学,显然它是梨洲讲授的致用学问之一。陈訏不负师诲,传梨洲历算之学,且注重中西会通,著成《句股述》二卷、《句股引蒙》五卷。❸ 据《句股述》自序言:"余获侍梨洲黄先生门下,受筹算开方,因著开方发明,后因暇请卒业句股。"❹ 梨洲也欣然为该书作序,对这位继业弟子大加称赞,他特别指出的是正当有人对西洋历算之学"让之为独绝"之际,陈訏敢于迎接西学的挑战,钻研中外数学,并著书立说,使"空中之数,空中之理,一一显出",而有借西学以复兴"绝学"之功。❺《句股引蒙》也是陈訏会通中西算法的代表作。其"凡例"云:"知中法自有句股以来未尝礼失而求诸野,但制器之巧当推西法耳。"❻ 是书杂采梅文鼎、程大位等人的算学著作与《同文算指》、《测量全义》

❶ 阮元:《畴人传》卷四十一"陈訏"。
❷ 万经:《寒村七十寿序》,转引自吴光:《黄宗羲与清代学术》,载《黄宗羲论》,浙江古籍出版社,1987 年。
❸ 两书均收入《四库全书·子部·天文算法类》,其中《勾股述》仅存目,现有清抄本,收录于四库全书存目丛书·子部第 55 册,齐鲁书社,1995 年。
❹ 阮元:《畴人传》卷四十一"陈訏"。
❺《叙陈言扬句股述》,《黄宗羲全集》第 10 册。
❻《句股引蒙》卷首,影印文渊阁四库全书本。

等西学名著,"由浅入深,循途开示"❶,讲解中西算法。

黄宗羲海昌讲学的言行,表明他是在经世实学思想的前提下,来接纳西方历算之学的。但是他并不满足接受西方科学的成果,而是抱有吸纳西方科学方法以重振中国科学的高远之志。笔者在反复研读反映黄宗羲西学观的有关材料时,惊讶地发现,他吸收了徐光启的部分学术思想,如黄宗羲在《答万贞一论〈明史·历志〉书》等文中表达的科学思想,几与徐光启《历书总目表》(载于《崇祯历书·治历缘起》)❷、《刻同文算指序》等文中提出的主张一脉相承,且看笔者检出的证据:

其一,关于对阻碍中国科学发展原因的揭示,黄宗羲与徐光启的观点如出一辙,他们都认为导致中国科学落后的主要原因,是宋明以来理学家们的空谈臆断和象数神秘主义。在答万贞一书中,黄宗羲说:"有宋名臣,多不识历法,朱子与蔡季通极喜数学,乃其所言者,影响之理,不可施之实用。康节作皇极书,死板排定,亦是纬书末流。"在《易学象数论》和《答范国雯论喻春山律历》等文中,他又深刻揭露了明儒喻春山所编历书中,用易卦来划定昼夜长短、预测天象等"假妄之谈",指出这是"舍明明可据之天象,附会汉儒所不敢附会者,亦心劳而术拙矣"❸。这与徐光启在《刻同文算指序》中表达的先见也是一致的:"算数之学特废于近世数百年尔。废之缘有二:其一为名理之儒土苴天下之实事;其二为妖妄之术谬言数有神理。"❹ 因而,破除传统学术中的虚妄和迷信,吸收和借鉴西方科学的实证精神和方法,乃是黄宗羲与徐光启关注西方科学、革新传统学术的共同愿望。

---

❶ 四库全书总目·子部·天文算法类二《句股引蒙》条,页 908—909。

❷ 以下征引的《历书总目表》均据王重民辑《徐光启集》卷八,页 374—378。

❸ 《答范国雯问喻春山律历》,《黄宗羲全集》第 10 册。

❹ 徐光启:《刻同文算指序》,见《徐光启集》,页 80。

其二，关于对西洋历法的评价。黄宗羲说："然《崇祯历书》，大概本之回回历。当时徐文定亦言西洋之法，青出于蓝，冰寒于水。"徐光启（谥号文定）原话："盖《大统》书籍绝少，而西法至为详备，且又近今数十年间所定，其青于蓝、寒于水者，十倍前人。"可见黄宗羲接受了徐光启西学观的一个基本要点：西洋历法优于中国传统旧法。

其三，关于如何引进西洋历法的主张。黄宗羲几乎照搬了徐光启的思路，即通过借用《回回历》（即《西域历书》）在华传播的历史教训，来表达他的观点。徐说："所惜者（指《西域历书》）翻译既少，又绝无论说，是以一时词臣历师，无能用彼之法，参入《大统》，会通归一者。"黄曰："顾纬法虽存（指回回历，即《西域历书》），绝无论说，一时词臣历师，无能用彼之法，参入《大统》，会通归一。"不难看出，他们的设想就是要通过翻译、讨论与会通来实现引进西法、融合中西的理想。

其四，关于怎样吸取西法的精华。徐光启在与利玛窦讲论西学时，感受最深的是利氏介绍的西方科学方法："一一从其所以然处，指示确然不易之理，较我中国往籍，多所未闻"❶，因而徐光启后来在主持以西法修历工作时，坚持把介绍西方科学方法的"法原"作为译编《崇祯历书》的重点。他在进呈《历书总目表》中强调修历要力求"一义一法，必深言所以然之故，从流溯源，因枝达干，……法意既明，明之者自能立法，传之其人"。黄宗羲则针对《授时历》等传统历法，不载"其作法根本"，而使人不知历法原理的缺陷，指出《明史·历志》稿徒列西洋推法，也只是一种"终于墙面"的表层借鉴，他在列举了《崇祯历书》十一种天文历法数据表之后，认为："盖作者之精神尽在于表，使推者易于为力"，故竭力主张将《崇祯

---

❶　王重民辑：《徐光启集》，页344。

历书》的"作表之法载于志(指《明史·历志》)中,使推者不必见表,而自能成表,则尤为尽善也"。显然徐、黄心中的最高目标是要吸取和掌握西法的"所以然之故"或"作表之法",这必然会涉及西方数理天文学体系的理论,甚至从观测实证到演绎推理的科学方法,而这已经触及中西交流的深层次问题。

尽管黄宗羲没有像徐光启那样对西方科学的演绎推理方法作具体的阐述,但他已经开始洞察到西方科学方法的价值,并有意倡导中国学者加以吸纳。这种思想体现了清初士人反思传统科学落后原因的理性觉悟,对于清初经世实学的兴盛,无疑具有科学方法上的启蒙意义。

然而,黄宗羲并没有吸取徐光启在《历书总目表》中阐述的最为可贵的科学思想:"欲求超胜,必须会通"❶,即通过会通中西,以达到赶超西方的目的。尽管他借鉴了徐光启会通中西的思想,但是未能沿着光启的思路,从"会通"中西走向"超胜"西学。

这一方面是由于黄宗羲仅仅注意到了徐光启会通中西说的策略性表述。因为徐光启在《历书总目表》中虽然提出"超胜"西学的思想,但并不具体阐论,而他明确提出的中西会通模式是——"镕彼方之材质,入《大统》之型模",即以传统历法为规范,将西法的有关内容归类熔入传统历法的各个历法项目中,也就是徐光启在总目表中条列的"节次六目"和"基本五目"。他设想的操作规程为:"今拟分节次六目,基本五目,一切翻译撰著,区分类别,以次属焉。"但是徐光启在改历实践中,即在编制《崇祯历书》中,实际上却是一边倒尽取西法,致使徐光启的西学观在表面上给人一种思想与实践脱离的印象。不少人认为,这是因为徐光启仅仅完成了西法的翻译即病发早逝,而未及会通所致。不过笔者更赞同这样的

---

❶ 王重民辑:《徐光启集》,页 374—375。

看法:光启的会通论是鉴于历法改革在中国封建社会中的特殊政治敏感性而采取的一种策略,"入大统之型模"无非是想为新历出台披上一件合法的外衣。从徐光启的改历实践中可以看出他的真实思想是要系统引进西方历算之学,全面吸取西方科学方法,以使中国科学达到与西方竞争乃至赶超的目标。事实上,他的会通以求超胜的思想,贯穿于他的整个改历过程中。然而,黄宗羲仅仅注意到了徐光启会通说的策略性层面,并没有完全理解徐光启的真实意图,因而他所追求的会通目标,才是要真正做到熔西法之"材"入传统历法之"模"。

另一方面,或许是更为本质的原因,从深厚的儒家文化土壤中成长起来的黄宗羲,虽然在接受西方文化时表现了相当的雅量,但是受儒家传统观念"华夏中心"和"夏夷之辨"论的影响,他依然抱着对民族文化的强烈优越感和自信心去审视西学。在他心目中,吸收西学、会通中西,犹如当年孔子问学于郯子,其出发点与最终归宿都是以我为主,就是想借鉴西学以恢复中国历算学昔日的辉煌。因此黄宗羲根本无意把西学作为平等的竞争对手,更不用说是赶超的榜样。

正是出于对传统文化的自尊心态,黄宗羲更欲在理论上对他追求的中西会通目标作出合理的解释。为此,他不得不作出一种调和的西学观,这就是由其弟子全祖望所概称的"中学西窃"说:"(梨洲)尝言句股之术乃周公商高之遗而后人失之,使西人得以窃其传。"❶

黄宗羲本人论述"中学西窃"说的一段文字,见于他作的《叙陈言扬句股述》,文曰:

---

❶ 全祖望:《梨洲先生神道碑文》。

句股之学,其精为容圆、测圆、割圆,皆周公、商高之遗术,六艺之一也。自后学者不讲,方伎家遂私之。……珠失深渊,罔象得之,于是西洋改容圆为矩度,测圆为八线,割圆为三角,吾中土人让之为独绝,辟之为违失,皆不知二五之为十者也。❶

在这段话中,梨洲表达了二层意思:其一,指出了西洋数学乃是西人拾取的中国早先失传的句股之学,犹如"珍珠"失落深渊而为"罔象"(传说中的水怪,喻指西人)所得。其二,具体列举了西学窃取中法的证据。当然,今人看来此说的非科学性显而易见。问题在于黄宗羲立此一说的真正意图如何。显然,我们不能仅以科学性作为评价此说的惟一标准,重要的是应将它置于当时的历史条件与黄宗羲的整个思想体系中,去探析他提出此说的动机与思想方法,从而对它作出历史的评价。

黄宗羲为了调和其借鉴西学的行为与儒家"夏夷之辨"观念的矛盾,将西学推源于早年失传的中国传统科学,的确是一种高明的能自圆其说的逻辑推理。作为一位具有科学眼光的启蒙思想家,上文已有充分事实说明黄宗羲确实看到了西方天文历算之学具有优于中国科学的长处,并且加以实质性的吸纳,故他阐论"中学西窃"说的动机和前提显然不是为了排拒西方科学。正如他把及门弟子陈訏研究历算科学取得的成果,看成是复兴中国传统科学,最终"使西人归我汶阳之田"❷ 之举。可见,黄宗羲提出此说主要是出于对民族科学文化的自尊和自强。

---

❶ 黄宗羲:《吾悔集》卷二,《黄宗羲全集》第 10 册。
❷ 《叙陈言扬句股述》,《黄宗羲全集》第 10 册;关于"汶阳之田"典出《左传》,鲁僖公元年赐季友汶阳之田,至鲁成公二年,齐人又将汶阳之田归还鲁国。

然而必须指出,黄宗羲的思想方法是错误的,对会通中西的实践也有很大的消极作用。因为按照黄宗羲的思想逻辑,西学乃中国古已有之,那么必然会导出与其学习西方科学,不如求诸传统旧学的结论,从而导致否认西方异质文化有任何启示作用与利用价值。这说明,黄宗羲"西学中窃"说的思想方法不仅不能引导清初知识界走向振兴中国科学的道路,而且为深层次的中西文化交流设置了思想障碍,甚至会重新陷入自我封闭的状态。同时也表明,黄宗羲对西学的吸纳仍然是在儒学的框架内进行的,在思想上仍有时代所造成的矛盾和局限之处。他对天主教义的排斥,就是基于对天主教与儒学之间本质差异的理性认识之上的。

黄宗羲年逾八十所作的一部哲学、政治、思想著作《破邪论》,其《上帝》篇对社会上流行的四种上帝说即纬书的五帝说、佛教的诸天说、天主教的天主说、以及明儒的天理说一一作了批判,其中对天主教的天主说指斥道:

> 为天主之教者,抑佛而崇天是已,乃立天主之像记其事,实则以人鬼当之,并上帝而抹杀之矣。此等邪说虽止于君子,然其所由来者未尝非儒者开其端也。❶

天主乃是天主教供奉的惟一至上神,黄宗羲否定天主为上帝,并斥为邪说,其排除天主教义之意十分明显。

前文已述利玛窦等传教士为了迎合中国士大夫的心理,曾引用中国古典儒家经典附释天主教的"天主"就是中国人所崇奉的"上帝",此所谓"吾天主,即华言上帝"❷ 的附儒之论(详见第四

❶ 《黄宗羲全集》第 1 册。
❷ 利玛窦:《天主实义》第二篇"解释世人错认天主",影印《天学初函》本,页 415。

章)。此论得到了明末奉教士人如徐光启、杨廷筠等的坚决支持，但包括黄宗羲在内的许多中国士大夫却看到了儒学中的天、上帝与天主教的天主根本是两回事。从黄宗羲对西人天主说的揭露中，可以看出他已经洞见了天主教最核心的教义一个超自然的人格神，即天主或上帝。在黄宗羲的宇宙观中并不存在一个主宰天地万物的超世的精神实体而以气为世界本源的气本论。他在《孟子师说》中提出了"理气合一"论，并说："天地间只有一气充周，生人生物。"同时还强调"四时行，百物生，其间主宰谓之天。所谓主宰者，纯是一团虚灵之气"❶，即说主宰天地万物的"气"是无形无象的。在《破邪论》"上帝"篇中进一步阐论："天一而已，四时之寒暑温凉，总一气之升降为之。其主宰是气者，即昊天上帝也。"❷既然"气"是天地万物的最终本源，那么在理论上就意味着排除了"气"之外的任何精神实体的存在；既然世界的主宰"气"是没有形象的一团虚灵，那么在直观上也就斥责了天主教崇奉的主宰"天主之像"不过是"以人鬼当之"的自造神。这样就从世界观和认识论的高度彻底排斥了宣扬天主至上神的天主教义。

利玛窦等耶稣会士曾苦心孤诣改"西僧"为"西儒"，希望借助西方科学的力量引导中国士大夫由自然真理迈向宗教神学的所谓"启示真理"。然而这种传教策略，对于从儒家文化深厚土壤中成长起来的黄宗羲，却完全落空了：他选择了科学而拒绝了宗教。黄宗羲的这种态度在清初启蒙学者中具有代表性。

---

❶ 《孟子师说》卷二"浩然章"、卷七"形色章"、卷五"尧以天下与舜章"，《黄宗羲全集》第 1 册。
❷ 《破邪论·上帝》，《黄宗羲全集》第 1 册。

三 王夫之、顾炎武对西学的态度

在清初启蒙学者中,王夫之的学术以博大著称,顾炎武则以务实闻世。然而,他们对西学东渐的反应却很少有人提及,其原因之一或许是由于他们与西学有关的材料比较零散,并且淹没在他们的文哲、史地类名世大作之中了。

1. 王夫之对西方科学的借鉴

王夫之(1619—1692)一生治学惟以"实"为宗旨,"欲尽废古今虚妙之说而返之实"❶,并特别强调"言必有证"的治学方法,意即任何学说与理论都必须建立在确实可靠的事实基础上,如他说过:"言天者征于人,言心者征于事,言古者征于今。"❷ 王夫之对西学的态度,受方以智的影响不小。前述王、方订交于清顺治初年(或五年或七年),方以智倡导的"质测之学"给王夫之留下了深刻印象。他推崇以实测、实证为特征的新兴"质测之学",完全是发乎内心的:"密翁与其公子(方中通)为质测之学,诚学思兼致之实功。"❸ 同样,王夫之也接受了方以智将西学纳入其"质测之学"范畴的主张。尽管如此,王夫之对西学的理解与取舍,仍有其独特之处。

首先,他从经世务实的治学态度出发,肯定并有意吸取西方科学的实证精神。如他承认西方利用望远镜等科学仪器实测所得的数据而编制的天文历法,"实有其理",以精密见长的西洋"远近测

---

❶ 《大行府君行状》,《船山全书》第 16 册,岳麓书社,1993 年。
❷ 王夫之:《张子正蒙注》卷六"有德篇",《船山全书》第 12 册,岳麓书社,1992 年。
❸ 王夫之:《搔首问》,《船山全书》第 12 册。

法"为可取之术："盖西夷之可取者,惟远近测法一术";又说"西夷以巧密夸长"。❶

其次,受西方"质测之学"的影响,王夫之赋予传统的"格物致知"思想以新的内涵。王夫之对中国传统"格物致知"之学中的象数迷信和虚妄之说进行了批判。他认为"若邵康节、蔡西山,则立一理以穷物,非格物也"❷,即从主观设立的"理"去探寻事物之理,不是真正意义上的"格物"。至于,邵雍(康节)的象数说更是"猜量比拟,非自然之理也"❸。而他对传统"格物致知"重新阐论道:"盖格物者,即物以穷理,惟质测为得之"❹。在这里,王夫之已经明确将"格物"规定为格自然之物,将"致知"或"穷理"理解为穷自然之理,并且提出"惟质测"才能"即物以穷理"。考虑到前述王夫之对方氏父子倡导的新兴"质测之学"的赞赏,王夫之阐述的"格物致知"思想,显然超出了传统旧说的范畴而包含了西方科学的启迪因素。

再次,王夫之对中国传统天文历学中星占术数迷信的批判,事实上也是以西方科学为参照的。他指出:"后世琐琐壬遁星命之流,辄为增加以饰其邪说,非治历之大径也。"❺ 他又指责以日食附会政治的荒谬之论,并揭露其根源在于:"此古人学之未及,私为理以限天,而不能即天以穷理之说也。使当历法大明之日,……五尺童子亦知文伯(按:春秋时学者)之妄。"❻ 这里王夫之所比较的两种治历方法:"私为理以限天"与"即天以穷理",实际上恰好体现了中西科学两种思维特征的巨大差异:即中国传统旧学的主观附

❶ 《思问录·外篇》,《船山全书》第 12 册。
❷ 同上书。
❸ 同上书。
❹ 《搔首问》,《船山全书》第 12 册。
❺ 《思问录·外篇》。
❻ 《续春秋左氏传博议》卷下"士文伯论日食",《船山全书》第 5 册,岳麓书社,1993 年。

308

会与西方"质测"之学的客观求证。

遗憾的是,王夫之虽然隐约察觉到中西科学方法上的某种差距,但他并没有深入研究和概括西方科学中最有价值的东西——数理思维方式。相反,他还认为:"盖西夷之可取者,惟远近测法一术,其他则皆剽袭中国之余绪,而无通理之可守也"❶,即否认西学中存在具有普遍应用价值的科学方法。例如,不难看出,王夫之的这种观点明显受到了方以智所称"(西学)详于质测,而拙于言通几"❷之论的影响。但方以智主要是针对西学中的宗教和伦理说教,而王夫之则进一步认为即使是西方科学也是拙于"通几",没有任何"通理"值得借鉴。因此人们不难理解,王夫之在回应西学时表现出的一种独特的态度:即在认可西方科学的实测方法与实证精神的同时,却对西学中的许多科学结论表示怀疑。

2. 王夫之拒斥西方科学的失误

王夫之尽管承认西方天文历学有测算之精的特长,但并未真正理解西历编制中所采用的严密的数理逻辑方法。例如,他曾指出西人虽然根据天文实测得出"日行距地远近不等,迟疾亦异"的正确结论,但他否认西历推算中含有可资利用的科学方法,故说:"西洋夷乃欲以此法求日,而制二十四气之长短,则徒为繁密而无益矣"❸。因此,在他看来西学的测算之精,无非是"西夷"用来向中国夸耀"巧密"的资本而已。尤其当他接触西学中的某些与传统学说相反或者超出其学术视野的全新科学结论时,就容易导致想当然的误解甚至曲解。他对西方地圆说的拒斥,即是显例。他驳

---

❶ 《思问录·外篇》。
❷ 《物理小识·自序》。
❸ 《思问录·外篇》。

斥利玛窦地圆说的理由，❶ 归纳起来主要有两点：

其一，他指责利玛窦的地圆说是因误解中国古代浑天说而作的附会之论。他说：

> 浑天家言天地如鸡卵，地处天中犹卵黄。黄虽重浊，白虽轻清，而白能涵黄使不坠于一隅尔，非谓地之果肖卵黄而圆如弹丸也。利玛窦至中国而闻其说，执滞而不得其语外之意，遂谓地形之果如弹丸，因以其小慧附会之，而为地球之象。

固然，利氏介绍西方地圆说时确曾引述过浑天家之言："地与海本是圆形，而合为一球，居天球之中，诚如鸡子黄在青内。"❷ 但是利氏引用中国浑天家的言论，实则是为了解释和说明西学的已有之论，而并非用来论证和推导新说，充其量也只不过是利玛窦为了传播西方地圆说而采用的一种拟同中西的手段。而"拟同"未必"同源"。众所周知，利玛窦阐论的西方地圆说是建立在地理大发现时代实证基础上的科学结论，绝非自浑天说导出，自不待言。故从逻辑上讲，王夫之不能以浑天说中无地圆论为前提，来推论西方地圆说之谬误，而只能说是比喻不当。可见，王氏所斥实为误解所致。

其二，他以生活中的直观现象来批驳地圆说。王夫之诘问利玛窦道：

---

❶ 《思问录·外篇》。

❷ 利玛窦：《坤舆万国全图·图解》，转引自陈观胜《利玛窦对中国地理学之贡献及其影响》，《禹贡》第 5 卷第 3、4 合期。

人不能立乎地外以全见地，则言出而无与为辨。乃就玛窦之言质之，其云地周围尽于九万里，则非有穷大而不可测者矣。今使有至圆之山于此，绕行其六七分之一，则亦可以见其迤逦而圆矣。而自沙漠以至于交趾，自辽左以至于葱岭，盖不但九万里六七分之一也，其或平或陂，或窪或凸，其圆也安在？……而玛窦如目击而掌玩之，规两仪为一丸，何其陋也！

且使果如玛窦之说，地圆如弹丸，则人处至圆之上，无所往而不踞其绝顶，其所远望之天体，可见之分必得其三分之二，则所差之广狭莫可依据，而奈何分一半以为见分，因之以起数哉？

这里王夫之仅以常人肉眼所能见到的直觉地理现象，加上一些世俗性的想象和推理，作为驳斥西方地圆说的证据和理由，在当时世人眼里似乎言之有理、论之有据，但是对照以实测为依据的西方地圆说，船山此论只能归于想当然的、非科学的臆断。

当然，利玛窦对西方地理知识的解释并非都是合乎科学真理的。如他以经纬线每度250里（实际应为194余里）算出地周9万里之说。著名学者洪业先生认为此系利玛窦误读中国古书所致。❶ 利氏此说又为后来的西教士艾儒略、汤若望辈继承，故亦为明末清初反西教士人攻击的目标之一。❷ 王夫之也异口同声地斥

---

❶ 洪业：《考利玛窦的世界地图》，《禹贡》第5卷第3、4合期。

❷ 如明末反西教士人苏及寓《邪毒实据》曰"此夷诈言九万里……"；许大受《圣朝佐辟·一》言"彼诡言有大西洋国，彼从彼来涉九万里而后达此"，载《圣朝破邪集》卷三、四。清初杨光先：《不得已》卷下"孽镜·镜以地之道"说"地径九万里者，乃若望自订二百五十里而差一度之率，虽有巧辩，不可易也"，《天主教东传文献续编》影印再版本，（台湾）学生书局，1986年。

责道：

> 利玛窦地形周围九万里之说，以人北行二百五十里
> 则见极高一度为准。其所据者，人之目力耳。目力不可
> 以为一定之征，远近异则高下异等。……玛窦身处大地
> 之中，目力亦与人同，乃倚一远镜之技，死算大地为九万
> 里，使中国有人焉如子瞻（苏轼）、元泽（王元泽）者，曾不
> 足以当其一笑，而百年以来，无有能窥其狂骇者，可叹
> 也。

利氏九万里之说固然可以指责，但王夫之咬定利氏所说仅凭
人之目力为据，则是与事实不符的偏激之论。作为明清之际颇具
开拓和创新意识的启蒙学者，王夫之对于像地圆说这类新异的西
方科学知识，却难以理解和接受，甚至落后于同时代不少普通士人
的识见，这无疑是值得思考的问题。

3. 王夫之的"夏夷之辨"论与西学观透视

清初的汉族知识分子，大多亲身体验过异族入侵、明清易帜的
痛苦经历，因而有相当一部分人怀有强烈的"夏夷之辨"情绪，并且
成为他们鼓动或参与排满反清活动的精神支柱。在清初启蒙学者
中，王夫之的华夷文野之论尤为激烈。他在《读通鉴论》中强调：
"天下大防二：中国夷狄也，君子、小人也。……中国之于夷狄，所
生异地，其地异，其气异矣；气异而习异，习异而所知所行蔑不异
焉。"❶ 这显然是说华夷大防乃是天经地义之举。因而在他看来

---

❶ 王夫之：《读通鉴论》卷十四"东晋哀帝·三"，《船山全书》第 10 册，岳麓书社，
1988 年。

"夷狄者,歼之不为不仁,夺之不为不义,诱之不为不信。何也? 信义者,人与人相于之道,非以施之非人者也。"❶ 王夫之竟然把夷狄当作非人的异类看待,认为对他们可以施以任何手段,可见其"夏夷"观念之强烈。

王夫之更有与其他启蒙学者不同之处,在于他把"夷"的概念由满族延伸至西洋传教士。他不以通常的"西人"或"西洋人"称之,而是以"西夷"、"西洋夷"甚至以"狄"来称呼西教士。由于"夷"的概念在清初政治生活中具有特殊的敏感性,故即使像杨光先这样的反西教士人,在激烈对抗的康熙"历狱"中也没有给西教士用上"夷狄"之类的字眼。这尤可反证王夫之超乎寻常的"夏夷"观念。从这种观念出发,就很容易失去理性分析的态度,导致在认识和接受新事物、新知识上的失误。因此,导致王夫之错误指责西学中的一些科学结论,除了他不是一位科学家等客观因素外,强烈的"夏夷之辨"观,不能不说是其重要的主观原因。由此观之,他与黄宗羲一样公开宣扬所谓"中学西窃"说:"盖西夷之可取者,惟远近测法一术,其他则皆剽袭中国之余绪"(见前注《思问录·外篇》),便不足为奇了。

王夫之对天主教的排斥,亦与黄宗羲等清初学者从宇宙观、伦理观的高度进行理性批驳的态度有别,而是怀着一种"夏夷之辨"的心态加以斥责。他论道:"狄之自署曰'天所置单于',黩天不疑,既已妄矣。而又有进焉,如近世洋夷利玛窦之称'天主',敢于亵鬼倍亲而不恤也,虽以技巧文之,归于狄而已矣。"❷ 在此,王夫之已经透过利玛窦"学术传教"策略的巧饰,清楚地看到了其传播西方

---

❶ 《读通鉴论》卷四"汉昭帝·三"。
❷ 《周易外传·系辞上传第八章》,《船山全书》第 1 册,岳麓书社,1988 年。

宗教的实质,因而站在"君子以人事天,小人以鬼治人"❶ 的立场上,将天主教崇奉的"天主"归于夷狄所信仰的鬼神,而加以排斥。

总之,王夫之对天主教的排斥是彻底的,但他对西方科学的接纳具有很大的局限性,而导致王夫之对西方科学认识的局限性乃至失误的深层次根源,就是其强烈的"夏夷之辨"思想。这再一次证明了,在传统"夏夷"观念支配下对西方异质文化所作的反应,往往会误入非此即彼、形而上学的思维模式,陷入盲目排外的泥坑。

4. 顾炎武对西学的有限反应

清初三大启蒙思想家中,有关顾炎武(1613—1682)与西学接触的材料,笔者搜集到的相对较少。不过从这些仅有的资料中,我们仍可看出顾炎武并非漠视西学,他主要关注过西洋火器、天文历学及天主教等内容。

顾炎武作为清初经世务实学风的倡导者,自然不会忽视以实证、精密见长的西方科学。他在《日知录》和《菰中随笔》中曾谈及西洋天文学和汤若望所著的《新法历引》,❷ 这是他接触过西学书籍的明证。他与清初会通中西天文历学的科学家王锡阐又有诗书交谊,并且有共同的实学思想,而从顾氏《广师》一文所言:"学究天人,确乎不拔,吾不如王寅旭"❸,可以推知,他对王锡阐的会通中西之学崇敬有加。有资料表明顾炎武与清初另一位著名的会通中西学者薛凤祚也有交往,并且充当了王锡阐与薛凤祚交往的引荐人(详见第八章)。

---

❶ 《周易外传·系辞下传第四章》。

❷ 顾炎武著、黄汝成释:《日知录集释》卷三十"月食",中州古籍出版社 1990 年;顾炎武:《菰中随笔》卷二下,《敬跻堂丛书》本。

❸ 见《顾亭林诗文集》,页 387、页 422、页 134,中华书局,1983 年;《松陵文录》卷十"与顾亭林书"。

从顾炎武的著述中反映,他对西洋火器、天文历学等西方科技成果持明确的接纳和利用的态度。在他的经世大作《天下郡国利病书》中,就已经对西洋"佛郎机"火炮的引进与仿造予以关注,称西洋火炮可以"用以守营门,破关隘"❶,以期用作守城破关的利器。而在《菰中随笔》中他引述了汤若望《新法历引》中的"三余说",并与传统的"四余说"作了比较。所谓四余是指传统星占学上所指的罗睺、计都、月孛、紫气四颗虚拟的星体。汤若望在新法中删除了紫气,而保留较具天文意义的其他三曜,并以新法推算各曜之行度,意欲剔除四余中的迷信成份,而凸显新法之新。❷ 顾炎武对汤氏之说持明显的赞同态度:

> 汤若望《新法历引》三余旧加紫气,名为四余,亦谓之四隐曜。然详求天行,实无紫气,凡绝无当于推步之术,故西法弃而不录,第取三余一罗睺、一计都、一月孛,……故《月离历指》详论其必无是曜也。❸

顺治初汤若望据《崇祯历书》删订刊行《西洋新法历书》,其中《新法历引》一卷即为汤氏增入的著作,其余涉及西方天文学理论的五种《历指》几乎原封不动,《月离历指》即为五种之一。顾炎武在《日知录》中引述:"日食,月掩日也;月食,地掩月也。今西洋天文说如此。"❹ 实际上就是来源于汤若望《西洋新法历书》中《月离历指》所介绍的西方天文学说。特别值得注意的是,顾炎武在此称

---

❶ 《天下郡国利病书》卷二十"江南八·火器",广雅书局本。
❷ 参见黄一农:《清前期对'四余'定义及其存废的争执·下》,《自然科学史研究》1993 年第 4 期。
❸ 《菰中随笔》卷二下。
❹ 《日知录集释》卷三十"月食"。

新法"三余说"是经过"详求天行"的结果,意在它是一个言必有据的科学结论,这显然是在表达他倾向"三余说"的主要理由。

尤其在顾炎武的代表作《日知录》中,他对西洋天文历学的日月食理论等内容以及天主教都作出了具体的回应。

首先,顾炎武从他务实的学风出发,对西洋天文历法并不排斥,而是在认可某些西洋天文学说的前提下,采取与黄宗羲等学者同样的思维逻辑,论证西学源于中国。如他通过对中国传统历法时刻制的考证,论证了西洋历法所采用的九十六刻为一日的计算方法,实本于南朝梁武帝。❶ 顾炎武曾相当准确地引述了西洋日月食理论:❷

> 静乐李鲈习西洋之学,述其言曰:月本无光,借日之照以为光曜。至望日,与地日为一线,月见地不见日,不得借光,是以无光也。

但他又提出了西洋日月食理论为中国古已有之之说,他论道:

> 日食,月掩日也;月食,地掩月也。今西洋天文说如此。自其法未入中国而已有此论。

笔者认为顾炎武的这种观点很可能受到王锡阐"西学中源"论的影响(参见第八章)。不过,顾炎武仍然未能完全理解日月食的成因,提出"或曰不然……则地固未尝遮日月也",而且也未跳出传统天人感应与星象迷信的旧观念,说:

---

❶ 顾炎武:《日知录》卷三十"百刻"。
❷ 以下相关引文均见《日知录》卷三十"月食"。

然则谓日食为一定之数，无关与人事者，岂非溺于畴人之术，而不觉其自蹈于邪臣之说乎？

其次，他对天主教的排拒虽然不像王夫之那样激烈，但是仍以一种隐喻的方法希望清朝当局加以禁止。他说：

《册府元龟》载，开元七年，吐火罗国王上表，献解天文人大慕阇（按：指摩尼法师），智慧幽深，问无不知。伏乞天恩唤取，问诸教法，知其人有如此之艺能。请置一法堂，依本教供养，此与今之利玛窦天主堂相似，而不能行于元宗之世者，岂非其时在朝多学识之人哉？❶

顾炎武说这段话的真正含义，在于借古喻今。史载，唐开元七年（719），中亚吐火罗国支汗那王帝赊，曾推荐通晓天文学的摩尼教法师入唐，但唐玄宗对摩尼教并无好感，于开元二十年（732）下令禁断摩尼教，仅准"西胡"信奉。此见，顾炎武意在呼吁当局效仿唐玄宗之举以禁天主教，不言而喻。

总结顾炎武对西学的态度，他虽然没有盲目排斥西方天文学，但也始终未能明确提出吸收西方科学的主张，更看不到他关注西方科学中蕴含的先进思维方式。尤其可悲的是，像顾炎武这样的一代启蒙思想家，竟然还死抱着传统星占术数的陈腐观念。可见西学东渐对顾炎武的影响极为有限。

再则顾炎武在《日知录》中对异族文化一度表现出较为开明的心态，承认历史上的中国也有不如外国的地方，说："历九州之风俗，

---

❶ 《日知录》卷二十九"西域天文"。

考前代之史书,中国之不如外国者有之矣。"❶ 然而,他也在同一部书中反复阐述了夏夷之防的传统观念,声称"夷夏之防,所系者在天下"❷。尽管顾炎武没有像王夫之那样把西洋传教士归于"夷狄",然而他与西学保持的距离不能不说有其"夷夏大防"思想的影响。

综上所述,清初启蒙学者与西学的接触程度不一,对西学的反应和态度差异互见,甚至不乏自相矛盾与曲解。初步的研究表明,他们在一致认同西方实用之学有可取之处的基础上,方以智和黄宗羲采取积极吸收和会通的态度,并在理解与采纳西方科学的实证精神上,表现出清初士人的一流识见。而王夫之在承认西方科学之精巧的同时,却在"夏夷之辨"论的驱使下,对利玛窦等西教士的学术传教活动产生很强的疑忌心理,甚至对西教士传播的地圆说等科学结论,也陡生偏狭之见,而欲盲目排斥。顾炎武则以一种谨慎有余、略显保守的态度,对接纳西方科技保持着距离。同时由于历史的局限,清初启蒙学者试图在儒学的框架内寻求取代理学的新的理论形态,但是他们强烈的民族主义情感,以及根深蒂固的华夏中心论,驱使他们以居高临下的姿态来俯视西学,在排斥了与儒学思想有本质差异的天主教义之后,又力图论证西方科学源出中国传统旧学,以缓解因西学东渐而陷于"夏夷之辨"的理论困境。

清初启蒙学者的西学观,在内涵上的这种复杂性,正是明清之际新旧杂陈、差异互见的时代印记。

---

❶ 《日知录》卷二十九"外国风俗"。
❷ 《日知录》卷七"管仲不死子纠"。

第八章 从会通中西到西学中源

　　明清之际的入华耶稣会士采行"学术传教"策略,始终怀着一个企望:以介绍西方科学知识为手段,使居于中国社会上层的士大夫们,通过西学的自然真理迈向宗教神学的"启示真理"。然而,令传教士们大违初衷的是,他们传输的西方科学对于中国士人的吸引力,远远超过了他们矢志宣扬的天主教神学。尤其在清初顺治、康熙年间,以薛凤祚、王锡阐、梅文鼎为代表的科学家,继明末徐光启、李之藻等人之后,掀起了一个比较和会通中西科学的热潮,成为当时中国学术界回应西学东渐的主流。"王、梅流风所被,学者云起"❶,仅《畴人传》初编列举的清代历算家即达 30 多位。❷ 这充分说明,清初西学东渐对中国文化最具影响力的是西方科学而非宗教神学。然而,王、梅诸人虽然接过了徐光启会通中西的旗号,却并未追求他所确立的"超胜"西方的远大目标,而是专注于阐论中西科学的源流,竭力宣扬所谓"西学中源"说。此说在清代学术界产生了深远的影响,对康雍乾时期的中西文化交流几乎起了支配性的导向作用。近十余年来,学术界对薛、王、梅诸人的事迹及

---

❶　梁启超:《中国近三百年学术史·十六》,朱维铮校注《梁启超论清学史二种》,复旦大学出版社,1985 年。

❷　阮元:《畴人传》卷三十五至四十二,万有文库本。

清代"西学中源"说已有不少论述，❶ 笔者将在吸取先贤们诸多学术成果的基础上，综合考察薛、王、梅为代表的清初科学家这一学术群体，如何从会通中西走向"西学中源"的思想轨迹及其影响，并就学术界有关清代"西学中源"说的某些论点提出商榷。

一 "南王北薛"的中西会通

清初会通中西科学的名家，首推薛凤祚（1600—1680）和王锡阐（1628—1682），时人以"南王北薛"并称。❷ 然而，他们高举的会通旗帜是从明末徐光启等人手中接过来的。

徐光启在领导崇祯年间以西法改历的工作中，首先提出了"欲求超胜，必须会通；会通之前，先须翻译"❸ 的主张，意即在引进和研究西方科学的基础上，会通、融合中西之长，并达到与西方科学竞争甚至超越的目的。那么如何会通中西之长？笔者前文已经述及，徐光启公开提出的会通方式是"镕彼方之材质，入大统之型模"❹。但他的这种设想，多半是出于为减轻采用西法以改革旧法的阻力所作的策略性考虑。实际上，在徐光启主持编修的《崇祯历书》中完全尽取"西法"，并未拿新法去入《大统》之型模。因此徐光启会通说的实质是要全面吸取西方科学体系，特别是要吸纳西学

---

❶ 笔者所见主要论文有：李兆华《简评"西学源于中法"说》，《自然辩证法通讯》1985 年第 6 期；江晓原《试论清代"西学中源"说》，《自然科学史研究》1988 年第 2 期；朱亚宗《康熙"中体西用"的先驱》，《求索》1990 年第 4 期；王扬宗《康熙、梅文鼎和"西学中源"说》，《传统文化与现代化》1995 年第 3 期；王扬宗《明末清初"西学中源"说新考》，《科史新传》辽宁教育出版社 1997 年。

❷ 阮元：《畴人传》卷三十六"薛凤祚"。

❸ 王重民辑：《徐光启集》，页 374，中华书局，1963 年。

❹ 同上书，页 374—375。

320

中"较我中国往籍,多所未闻"的"所以然之故"与"确然不易之理",❶ 即西方科学的形式逻辑思维方法。如他将表现西方科学方法的代表作《几何原本》比喻为绣鸳鸯的"金针",吁请国人只有掌握其"金针",方能"人人自绣鸳鸯",故他的结论是"能通几何之学,缜密甚矣。故率天下之人而归于实用者,是或其所由之道也"❷。同时代的李之藻将西方科学方法归纳为"缘数寻理"❸,并认为西学"不徒论其度数而已,又能论其所以然之理"❹。显然,徐、李等人会通中西的重点在于吸纳西方科学的精华以实现超胜西方的理想。明末清初的许多士人学者,继承了徐、李会通中西的思想,并作了大量实质性的会通工作。清初薛凤祚、王锡阐的贡献尤为突出。

1."熔各方之材质,入吾学之型范"——薛凤祚的中西会通观

薛凤祚,字仪甫,山东益都人(或曰淄川人,均为今山东淄博人),又因益都古属北海郡地,故时人或称凤祚为"北海薛氏"。年少时从魏文魁学习中国传统的天文历法。顺治九年至十年(1652—1653)前后,赴南京向波兰籍入华耶稣会士穆尼阁(N. Smogolenski,字如德,1645—1656年在华)学习西洋历算知识,"受新西法,尽传其术,亦未尝入耶稣会中"❺,并于癸巳年(1653)协助穆氏翻译了《天步真原》。❻ 穆尼阁所传西学有不少先进之

---

❶ 《徐光启集》,页344。

❷ 《徐光启集》,页77—78。

❸ 李之藻:《同文算指序》,徐宗泽《译著提要》,页267。

❹ 《请译西洋历法等书疏》,徐宗泽《译著提要》,页255。

❺ 梅文鼎:《勿庵历算书目·天学会通订注》。

❻ 薛凤祚:《历学会通·考验序》,载《益都薛氏遗书》康熙刻本,北京图书馆藏。

处，如西方对数表即是由他在《天步真原》中首次传入中国的。穆氏又是口头向中国学者介绍日心地动说的第一人。● 又据近年国内研究表明，《天步真原》的五星部分已经采纳了属于哥白尼日心体系的行星运动图形与行星位置的计算方法，只是作者因其传教士的身份而不能违背教会禁止日心说的主张，同时也为了避免与清廷钦定的《西洋新法历书》中所采用的第谷和托勒密两种地心体系相冲突，故而人为地变动了日地位置，即把日心说的地球绕太阳改为太阳绕地球运动。● 可见，薛凤祚从穆尼阁那里接触到了清初最新传入的西方天文数学知识。

薛凤祚直接受传于穆尼阁的西方科学知识以及其他实用知识，主要反映在他的著作《历学会通》● 中，此书于 1664 年刊行，共五十余卷，分正集、致用、考验三大部分，正如该书书名所称，这是他会通中西科学的一部代表作。如在考验部中收录了中西五种历法，其中"今西法选要"五卷选自《崇祯历书》，"新西法选要"十五卷则为传自穆尼阁的《天步真原》。在薛氏会通中西科学所作的正集十二卷中，涉及的西方天文学理论和数学知识主要本于《天步真原》，即如梅文鼎所称"薛书受于西师穆尼阁"●。

薛凤祚在《历学会通》中体现的会通思想与徐光启的"会通超胜"论是相通的。他在康熙壬寅年（1662）所作的《历学会通·正集叙》中说：

> 中土文明礼乐之乡，何讵遂逊外洋？然非可强词饰
> 说也。要必先自立于无过之地，而后吾道始尊。此会通

● 《物理小识》卷二"地类"方中通小注曰："穆先生亦有地游之说"。

● 胡铁珠：《〈历学会通〉中的宇宙模式》，《自然科学史研究》1992 年第 3 期。

● 笔者所见为康熙刻本《益都薛氏遗书》，共 25 册。

● 梅文鼎：《绩学堂文钞》卷五"锡山友人历算书跋"，乾隆梅毂成刊本。

之不可缓也。斯集殚精三十年始克成帙，……其立义取于《授时》及《天步真原》者十之八九，而西域西洋二者亦间有附焉，皆熔各方之材质，入吾学之型范。

在此，薛凤祚认为，面对西洋科学的挑战，既要坚持文明古国应有的自信，又不必对中国科学的落后"强词饰说"，关键是要融合中西之长，这样才会获得自立、自尊的地位。特别引人注目的是，他提出"熔各方之材质，入吾学之型范"的会通模式，无疑是徐光启设想的"熔彼方之材质，入《大统》之型模"的翻版。正是从这种立场出发，薛凤祚在译传西法中曾有意识地做过一些中国化的处理，如将西方的度分六十进位制改成中国传统的百进位制。[1]

同时，他受穆尼阁的影响，形成了一个以发展的眼光来看待西方科学的重要观点。薛凤祚说："西儒（即指穆尼阁）言：今西法（指《崇祯历书》）传自第谷，本庸师，且入中土未有全本。"[2] 因而，他明确指出汤若望、罗雅谷介绍的第谷天文学体系实不完备，说：

明末西洋汤、罗二公以第谷法改正之，为法甚备，国朝颁行为《时宪历》。然汤、罗之法又未尽善。癸巳，予从穆尼阁先生著有《天步真原》，于其法多所更正，始称全璧。此西历之源流始末也。[3]

---

[1] 阮元:《畴人传》卷三十六"薛凤祚"。
[2] 薛凤祚:《天步真原序》。
[3] 《历学会通·考验叙》。

明末由汤若望、罗雅谷等西教士参编的《崇祯历书》，入清后删订为《西洋新法历书》颁行。从科学史上看，该书引进的第谷宇宙体系仍属西方古典天文学阶段，自然存在着许多缺陷。薛凤祚敢于公开指出已为清廷钦定的《西洋新法历书》并不完备，并致力于"更正"其法，反映了他具有不畏政治风险、坚持科学真理的勇气，这在当时的封建士大夫中是难能可贵的。当薛凤祚从西法也有不完善之处的观点出发，接受了穆尼阁最新传入的对数方法及变异日心体系等西方科学知识，这就表明他已经有意识地站到了清初士人接纳西方科学的最前沿。故《历学会通》是继《崇祯历书》及其删订本《西洋新法历书》之后，第二部集中介绍西方天文学知识的代表作。

　　由于西法本身在不断发展和变化，究竟与哪一种西法或哪一家学说实行会通，这是涉及到中西会通的原则和方针的大问题。薛凤祚采取的办法是：广收博采、折衷归一："欲言会通，必广罗博采，事事悉其原委，然后能折衷众论，求归一是非，熟谙其理数不可。"❶ 不难发现，薛凤祚的这种会通思想与徐光启的观点颇有相似之处。徐光启曾说："(修历)要求大备。一义一法，必深言所以然之故，从流溯源，因枝达干，不止集星历之大成，兼能为万务之根本。"❷ 从徐的"要求大备"到薛的"广罗博采"，从"一义一法，必深言所以然之故"到"事事悉其原委"，薛凤祚与徐光启的会通思路可谓如出一辙。以科学思想史的角度而言，薛凤祚的这种强调"事事悉其原委"的观点，极具科学探索精神。这也是他在"熔各方之材质，入吾学之型范"的中西会通实践中，最富有价值的理性见解。

---

❶　薛凤祚：《历学会通·考验叙》。
❷　《徐光启集》，页 377。

2. 兼通中西，自立新法——王锡阐对徐光启熔"材"入"模"说的刻意追求

王锡阐,字寅旭,号晓庵,江苏吴江人。他 17 岁时明王朝灭亡,这位年轻志坚的读书人,竟然选择投河、绝食来表达他的亡国之痛,虽然经父母劝阻,他不再以自己的生命来抗争世事的剧变,❶ 但立下遗民绝仕之志,终其一生。入清后他与顾炎武、张履祥(时称杨园先生)等遗民士人交游,隐居不仕,潜心于天文历学研究,"每遇天色晴霁,辄登屋卧鸱吻间,仰察星象,竟夕不寐",终致"兼通中西之学,自立新法"❷,成为清初著名科学家。王锡阐有关会通中西的思想,主要见于他的杂著《历策》、《历说》及与友人的往来文书中,❸ 而其会通中西科学的成就则主要体现在他的《晓庵新法》、《五星行度解》及《圜解》等著作中。❹

王锡阐是最早从《崇祯历书》入手学习西方天文学的中国学者之一。梅文鼎称"王书则从《历书》悟入"❺。而此书对锡阐最具深意的影响,在于他接受了徐光启"熔彼方之材质,入大统之型模"的会通说,并成为其日后从事比较、研究和兼采中西之学的指导方针。且看王锡阐对中西天文历学的比较与会通。

---

❶ 王济:"王晓庵先生墓志",《松陵文录》卷十六,同治十二年刻本。

❷ 阮元:《畴人传》卷三十四"王锡阐上"。

❸ 王锡阐的著作主要收录于其同乡潘耒所辑《晓庵遗书》,今有清道光守山阁丛书本、光绪十七年刻本,及丛书集成初编本;又王锡阐著,张海珊编:《晓庵先生文集》三卷,道光年间抄本,华东师大、中科院自然科学史研究所藏。另外《松陵文录》与《畴人传·王锡阐》亦有辑录。

❹ 前两书辑入《晓庵遗书》,其中《晓庵新法》又收入《四库全书》。《圜解》抄本于50 年代末由严敦杰先生重新发现,今收入《中国科学技术典籍通汇·数学卷》,河南教育出版社 1993 年。

❺ 梅文鼎:《绩学堂文钞》卷五"锡山友人历算书跋"。

首先,王锡阐援引徐光启熔"材"入"模"的中西会通论,对当时摒弃中法而专用西法的倾向,持明确的批评和反对态度。他指出:

> 万历季年,西人利氏来归,颇工历算。崇祯初,命礼臣徐光启译其书,有"历指"为法原,"历表"为法数,书百余卷,数年而成,遂盛行于世,言历者莫不奉为俎豆……且译书之初,本言取西历之材质,归大统之型范,不谓尽堕成宪,而专用西法如今日者也!❶

王锡阐认为正是这部广为流传的《崇祯历书》,其实并未遵循当初由徐光启确定的从翻译到会通的计划,没有真正实现既定的会通目标:取西法之"材质",归中法之"型范","言历者"不加详察,盲目崇奉,从而导致了一边倒专用西法的局面。接着,他将导致这种结果的主要原因,归咎于徐光启逝世之后的"继其事者",指责他们仅仅止于翻译的层面,而未能深入融汇中西之法。他说:

> 文定以为:欲求超胜,必须会通;会通之前,先须翻译。翻译有绪,然后令甄明大统、深知法意者,参详考定。其意原欲因西法而求进,非尽更成宪也。乃文定既逝而继其事者,仅能终翻译之绪,未遑及会通之法,至矜其师说,龃龉异己,廷议纷纷。……今西法且盛行,向之异议者,亦诎而不复争矣。❷

关于徐光启以"材"入"模"说的真实意图以及他内心真正主张

---

❶ 王锡阐:《晓庵新法·自序》。
❷ 《晓庵遗书·历说一》。

326

的中西会通观,笔者已在第七章的第二部分论及。可见,王锡阐对徐光启会通观的理解是片面的。对此,已无须赘论。不过,我们引征王锡阐这段论述的重要意义在于表明:王锡阐本人始终是以他所理解的徐光启的"材质"与"型范"论,作为其会通中西实践的指导方针,并且意欲继承由徐光启开创的会通中西的未竟之业。

其次,王锡阐比较中西历法之后得出的结论为:西法未必尽善,中法未必尽失。他说:"吾谓西历善矣,然以为测候精详可也,以为深知法意未可也;循其理而求通可也,安其误而不辨未可也。"❶

他在《晓庵新法》自叙中,具体列举了西法"不知(中法)法意者"五条,为中法辩护;又指出西法"当辨者"十端,对西法本身也提出了批评。后在《五星行度解》中,他又有西法"六误"之说,对《崇祯历书》中的西法行星运动理论提出批评。

王锡阐对西法的质疑,大多数是属于天文历算方面的专业性问题,但其中有一些是因文化背景的差异而造成的中西之别,其本身在技术上难以区别是非高下。如在节气推步问题上,西法以"定气法"为标准,指责中法"平气法"所推节气有误,王锡阐认为这实际上是由于中西历两种方法的差异造成的,他在详细辨析后指出,中历"平气法"本身"法非谬也",这个说法是有道理的。❷ 王锡阐的用意无非是为了阐明:尽管西法测算之精优于中法,但西法对中法的有些指责是站不住脚的,原因是西人不懂中法之精义。

同时,王锡阐对西法的批判,从科学角度讲,虽有不少错误,但他提出西法也有不完善之处的结论无疑是正确的。他在《历说》篇

---

❶ 《晓庵新法·自序》。

❷ 此据黄一农:《清初天主教与回教天文家间的斗争》,(台湾)《九州学刊》第5卷第3期,1993年。

中，又进一步指出西法并非一成不变而不能改进："以西法有验于今可也，如谓不易之法，无事求进，不可也。"❶ 1672 年 10 月，他在给友人万斯大（字充宗，1633—1683，黄宗羲弟子）的信中，公开亮明了他的结论性观点："其实《大统》未必全失，西人未必全得。"❷ 王锡阐的这些论点与上述薛凤祚认为西法"未尽善"并欲"更正"西法的主张也是一致的。显然，这是体现他们具有进步科学观的亮点。

既然中法未必尽失，那么中西历法之争缘何中法处于下风呢？王锡阐认为："旧法之屈于西法也，非法之不若也，以甄明法意者之无其人也。"❸ 这就是说，中法之所以屈居下风，并非是历法理论落后于西法，而是中国缺乏精通法意、敢于献身历学事业的应用型人才。

必须指出的是，尽管王锡阐通过比较中西历法得出中西法各有长短的结论，具有一定的合理性，但他对西法所作的具体批评并非全部正确，而为中法所作的辩护，则大多是错误的，其中不乏感情用事的偏见。❹

当然，王锡阐对西法的批判与清初杨光先等保守士大夫盲目排外式的抨击，在性质上是完全不同的。因为，王锡阐在指责西法的同时也肯定并吸取了西法的先进之处，如他在承认西法测算精详的同时，又在"交食"等问题上赞扬道："交食至西历略尽矣"，"推步之难，莫过交食，新法于此特为加详，有功历学甚巨"。❺

❶ 《晓庵遗书·历说一》。

❷ 《晓庵先生文集》卷二，《松陵文录》卷十均收录"答万充宗书"。

❸ 《晓庵遗书·历策》。

❹ 江晓原：《王锡阐及其〈晓庵新法〉》，《中国科技史料》1986 年第 6 期；杜石然主编：《中国古代科学家传记·王锡阐》（江晓原撰），科学出版社，1993 年。

❺ 《晓庵遗书·历说四》。

其三,王锡阐会通中西的实践——取西历之"材质",归中法之"型范"。《晓庵新法》是王锡阐实践其中西会通思想的代表作。从康熙二年所作的自序(自署"昭阳单于菊花开日",此为岁星纪年法,即癸卯年秋,公元 1663 年)中明确显示,王锡阐对当时"尽堕成宪而专用西法"的局面深为不满,这正是触发他写作该书的动机,因而他申明其写作宗旨为:"兼采中西,去其疵类,参以己意,著历法六篇。会通若干事,考正若干事,表明若干事,增葺若干事,立法若干事。旧法虽舛而未可遽废者,两存之。"❶

从《晓庵新法》的内容来分析,王锡阐在如何贯彻"取西历之材质,归大统之型范"的会通原则上,可谓煞费苦心。如该书虽然在天文学计算中采用了西方传入的三角学知识,但并未使用西方的小轮几何体系,也未建立宇宙模型。因为按照中国古典历法的传统,根本用不着涉及宇宙模式问题。而在他早年写成的《五星行度解》中,却完全采用了西方的小轮几何体系,并且也建立了一个与《崇祯历书》中的第谷模型大同小异的宇宙模型。这说明王锡阐完全了解甚至精通西方小轮体系。❷ 但是,他为了刻意追求将西法归入中法之型范,在他积 20 余年历法研究之心血的代表作《晓庵新法》中,❸ 却仍然用中国传统的方法预推天体视位置。因此,人们也不难理解在第三卷中为何多处出现"用新法会通《大统历》得……",或"用《大统历法》会通《崇祯历书》得……"之类的表述。

同时,他从《晓庵新法》第一卷对三角函数的定义,到第三、四卷有关天文历法的计算和讨论,尤其在第五、六卷讨论"月体光魄定向"、金星凌日、"凌犯"等计算方法中,表现出独特的创造才能。

---

❶ 《晓庵新法·自序》。

❷ 参见江晓原:《王锡阐及其〈晓庵新法〉》;杜石然主编:《中国古代科学家传记·王锡阐》。

❸ 王锡阐:《大统历法启蒙·凡例》,《晓庵遗书》本。

但是同样出于其"归大统之型范"的既定方针,他坚持全用传统的纯文字叙述法,而拒绝利用西法的图示和数学公式来表达,特别是对书中给出的大量数据,究竟如何推导出来,往往不作任何说明。❶ 结果导致读者无法理解其内容,更难判断其科学意义和价值。可是,王锡阐对他的这种做法还振振有词,称这是仿效古人之遗风:"大约古人立一法而必有一理,详于法而不著其理,理具法中,好学深思者,自能力索而得之也。"❷ 众所周知,中国传统学术中的只重结果,不讲原理的传统,恰恰是中学不如西学的弊端!王锡阐的这种认识与前一章所述黄宗羲主张将历法的"作表之法"介绍给读者,使推历者"自能成表"的思想有明显的差距。

王锡阐的《圜解》是清初学者回应西方三角学传入我国的代表作。受西学的影响,他对书中所用的数学名词和概念均作明确定义,但又拒绝采用徐光启、利玛窦合译《几何原本》中的一系列关于"角"的名词,而代之以自创的"折"等新概念。❸ 另据梅文鼎考证,他在友人处看到的一部"约西法入授时"的"小帙",虽然未署作者,但他从该书的独特风格判断,此书"非王先生不能作也",理由是:"其书大体纯拟《元史》历经,而实用西术,然亦微有差别,所立诸名,多与西异,以此知之。"❹ 看来,王锡阐的一些创见,有不少仅仅是为了与西法"示异",因此连梅文鼎也对王锡阐这种刻意追求"入大统之型范"的做法颇有微词,称:"王书用法精简而好立新名,与历书互异,亦难卒读。"❺

---

❶ 参见前揭江晓原文:《试论清代'西学中源'说》。

❷ 《晓庵遗书·历策》。

❸ 梅荣照:《王锡阐的数学著作——圜解》,载《明清数学史论文集》,江苏教育出版社,1990 年;《〈圜解〉提要》,见《中国科学技术典籍通汇·数学卷》。

❹ 梅文鼎:《绩学堂文钞》卷一"与潘稼堂书"。

❺ 同上书。

以上可见,《晓庵新法》确实是王锡阐认真实践其会通中西思想的发愤之作,尤其是书中表现出来的独创精神,正是中国传统科学面临西方科学挑战时最为急需、最为可贵的动力。但是,王锡阐在清初天文学界普遍盛行西方天文学方法和体系的情况下,独唱异调,大力鼓吹并刻意践履"取西历之材质,归大统之型范"的会通方针,不能不说带有复古主义的色彩,甚至是传统"夏夷之辨"论影响下的一种狭隘民族主义情绪的折射。可想而知,任何一位受这种情绪支配的学者,去从事中西历法的比较、评价和会通工作,很容易失却公正、客观的心态,作出失真的甚至是偏执的评判。

王锡阐在比较与会通中西历学的实践中,即便对西法作了多方面的指责(前文已经指出他对西法的许多指责是错误),不过仍然以其科学家的眼光不得不承认西方科学具有一定的优势,更要面对清朝政府早已钦定采用西洋历法的现实,然而他终究在感情上难以排除对西法的抵触。为了彻底解决对西法的这种情感与现实的矛盾,王锡阐经过一番推论,终于在理论上找到了一种终极支持——西法源出中法。

3.王锡阐会通中西的理论归宿——西学中源说

王锡阐论证的西法原本中法,即所谓"西学中源"说,是他为实现将西法全面纳入中法的会通目标而精心构建的理论基础。他的有关论述主要见于其杂著《历策》和《历说》等文章中。如他在《历说》中说:"《天问》曰:圆则九重,孰营度之。则七政异天之说,古必有之。近代既亡其书,西说遂为创论。余审日月之视差,察五星之顺逆,见其实然。益知西学原本中学,非臆撰也。"❶ 在《历策》中他进一步阐论其说:"今者西历所争胜者不过数端,畴人子弟骇于

---

❶ 《晓庵遗书·历说五》。

创闻,学士大夫喜其瑰异,互相夸耀,以为古所未有。孰知此数端悉具旧法之中,而非彼所独得乎!"接着他列举了五条西法"悉具旧法之中"的具体证据:"一曰平气定气以步中节也,旧法不有分至以授人时,四正以定日躔乎? 一曰最高卑以步朒朒也,旧法不由盈宿迟疾乎? 一曰真会视会以步交食也,旧法不有朔望加减食甚定时乎? 一曰小轮岁轮以步五星也,旧法不有平合定合晨夕伏见疾迟留退乎? 一曰南北地度以步北极之高下,东西地度以步加时之先后也,旧法不有里差之术乎?"❶

王锡阐列举的这五个方面证据,涉及了日月运动、行星运动、交食、定节气以及授时,它们几乎涵盖了当时历法的所有主要方面。这就是说,即使是西法所夸耀的胜过中法之处,也是中国古已有之。那么为何当今西法得以"争胜"中法呢? 王锡阐的结论是西人窃取了中法的"法意"。不过他同时又指出,即便是"西人窃取其意",然而"讵能越其范围,就彼所命创始者"❷? 意思是说,西法终究不可能超越中法的范围,自命为创始之说。

但是正如有的学者已经指出:王锡阐提出的五条例证,实际上只是表明中国传统天文学的常用代数方法也能达到与西法同样的功能:授时、定节气、预推交食和五星运动,并不表明两者在方法上相同,❸ 更不能证明两者具有源流上的必然联系。

在 1672 年写给友人万充宗的书信中,王锡阐更是语出惊人,他从怀疑"西人果能无所承受自创密率乎"出发,考证出西法原本中法的确切来源竟是唐代的《九执历》。这是他鼓吹"西学中源"说的另一大重要论据。他说:

---

❶ 《晓庵遗书·历策》。

❷ 《晓庵遗书·历策》。

❸ 参见江晓原撰《中国古代科学家传记·王锡阐》。

西历源于《九执》,而测候稍精,但《九执》仅有成法,不言立法之故,故使西人得以掠其绪余,簧鼓天下。兹亦不必求诸隐深,举其浅显易见之粗迹,无非蹈袭剿窃之左券:即如岁、月、日、时、宫闰、月闰、最高、最卑、次轮、引数、黄道九十度限、月离二三均数、五纬中分较分之属,无一不本《九执》。❶

《九执历》是唐朝印度裔中国人瞿昙悉达编译的印度天文学著作。在唐朝它的推算方法确实比汉历更为精密。❷ 应该说,王锡阐看到西洋天文学与印度古历法具有渊源关系是有道理的,但遗憾的是他把源流关系搞颠倒了。因为《九执历》中反映的印度天文学,实际上引进了不少古希腊天文学的概念和计算方法。❸ 看来,导致精通中国传统历法的王锡阐在判断西历与《九执历》源流关系上失误的主要原因,恐怕不仅仅是学术研究上的一个疏误,主要应归咎于他先入为主的"西法原本中法"的偏见。

至此,王锡阐全面论证了"西学中源"说。可以说,他从中法屈于西法的现实中,为找回中法的"自尊",做到了自圆其说。然而此说的非科学性显而易见。不难看出,王锡阐虽然声称以继承徐光启的中西会通观为己任,但是从他的学术实践来看,他与徐光启的会通思想并非处于同一个层次,其中最根本的区别在于,王锡阐追求的主要目标并不是徐光启的"超胜"西方,而是要将西法全面纳入中法体系。换言之,徐光启的理想是要全面吸收西学,以使中国科技在观念和方法上取得全面突破,从而具备与西方科学竞胜的

---

❶ 《松陵文录》卷十"答万充宗书"。

❷ 陈久金:"瞿昙悉达"传,杜石然主编:《中国古代科学家传记》上集。

❸ (日)薮内清:《中国天文历法概说》、《〈九执历〉研究》第 21 条注释均已指出,见《科学史译丛》1981 年第 2 期、1985 年第 1 期。

能力。而王锡阐注重的是恢复传统旧学的自信。尽管他看到了西法的某些长处，并在实际上接受其影响，比起清初杨光先等保守派士人的盲目排外要进步得多，但他的志向在于借鉴西法以复兴旧法，完善旧有的"型范"，并非为了突破传统历学的体系，更不是为了追求全面革新传统科学的观念和方法。这里，有人或许会把《晓庵新法》中的"月体光魄定向"等创见视为王锡阐会通中西的创造性成果，但是笔者认为，我们在充分肯定这些创见是中国天文学发展史上的闪光点的同时，又必须看到其局限性：这毕竟只是为了改进和完善中国的古典历法，况且在"西学中源"说主导下所从事的中西会通，其思想倾向必然不可能深入汲取西法的精髓——科学观念和思维方法，更不可能循着这些闪光点去迎接近代科学的曙光！

4. 薛、王会通中西之学的影响

薛、王会通中西之学在清初流传颇广。清初启蒙学者方以智、黄宗羲和顾炎武都曾予以关注。《历学会通》在清初知识界的影响很大。本文第七章已述方以智的《通雅》和黄宗羲的《西历假如》均从《历学会通》中引征西方天文历法资料。方以智修订《物理小识》时且称"山东薛仪甫，究此(历学)廿年"❶，可见方氏对薛凤祚的历法研究曾相当关注。

黄宗羲《西历假如》之"交食"部分即参考了薛凤祚《天学会通》（《历学会通》之一部）的成果，并且说明"以上据海岱薛凤祚本，著其所查表名及数目舛错，为之更定，使人人可知"❷（详见第七章第二部分）。

---

❶ 方以智：《物理小识》卷一"历类"。

❷ 黄宗羲：《西历假如》，见《黄宗羲全集》第 9 册，浙江古籍出版社，1989 年。

顾炎武与王锡阐有诗书交谊，并在思想上共具反对陆王心学、讲求濂洛之学的立场，❶ 因而他从实学思想出发，对锡阐之学崇敬有加，其《广师》一文称"学究天人，确乎不拔，吾不如王寅旭"❷。王锡阐在康熙十九年与顾炎武的通信中讨论过"声音之学"问题，其中谈及明末入传中国的西方音韵学："声音之学有二，一则未有文字而求音韵之原，与乐律相表里，一则既有文字而求字音之正，与六书相表里……西人《耳目资》绝无伦次，亦不足采。"❸

　　这里王锡阐提及的《耳目资》即为明末入华耶稣会士金尼阁所撰的《西儒耳目资》。1625 年金尼阁在杭州开始编撰此书，次年正式出版。金尼阁是利玛窦创制的第一个拉丁字母的汉语拼音方案最主要的直接继承者，因而学术界常常把这套拼音系统称为"利—金方案"。故《西儒耳目资》对于中国音韵学的研究是有影响的。❹虽然王锡阐认为金氏之书"绝无伦次，亦不足采"，但他与顾炎武共同关注过这部中西结合的特殊著作毋庸置疑。

　　有趣的是，顾炎武还是促成王锡阐与薛凤祚取得首次通信联络（也是惟一一次）的中间人。1668 年 9 月（农历八月）王锡阐应顾炎武的推荐致信薛凤祚，请教有关天文历学问题，并且希望获得薛氏有关占候、推步、制器之书，信曰：

　　　　去春，顾宁翁（即顾炎武）盛陈先生东州宿望，学无不窥，尤邃天官家言。仆生无他嗜，唯于历象之学究心多

❶　参见《晓庵先生文集》卷二"与顾亭林书"（康熙十三年，1674）、"又答（顾亭林）书"（康熙十七年，1678）。
❷　顾炎武：《顾亭林文集·广师篇》，页 134，中华书局，1983 年。
❸　《晓庵先生文集》卷二"又（与顾亭林）"（康熙十九年，1680）。
❹　详见罗常培：《耶稣会士在音韵学上的贡献》，国立中央研究院历史语言研究所集刊第 1 本第 3 分册，1930 年。

年，然而僻在江表，既少书器，又无师授。是以志弥苦而
求弥疏，岁弥深而感弥甚……敢以疑数端，请正高明。
……鄙怀先生所有占候、推步、制器之书，肯从鸿便附宁
翁处，惠教百一。❶

　　从信中所知，顾炎武向王锡阐引介薛凤祚时在 1667 年春，而
王锡阐向薛凤祚索要的历学书籍，也希望通过顾炎武来传递。由
此可见，王氏致薛凤祚之信，不仅为王、薛交往之珍贵见证，而且为
学术界发现顾炎武与薛凤祚也有结交之谊提供了确证。

　　尤其值得重视的是，王锡阐的"西学中源"说很可能对顾炎武
产生了影响。顾炎武在《日知录》中明确宣称西洋日月食之说，实
为中国古已有之："日食，月掩日也；月食，地掩月也。今西洋天文
说如此。自其法未入中国而已有此论。"❷ 据知，《日知录》初稿八
卷始刊于 1670 年，二年后印出样本，后屡经增补修订，至 1682 年
顾炎武去世前夕才完稿，1695 年由潘耒重编为三十二卷刊行。而
王锡阐对《日知录》颇为关注，他在康熙十九年（1680）致顾炎武信
中说："前岁教云以《日知录》见赠，不知浮沈何所，可更以一册相贻
否？ 近著并望惠教一二。"❸ 此见顾炎武在 1679 年曾答应送《日
知录》给锡阐，而锡阐实际看到《日知录》至少在 1680 年以后。从
后来锡阐给潘耒的一封信中曾评价说"《日知录》高深广博"❹，可
以证实王锡阐的确获赠此书。巧合的是，顾炎武与王锡阐同于康
熙二十一年（1682）去世（顾卒于 2 月，王卒于 10 月）。可见，顾、王
之间的学术交流与他们的学术生涯相伴始终，同时前述王锡阐论

---

❶ 《晓庵先生文集》卷二"贻薛仪父书"。
❷ 顾炎武撰、黄汝成释：《日知录集释》卷三十"月食"，中州古籍出版社，1990 年。
❸ 《晓庵先生文集》卷二"又与〔顾亭林〕书"。
❹ 《晓庵先生文集》卷二"续答潘次耕书"。

谈"西学中源"说的主要文章《历说》、《历策》等,均写于《日知录》初刊的 1670 年之前,❶ 而不断修订中的《日知录》本身又是顾、王晚年学术交流的一件要事,故笔者推论顾炎武的西学中源思想很可能是受王锡阐启发的结果,应该说是成立的。

此外,王锡阐与清初著名遗民学者张履祥(字考夫,号杨园 1611—1674)、吕留良、朱彝尊、万斯大、潘耒等均有交往。张履祥是清初名重一时的崇朱辟王的实学派学者,王锡阐也因学宗程朱而仰慕张氏之学,晚年客居语溪吕留良家期间,即"与张考夫、钱云门、吕用晦讲濂洛之学"❷。张履祥曾于 1671 年命其子维恭从锡阐受学,又在 1673 年《与王寅旭》的信中称赞锡阐为"南服之英贤"❸。

王锡阐与吕留良结为知交,1671 年锡阐寓居语溪期间,突发"阴阳之患,不能出户",幸得吕留良与何汝霖(字商隐)悉心医护照料,才得保住性命。❹ 从吕留良也竭力主张要继承《崇祯历书》"未及会通"的事业来看(参见第五章),他与王锡阐取"材"归"范"说的中西会通观是一致的。

朱彝尊与王锡阐一同披阅过一册西士南怀仁所编的《新制灵台仪像志》(参见第七章),显见朱、王对西洋天文历学有共同的兴趣。

至于万斯大与王锡阐的关系,已由前述 1672 年锡阐《答万充

---

❶ 有关王锡阐这些文章写作年代的断定,参见席泽宗:《试论王锡阐的天文工作》,《科学史集刊》第六辑,科学出版社,1963 年。

❷ 潘耒:《遂初堂集》卷六"晓庵遗书序",四库全书存目丛书·集部第 249 册,齐鲁书社,1997 年。

❸ 张履祥:《杨园先生全集》卷六"书三",四库全书存目丛书·集部第 163 册,齐鲁书社,1997 年。

❹ 事见《晓庵先生文集》卷二"与吕左书"(这是一封劝说吕留良兄子吕仁左改邪归正的书信)、《晓庵先生诗集》卷二"怀商隐二首"。

宗书》可以为证。而潘耒与王锡阐知交更深，既为同乡故旧，也有师生之谊(参见第五章)。他早年随锡阐学习历算之学，后来又成为王锡阐的学术助手。1672年王锡阐写信给潘耒，请他在北京帮助购买天文实用五纬表，特别是西士南怀仁所编《辛亥(注：即康熙十年，1671年)七政》书，意在考证西洋历法之异同，信中认为南怀仁之西历"恐与汤氏(注：指汤若望)所推微有异同，亦考验是非之一端也"❶。事实证明，王锡阐对南怀仁历法的判断是正确的。王锡阐晚年已明确同意由潘耒为他整理和收集著作，1680年在致潘耒的信中作了特别交待，如云："《历法》六篇(注：即《晓庵新法》六卷)为门人宋德交携之闽中，不知知交中或尚录得否"；"《历说》每写一通，辄为人持去，云高处有之，兄自索之可也。"❷ 这里王锡阐不仅为我们提供了有关他的代表作《晓庵新法》与《历说》等在清初学界流播情况的第一手资料，而且也告诉我们这样一个事实：潘耒是在王锡阐的直接指示下开始编辑《晓庵遗书》的，故他对传播王氏会通中西之学所作的贡献是别人无法替代的。同时，与王锡阐相知颇深的潘耒，对王氏之学所作的评价也颇为贴切，他说：

> 吾邑有耿介特立之士，曰王寅旭……，尤邃于历学，兼通中西之术，非徒习其法，而心知其意；非徒知其长，而能抉摘其短。自立新法，用以测日月食，不爽秒忽。神解默悟，不由师传，盖古洛下闳、张平子、僧一行之俦也。❸

"南王北薛"之称，是与薛、王同时代的学者们对他们的科学成

---

❶ 《晓庵先生文集》卷二"又续答潘次耕书"。
❷ 《晓庵先生文集》卷二"又答潘次耕书"。
❸ 潘耒：《遂初堂集》卷六"晓庵遗书序"。

就所作的一种公评。它在客观上反映了薛王之学在清初科学界的学术地位和影响。而在清初士人中，对薛、会通中西之学最为关注者，当为继之而起的历算学大师梅文鼎。他正是踏着"南王北薛"的足迹，将清初会通中西科学的思潮推向新的高峰。

二 "历算第一名家"梅文鼎的会通中西论

梅文鼎（1633—1721），字定九，号勿庵，安徽宣城人。他在清初科学界的影响力远在薛、王之上。他在近60年的学术生涯中，完成了80余部天文历学和数学著作。康熙四十一年（1702），70高龄的梅文鼎在其自编著作目录《勿庵历算书目》中称"历学书六十二种，内已刻者十七种"，"算学书共二十六种，内已刻者十六种"。❶ 其著作量之大，无疑也是薛、王二人无法匹敌的。

梅文鼎的学术声望在他生前即已名满天下，友人毛际可（1633—1708）立志表彰梅学，认为"先生之学不可不使人知之"，竟然打破生人不立传的惯例，在文鼎去世前22年的康熙己卯年（1699）作《梅先生传》，并以"自元郭守敬以后一人而已"❷ 的结论定评梅学的历史地位。令人惊讶的是，这位替梅文鼎作传的毛际可，竟先于传主13年去世，真可谓"死者"为"生者"立传，其传扬梅学之志，不禁使人肃然起敬。

在清初士人眼里，梅文鼎学术生涯的顶峰在于1705年得到康熙帝的亲自召见，且君民交谈天文历学达3天之久，并获御赐"绩学参微"嘉名，"一时学士大夫莫不闻风想慕，其盛争相传诵，纪为

---

❶ 梅文鼎：《勿庵历算书目》。
❷ 毛际可："梅先生传"，附于《勿庵历算书目》卷首，丛书集成初编本。

美谈"。❶ 的确,对于一位封建社会的民间学者来说,梅氏赢得了当时所能得到的最高荣誉。

梅文鼎去世后仅 2 年,魏荔彤的兼济堂即刻印了《梅氏历算全书》,实收论著 30 种。在梅氏死后近 24 年,即乾隆二十四年(1759),其孙梅瑴成重新编刊了《梅氏丛书辑要》,共 62 卷(后 2 卷为附录,即梅瑴成自撰《赤水遗珍》和《操缦卮言》),其中前 60 卷收入梅文鼎著作 23 种。梅氏著作因通俗易懂而广为流传,清人阮元评说:"其论算之文,务在显明,不辞劳拙,往往以平易之语解极难之法,浅近之言达至深之理,使读其书者,不待详求而义可晓然。"❷ 梅学弟子江永(1681—1762),将其所著《数学》题名为《翼梅》,表示旨在发扬和订正梅氏之学,又在书序中称梅氏为"历算第一名家"❸。

1. 梅文鼎对薛、王会通之学的继承

据学者考证,梅文鼎与西方传教士的直接接触仅有两次:一是康熙二十七年(1688)在杭州会晤意大利籍耶稣会士殷铎泽(P. Intorcetta, 1625—1696),据梅氏自述"尝于武林(指杭州)遇殷铎德(即殷铎泽),言彼国月日,又与斋日互异"❹。另一次是康熙二十九年在北京拜见法国传教士安多(A. Thomas, 1644—1709),虽曾谈及历算,但均未深交。❺ 因此,梅文鼎的西方科学知识主要不是来自西教士的直传,而是通过研读西学书籍获得的。其中薛、王之学就是梅文鼎重点参考的对象。

---

❶ 张必刚:《绩学堂文钞序》,见《绩学堂文钞》卷首,乾隆刻本。

❷ 阮元:《畴人传》卷三十七"梅文鼎中"。

❸ 江永:《数学序》,四库全书本。

❹ 梅文鼎:《勿庵历算书目·西国月日考》附注。

❺ 郭慕天:《梅文鼎与耶苏会士之关系》,《上智编译馆馆刊》1948 年第 3 卷 6 期。

1675 年,梅文鼎赴南京参加乡试期间,购得《崇祯历书》,并从老友顾昭家借抄了西士穆尼阁的《天步真原》和薛凤祚的《天学会通》。此后,他对薛氏之学颇为关注,五年以后的 1680 年,梅文鼎亲自写信给薛凤祚讨教学问,此信委托赴薛氏故乡淄川上任的汪发若(灿)携往,竟不料"薛先生方病革,遂未奉其回示"。梅文鼎不禁感叹:"甚矣,僻处之难为学,而深自悔其因循也。"❶ 据知,薛氏恰于当年去世,他未及答复文鼎显然是由于身体原因。不过,从文鼎的感慨中也折射出他向薛氏请教学问的真实动机,意在摆脱因循守旧之学风,沿着薛氏从旧法走向新西法的道路,以追求获取新知、创新学术的理想。

尽管梅氏未能与薛氏直接交流,但他通过研读薛氏著作,对薛学有了深入的了解。他在致友人秦二南的信中,曾特别推荐过薛凤祚译撰的西学著作:"对数表以加减代乘除,别是一种。惟穆尼阁、薛仪甫书非得此不可读。某有一本,正拟校刊,以备九种之一。"❷ 在此梅文鼎还透露了他准备校刊穆、薛所撰西学书籍的计划。从《勿庵历算书目》可知,梅文鼎确实为穆氏《天步真原》和薛氏《天学会通》作过订注。据梅氏在《勿庵历算书目》中说明,他对穆书作了勘误校正,"原书(《天步真原》)剞劂多讹,殆不可读,故稍为订注,以待后贤论定。"而梅氏对凤祚本人与《天学会通》的点评,显见他对薛氏其人其学的了解相当深入:

> 青州薛仪甫本《天步真原》而作《会通》,以西法六十分通为百分,从《授时》之法,实为便用。……仪甫初从魏玉山文魁,主张旧法。后复折节穆公(即穆尼阁),受新西

---

❶ 梅文鼎:《勿庵历算书目·天学会通订注》。
❷ 梅文鼎:《绩学堂文钞》卷一"复锡山秦二南书"。

法,尽传其术,亦未尝入耶稣会中。

后来,薛学弟子刘淑因还曾约请梅文鼎协助他校刊薛氏遗书,但文鼎"以事不果"。直到梅氏年届 70 撰写《勿庵历算书目》之前不久,他终于通过友人梁鹤江先生(世勋)获赠一套完整的《薛氏全书》。❶ 可见,梅文鼎对薛氏之学的关注一直持续到他的晚年。他对薛学的敬重之意,在"寄怀青州薛仪甫先生"诗中表露无遗:"晚始得君书,昭昭如发蒙。曾不事耶稣,而能彼术穷。乃知问郯者,不坠古人风。安得相追随,面命开其矇。"❷ 虽然梅文鼎为未能得到薛凤祚的当面指教而深感遗憾,然而流行于世的薛学书籍,架起了沟通他们心灵的桥梁。

梅文鼎对王锡阐的历算学成就也相当了解,称其:"深明历术,著撰极富。"1689 年,梅文鼎在北京从徐敬可处抄得王氏《圜解》一帙十二章及《历论》八篇,并为《圜解》作了订补,其作《圜解序》云:"惜其书尚有未竟,而其中章次颇为钞录者所乱,因稍为更定,并订补其论之所遗,及字句之讹,凡十余处。"❸ 后又从友人处抄得或获赠《测食》诸稿与《历法》二卷。在张雍敬处,他还看到了王氏《大统历法启蒙》、《三辰晷志》(王氏为自己设计的一架天文观测仪器所写的说明书)两书。但他同样未能与锡阐相晤论学,又为不能亲自校注王氏的全部遗著而深感"生平之一憾事"❹。

梅文鼎未能与薛、王直接交往,确实是比较遗憾的事,然而薛、王之学已经完全进入了他的学术视野,如梅氏所说:

---

❶ 以上事实及引征史料均见《勿庵历算书目》"天步真原订注"和"天学会通订注"条。

❷ 梅文鼎:《绩学堂诗钞》卷二"寄怀青州薛仪甫先生"(之二),乾隆梅瑴成刊本。

❸ 梅文鼎:《绩学堂文钞》卷二"圜解序"。

❹ 《勿庵历算书目·王寅旭书补注》。

某向者有志于此(注:指历学),而请益无从。又山居株守,闻见固陋。若薛仪甫锓版白下(注:此指1675年薛氏南京刻书一事),王寅旭近在吴江,皆同时之人,而不相闻知。及读遗编,常用为恨。❶

因此梅文鼎主要是通过研读薛、王两人的科学著作,来了解和吸取他们的会通中西之学。事实上,梅氏对薛、王之学远非止于一般的阅读和理解,而是作过相当深入的研究和思考。其中他对薛、王两人学术专著所作的考订和注释,即足以为证:"某尝拟于郿著《历法通考》外别为专本,于薛则订其误脱,于王则通其异同,皆附之以注而为之论次,庶令学者得以措意,当亦两先生所许乎?"❷翻阅《勿庵历算书目》便可获知,梅文鼎确实为薛凤祚的《天学会通》与王锡阐的个别专著作过校注。❸

在全面和深入了解薛、王之学的基础上,梅文鼎以其科学家独具的洞察力和判断力,对薛、王之学在清初科学史上的地位作了公正的评价,将它们单独列为当时四家新西法(即梅氏所称"欧罗巴历")中的两家(所谓四家,即以利、汤、南为一家,穆薛、寅旭、揭方各为一家),❹ 且又明确表示:"余尝谓近代知中西历法而自有特解者三家,南则王寅旭、揭子宣,北则薛仪甫,当特为之表彰。"❺同时他对薛、王两家学说的优点与不足也作了客观的评析,且看下列征引的梅氏三段评语:

尝谓历学至今日大著,而能知西法复自成家者,独北

---

❶ 《绩学堂文钞》卷一"复锡山秦二南书"。
❷ 《绩学堂文钞》卷一"与潘稼堂书"。
❸ 参见《勿庵历算书目》"天学会通订注"和"王寅旭书补注"二条,丛书集成初编本,页24—25。
❹ 《勿庵历算书目·古今历法通考》。
❺ 梅文鼎:《绩学堂文钞》卷五"书徐敬可圜解序后"。

海薛仪甫、嘉禾王寅旭二家为盛。薛书受于西师穆尼阁，王书则于《历书》（注：指《崇祯历书》）悟入，得于精思，似为胜之。❶

某尝思，今之为《授时》法者，辄疑西说；而尊西术者，往往欲抹杀古人。良由各守师说，不复详考群书，彼此既不相通，遂甚少持平之论……治西法而仍尊中理者，北有薛南有王，著述并自成家，可以专行。然北海之书详于法而无快论发其趣，剖劂又多草率，人不易读。王书用法精简而好立新名，与《历书》互异，亦难卒读。❷

鼎尝评近代历学，以吴江为最，识解在青州以上。惜乎不能蚤知其人，与之极论此事。❸

显而易见，梅文鼎更推崇王锡阐的会通之学，其原因值得深思。笔者认为，此与梅文鼎会通中西的思想倾向不无关系。从他寄怀薛凤祚的几首诗中（共四首，作于庚申，即 1680 年薛氏去世当年），颇能窥知其心迹，其诗之二有言：

窃观欧罗言，度数为专攻。思之废寝食，奥义心神通。简平及浑盖，臆制亦能工。惟恨栖深山，奇书实罕逢。我欲往从之，所学殊难同。讵忍弃儒先，翻然西说攻。或欲暂学历，论交患不忠。立身天地间，谁能异初衷？❹

笔者又发现，梅文鼎在《圜解序》中对薛、王之学的比较与抑扬

---

❶ 梅文鼎：《绩学堂文钞》卷五"锡山友人历算书跋"。
❷ 梅文鼎：《绩学堂文钞》卷一"与潘稼堂书"。
❸ 《勿庵历算书目·王寅旭书补注》。
❹ 《绩学堂诗钞》卷二"寄怀青州薛仪甫先生"（之二）。

表露得更为明白：

> 青州薛仪甫凤祚得穆尼阁之传，著新西法，于历书
> （注：指《崇祯历书》）可谓之新，于尼阁则西人之旧耳。而
> 寅旭之言，一本心悟，……去数言理似寅旭之言较实。

不难看出，梅文鼎对西方历算科学持接纳的态度，但他对怎样调和西学与儒学的矛盾相当顾忌，他所赞成的中西会通模式，首先是不以"弃儒先"为前提的，换言之就是要在儒学的框架内引进和吸收西方科学。应该说，梅文鼎的主张与上述薛、王共同表露过的取"材"入"模"的中西会通思路，在维护中法的地位上具有相通之处。但是，在梅文鼎眼里，王锡阐对中西历法的"识解"，显然更胜一筹，尤其是他在刻意追求取材入模基础上的自立新法，并且作出"西学中源"的理论总结，无疑更能引起梅文鼎的共鸣。

总而言之，薛、王之学对梅文鼎的治学方法产生过重要影响。梅文鼎正是在继承薛王之学的基础上，将清初的会通中西之学推向一个以他的学术成就为标志的高峰——梅学时代。

2. 梅文鼎的中西会通之学及其影响

综观梅文鼎的学术思想和实践，兼收并蓄与会通中西，可谓是他漫长学术生涯中最富光彩的一大特色，也是值得后人发掘的梅学精华之所在。

梅文鼎会通中西论的一个重要观点，就是："法有可采，何论东西；理所当明，何分新旧。"❶ 这种要求超越人为分隔的时空界限

---

❶ 梅文鼎撰、梅瑴成编：《梅氏丛书辑要》卷四十《堑堵测量（四）·郭太史本法》，乾隆承学堂刊本。

而以追求科学真理为宗旨的会通思想,实际上包含了二层意思:

其一是梅文鼎看到了历算科学具有中西通用的共性,这就是它们内在的逻辑与原理,如他所说:"夫数者所以合理也,历者所以顺天也。"❶

其二,他反对当时的中西之争步入门户之见和偏执一词的极端。如在《中西算学通自序》中指出:"(西学入华后)学其学者又张煌过甚,无暇深考乎中算之源流,辄以世传浅术,谓古九章尽此,于是薄古法为不足观,而或者株守旧闻,遂斥西人为异学,两家之说遂成隔儗(注:"儗"通"疑"),此亦学者之过也。"❷ 又在《勿庵历算书目》中述评:"自利氏以西算鸣,于是有中西两家之法,派别枝分,各有本末,而理实同归。或专己守残而废兼收之义;或喜新立异而缺稽古之功,算数之所以无全学也。"❸

但是,梅文鼎认为作为一名真正的学者,不应该有主观偏见,而应广泛地吸取古今中外一切有用的科学知识,因此他阐论道:

> 在善学者,知其所以异,又知其所以同,去中西之见,以平心观理,则弧三角(注:此指西法)之详明,郭图(注:此指中法)之简括,皆足以资探索而启深思。务集众长以观其会通,毋拘名相而取其精粹,其于古圣人创法流传之意庶几无负,而羲和之学无难再见于今日矣。❹

这表明,梅文鼎的中西会通观是在检讨和反思明末清初中西之争失之偏颇的基础上形成的。他接过了薛、王会通中西的旗帜,

---

❶ 《梅氏丛书辑要》卷四十《堑堵测量(四)·郭太史本法》。

❷ 《绩学堂文钞》卷二。

❸ 梅文鼎:《勿庵历算书目·中西算学通序例》。

❹ 《梅氏丛书辑要》卷四十《堑堵测量(四)·郭太史本法》。

并且至少在他前期的学术实践中,主张充分吸收西法的长处;而在吸取西法的同时,又强调对传统科学的继承。这种以"平心观理"的态度对待西法,并以取中西之精萃、集众说之大成为原则的会通思想,代表了清初科学家的远见卓识。

梅文鼎以其独特的科学眼光,对入传的西方科学知识作了大量研究、消化与吸收工作,其成就主要集中在天文学和数学两大方面。在天文学方面,他从学习和钻研《崇祯历书》等西学书籍入手,写了《交食》、《七政》、《五星管见》、《揆日纪要》、《恒星纪要》等专著,介绍了以第谷体系为基础的西方天文学。在数学方面,他写了介绍西方算术和计算方法的《笔算》、《筹算》、《度算释例》等;又著《几何通解》、《几何补编》等书,介绍了欧几里德几何学;专门介绍西方三角学的著作则有《平三角举要》、《弧三角举要》、《环中黍尺》、《堑堵测量》等,另有介绍清初最新入传的对数知识之书《比例数解》因故未刊。❶

从上述梅氏著作的内容来看,他的研究范围已经涉及清初以前输入中国的西方历算科学的几乎所有主要方面。他的确做到了在传统儒学的思想体系内,最大限度地吸取了西方科学的成果,甚至表现出在科学上的创造性才能。

多年来,科技史研究者的学术成果,为我们今天全面了解梅文鼎吸收西方科学的程度和成就提供了条件。综合他们的结论,梅文鼎所作的贡献主要表现在下列几方面:❷

---

❶ 参见《梅氏丛书辑要》、《勿庵历算书目》。

❷ 以下除个别另注外,参见钱宝琮:《中国数学史》,科学出版社,1964年;严敦杰:《梅文鼎的数学和天文学工作》,自然科学史研究1989年第2期;刘钝:《清初历算大师梅文鼎》,《自然辩证法通讯》1986年第1期,《梅文鼎的若干几何学贡献》,载《明清数学史论文集》,江苏教育出版社,1990年;《梅文鼎传》,《中国古代科学家传记》下集,科学出版社,1993年。

在天文学方面，首先他在《五星管见》中提出了一种旨在调和托勒密和第谷体系的新理论"围日圆象说"，以建立一个和谐的行星运动理论模型，并且引用《崇祯历书》中只有片言只语的开普勒磁引力说来支持自己的主张。而开普勒用磁引力解释行星运动物理机制的学说（即认为行星的椭圆轨道是太阳和行星之间"拟磁力"相互作用的结果），发表于 1609 年的《新天文学》中，它是牛顿发现万有引力学说的基石之一。❶ 尽管梅文鼎误将开普勒的磁引力之说归于第谷，却可说明他极具敏锐的科学洞察力。

其次，他系统地整理和介绍了西方星表。梅文鼎把《崇祯历书》等西书中的星表作了整理，记录在他的《恒星纪要》中。其"记星数"卷首所列"大西儒测算，凡可见可状之星一千二十二"，即指托勒密《大辑》（Almagest，又译《天文学大成》、《至大论》）中的星表。其"诸名星赤道经纬加减表"、"二十八宿距星黄赤二道经纬表"，均注明为壬子年度的天文数据，经查来自南怀仁的《灵台仪象志》（刻于 1673 年），而戊辰年（1688 年，当年初南怀仁去世）的数据则是梅文鼎在《灵台仪象志》数表的基础上，依据岁差原理自己推算的结果。同时，梅文鼎在书中所列"南极诸星，则据汤若望算书及南怀仁《仪象志》"，且"依南公志表稽其大小分为六等"❷，其中介绍的南方星座新增十二像，是根据巴耶尔（J. Bayer）1603 年出版的星图。

在数学方面，首先梅文鼎创造性地介绍了西方计算方法和工具。他在《筹算》中将西方纳白尔算筹原来的直式改为中国人习见的横式。在《笔算》中，他吸收了当时传入的西洋笔算的精华，成为清初一部较好的算术教科书。在《度算》中，他介绍了伽里略的比

---

❶ 江晓原：《开普勒天体引力思想在中国》，《自然科学史研究》1987 年第 2 期。

❷ 梅文鼎：《中西经星同异考》。

例规,并订正了《崇祯历书》中罗雅谷所撰《比例规解》中的讹误之处。

其次,他针对入传西洋数学中最难为中国人理解的三角学知识,撰写了中国第一套介绍三角学的教科书《平三角举要》和《弧三角举要》。后来,他为了研究《崇祯历书》中的西方历法,着力研究球面三角学,撰写了《环中黍尺》、《堑堵测量》。

再次,鉴于当时流行的利玛窦所译《几何原本》仅有前六卷,原书中的立体几何内容未包括在内,梅文鼎则依据《测量全义》、《大测》等书透露的线索,独立探索了立体几何学的一部分内容,写成《几何补编》。❶

尤为可贵的是,梅文鼎在会通中西数学的学术实践中总结出一个著名的观点,说:"数学者征之于实,实则不易,不易则庸,庸则中,中则放之四海九州而准"❷,意即数学是来自客观实际的,古今中外都有共同的准则可寻。这种认识无疑就是梅文鼎树立会通中西思想的理论基石之一。本着这样的见解,他才能对中西之争秉持一种客观公正的态度,并能择善而从。

梅文鼎会通中西科学的成就,在清初学术界赢得了声望,投学受业者达数十人。仅据《梅氏丛书辑要》卷首"校阅助刻姓氏"注明为梅学受业者,计有李钟伦(李光地长子)、陈万策、魏廷珍、王兰生、王之锐、徐用锡、丁维烈等 7 人,而名为梅氏校刻著作,实际接受梅学影响者计有蔡璿(康熙二十年首刻《筹算》)、李光地(校刊《历学疑问》、《三角法举要》等十余种)、李鼎徵(刊《方程论》)、金世扬(校刊《历学骈枝》、《笔算》)、年希尧(校刊《方程》、《度算》)、魏荔

---

❶ 沈康身:《梅文鼎在立体几何上的几点创见》,《杭州大学学报》(自然科学版)1962 年第 1 期。

❷ 《绩学堂文钞》卷二"中西算学通自序"。

彤(校刊《历算全书》)等十余人。

另据梅氏《勿庵历算书目》与《绩学堂文钞》、杭世骏(1696—1772)《道古堂文集》卷二十九至三十"梅文鼎传"、《四库全书总目》、阮元《畴人传》等文献记载,梅学弟子除梅氏家人之外,还有潘天成(字锡畴)、秦二南、金长真、吴胥巘、张雍敬(字简庵)、孔兴泰(字林宗)、袁士龙(字惠子)、毛乾乾(字心易)、沈超远(其名不详)、刘湘煃(字允恭)、陈厚耀(字泗源)、庄亨阳(字元仲)、杨作枚(字学山)、黄百家(字主一)等,其中以张雍敬与刘湘煃的事迹最为感人,前者"裹粮走千里,往见梅文鼎",后者"闻梅文鼎以历算名当世,鬻产走千余里,受业其门"❶,其人其事,足见梅学之吸引力。而与梅文鼎相交,并对西方科学作出积极回应的清初知名历算学家则有方中通、李子铉(字子金)、杜知耕(字端甫)、李长茂、游艺、揭暄等。其他与梅氏交往的当世名士,还有黄虞稷、方中履(字素北,一作素伯)、毛际可(字会侯)、熊赐履(湖北孝感人,故梅氏以"孝感"相称)、方苞(号望溪,1668—1749)、章颖叔、陈献可等等。另外,梅文鼎与清初著名学者魏禧、潘耒、万斯同和陆陇其的交往已见本书第五章第一、二节和第六章第二节叙及。

康熙二十八年(1689 年)梅文鼎首次进京,这是梅学得以名噪学界的一大转折点。自康熙十八年(1678)清廷特招博学鸿儒重开明史馆之后,主持史馆的汤斌(1627—1687)、施闰章(1618—1683)、徐乾学(1634—1697)等人先后屡次邀请梅文鼎赴京协修《明史·历志》。他们特聘梅氏的理由,显然是出于对其学术水平的高度信任。其中,施闰章对梅氏的历算学造诣早已心存敬意,曾说:"(梅氏)取西洋之学发挥讨论,南中言历学者,数家质疑送难,皆叹逊以

---

❶ 《畴人传》卷四十。

为莫及。"❶ 然而直到 1689 年,梅文鼎才有空前往北京。从此,他终于有机会跻身于当时的全国学术文化中心,结交名士、一展才学。关于梅氏首次进京的情况,毛际可记其事曰:

> (梅氏)至京师日,纂修《明史》诸公以《历志》属详定……乃出《历草》及《日月五星通轨》,详为铨次,以发明王恂、郭守敬不传之秘,《授时》、《大统》始为完书。史局服其精核,于是辇下诸公,皆欲见先生,或遣弟子从学,而书说亦稍稍流传禁中。❷

可见梅文鼎进京不久,即以其精深的学问获得学界推崇。在京期间,梅文鼎结交了大批当世名士,除前述李光地、刘献廷、万斯同、徐乾学等人以外,还有顾祖禹(字景范,1631—1692)、徐善(字敬可,1634—1690)、朱彝尊、阎若璩等人。❸ 梅学由此名满京华,且使康熙帝略有所闻。❹ 十多年后,康熙对梅氏历学的嘉赏,实渊源于此。

清初学士大夫对梅学的评价更是有口皆碑。如刘献廷评曰:"我友梅定九,中华算学,无有过之者。"❺ 万斯同称赞其书"详而核,博而辨,卓然可垂世行远。"❻ 而理学名臣李光地更是奉承致至,说:"从来历学,须以梅定九为第一。"❼ 他不但延请文鼎为其

---

❶ 施闰章:《学余堂文集》卷七"梅定九诗序",四库全书本。

❷ 毛际可:"梅先生传"。

❸ 梅文鼎:《方程论》卷一"发凡",梅氏丛书辑要本,《勿庵历算书目·明史历志拟稿》。

❹ 李光地:《榕村续语录》卷十七"理气",页 815,中华书局 1995 年点校本。

❺ 刘献廷:《广阳杂记》卷三,中华书局 1957 年标点本。

❻ 万斯同:《石园文集》卷七"送梅定九南还序",四明丛书本。

❼ 李光地:《榕村语录》卷二十六"理气",页 473,中华书局 1995 年点校本。

历算之师，而且为其刊刻历算著作，在 1702 年，他又将其所刻梅氏《历学疑问》三卷进呈康熙。康熙阅后评说："昨所呈书甚细心，且议论亦公平，此人用力深矣，朕带回宫中仔细看阅。"显然康熙帝对梅学的第一印象是良好的。一年后此书发回，李光地见书中有大量康熙所作"朱批蝇头细书"，复请圣上指正，康熙说："无疵谬，只是算法未备"，再过二年后的 1705 年 6 月，康熙亲自召见梅文鼎，畅谈天文历算之学，且御赐"绩学参微"❶。在等级森严的封建社会里，皇帝如此礼遇一位来自民间的平民科学家，实属罕见。

从上述施、刘、万、李等清初一流学者的评价中，可以看出梅文鼎会通中西的学术思想与成果得到了清初知识界的普遍认可。不过，在传播梅学成就与提高梅学声誉方面，李光地所起的特殊作用，无人可敌，尤其是经他引荐的康、梅相交，不仅使梅学在社会上声名大振，"公卿大夫群士，皆延趾愿交"❷，而且对梅氏晚年学术宗尚的转变，即从兼采中西之长走向大力论证"西学中源"说，也产生了重大影响。

三 会通的歧途——"西学中源"说

梅文鼎在继承薛、王之学的基础上，一度真正站在了清初会通中西科学的前沿。但以撰著《历学疑问》为标志，他的会通思想开始发生明显的转变，到他晚年才最终定稿的《历学疑问补》则全面阐论了所谓"西学中源"说，并公开附和康熙《三角形推算法论》中宣扬的同一论调，对于清初会通中西之学步入偏狭之途起了推波

---

❶ 李光地：《榕村集》卷十四"御批〈历学疑问〉恭记"；《梅氏丛书辑要》卷四十六《历学疑问》卷首互见。

❷ 方苞："梅征君墓表"，附《绩学堂文钞》卷首，又见《方望溪先生全集》卷十二，四部丛刊本。

助澜的作用。而"西学中源"说的盛行,对清代中西文化交汇的持续和深入造成了极为消极的影响。

1. 梅文鼎的"西学中源"论

《历学疑问》三卷是梅文鼎在北京期间应李光地所请而开始写作的。大约著成于1691年至1692年间,并由李光地刻于1698至1699年间。❶ 此书以问答体的形式,讨论中、西、回回三家历法之异同。由于梅氏写作此书的主旨是为了平息中西历法之争,要为中法派与西法派找出他们可以接受的支持中西会通的理由,因此特别注重阐释中西历法的相合与互补之处,故万斯同才会说:"此书出,而两家纷纭之辨可息,其有功于历学甚大。"❷ 其中"论中西二法之同"、"论中西之异"、"论今法于西历有去取之故"与"论地圆可信"等各条,均不乏对会通中西历法之精见,如他说道:

> 中历所著者,当然之运,而西历所推者,乃所以然之源,此其可取者也。……是则中历缺陷之大端,得西法以补其未备矣。夫于中法之同者,既有以明其所以然之故,而于中法之未备者,又有以补其缺。❸

> 问者曰皆西法也,而有所弃取何也? 曰凡所以必用西法者,以其测算之精而已,非好其异也。❹

不过,梅文鼎在阐论中西历法相近、相合之处时,已经涉及到

---

❶ 参见梅瑴成:《历象本要序》,李光地:《榕村集》卷十四"御批历学疑问",影印四库全书本。

❷ 见前引万斯同"送梅定九南还序"。

❸ 《历学疑问·一》"论中西二法之同",《梅氏丛书辑要》卷四十六。

❹ 《历学疑问·一》"论今法于西历有去取之故"。

中西历学的源流问题。如他在回答地圆说是否可信的疑问时,答道:"以浑天之理徵之,则地之正圆无疑也",并在引征了中国古代的浑天论之后,提出:"地圆之说,固不自欧逻西域始。"❶ 又在"论盖天周髀"条中指出:

> 若盖天之说具于周髀,其说以天象盖笠,地法覆槃,极下地高,滂沲四隤而下,则地非正平而有圆象明矣。故其言昼夜也……此即西历地有经度以论时刻早晚之法也。其言七衡也……即西历以地纬度分寒暖五带。

尽管梅氏出言谨慎,还未全面定论西学源出中国,但其逻辑推理的结论已经显而易见。梅氏在《历学疑问》中的新论,立即引起了当时学者的关注。李光地在 1693 年所作《历学疑问序》中,称它为"尊王述圣"之作,同年梅文鼎南归后又"屡奉手书相勉",鼓励梅氏尽快续作"宜补之篇目"❷,而数年后梅氏完成的《历学疑问补》,全面阐论了"西学中源"说。可以推知,《历学疑问》中初步表达的西学中源论,已经引起李光地的重视,这正是他竭力勉励梅氏续补该书的主要原因。最早读到《历学疑问》书稿者之一的万斯同,也最先注意到了梅氏的观点:"其所著《历学辨疑》,旁通曲畅,会两家之异同,而一一究其指归。乃知西人所矜为新说者,要皆旧法所固有。"❸ 毛际可作于己卯年冬(约 1699 年底)的《梅先生传》,也特别概述了梅氏此论:

---

❶ 《历学疑问·一》"论地圆可信"。
❷ 《勿庵历算书目·历学疑问》。
❸ 见前引万斯同"送梅定九南还序",并参见第五章第二部分。

354

且《周髀算经》言北极之下朝耕暮穫,以春分至秋分为昼,秋分至春分为夜;大戴礼曾子告单居离谓地非正方;汉人言月食格于地影,此皆西说权舆(注:意指萌芽)见于古书者矣。

1702年,《历学疑问》经李光地进呈康熙帝御览,次日康熙即召见李光地说:"昨所呈书甚细心,且议论亦公平,此人用力深矣,朕带回宫中仔细看阅。"一年后发回原书,且面谕李光地"朕已细细看过,中间圈点涂抹及签贴批语,皆上手笔也",光地又请康熙指出"此书疵缪所在",康熙说:"无疵缪,但算法未备。"❶ 虽然康熙对该书所作的评点和批语,其内容已无法获悉,但已见康熙对该书相当重视且研读颇深。特别引人注目的是,康熙帝在他的《御制三角形推算法论》一文中也谈到了中西历法的源流问题,不仅明确提出西历"原出自中国",并且解释了西法精于中法之原因:

论者以古法、今法之不同,深不知历,历原出自中国,传及于极西,西人守之不失,测量不已,岁岁增修,所以得其差分之疏密,非有他术也。❷

近年来,研究有关清初"西学中源"说流播的学者共同关注的一个问题是:康熙帝的"西历原出自中国"说,究竟是否受到梅氏《历学疑问》的启发? 这里的关键之一在于考证康熙撰写此文的年代。就笔者所见,一种说法认为康熙于1704年11月21日在乾清

---

❶ 李光地:《御批〈历学疑问〉恭记》,《榕村集》卷十四,四库全书本。
❷ 《御制文集》第三集卷十九"三角形推算法论",康熙五十三年内府刻本;又文渊阁四库全书本,台湾影印。

门发表了《三角形推算法论》❶；另一种说法认为大约作于 1689 年稍后，即与梅氏《历学疑问》的完稿时间大致相当。❷ 而现知《三角形推算法论》的刻本有两个：一是满汉对照刻本，收入《满汉七本头》，约刻于 1707 年；❸ 二是康熙五十三年(1714)的内府刻本。❹

从笔者发现的其他一些材料来看，尽管没有提供直接证明《三角形推算法论》成书年代的新证据，但至少可以明确两点：一是康熙公布《三角形推算法论》的时间要晚于梅氏的《历学疑问》，大约在 1702 至 1706 年之间；二是梅文鼎"西学中源"说在清初士人中引起的反响要早于康熙之论，换言之梅文鼎在清初士人中公开宣扬"西学中源"论要早于康熙。

理由之一：有确切资料表明，梅文鼎早在 1692 年就已将他的"西学中源"观点公诸于人，此见于梅氏壬申年(1692)所作《赠吴胥嵼》诗之二，诗曰："古法改逾精，小异归大同。学人守师说，中西各长雄。谁知欧罗言，乃与《周髀》通。"且诗中夹注云："《周髀》七衡之说言北极之下，其人朝耕暮穫。今西人五带分里差，略似其指"❺。直至 1704 年，梅文鼎仍在充满自信地宣扬他本人早先提出的"三角即句股"之论，并认为他的这一发现必将得到高明人士的欢迎：

❶ 王扬宗：《明末清初"西学中源"说新考》，载《科史薪传——庆祝杜石然先生从事科学史研究 40 周年学术论文集》，辽宁教育出版社，1995 年。据该文注释[54]，王氏此说又引自金福先生《清初改历斗争和康熙帝天算学术》一文，原载《内蒙古师大学报》(自然科学版)1998 年"科学史增刊"第 1 期。

❷ 韩琦：《白晋的〈易经〉研究和康熙时代的"西学中源说"》，台湾《汉学研究》第 16 卷第 1 期，1998 年。韩先生依据《三角形推算法论》康熙五十三年(1714)内府刻本中"凡万几余暇，即专志于天文历法二十余年"一句，判断自康熙八年(1669)"历狱"平息后，再过二十余年，至 1689 年稍后，即为此文撰写时间。

❸ 据上引韩琦论文《白晋的〈易经〉研究和康熙时代的"西学中源说"》。

❹ 笔者所见为浙江图书馆古籍部藏本。

❺ 《绩学堂诗钞》卷三。

愚向谓三角即句股,郭守敬浑天之法与西法一理,今益了然。又几何中如理分中末线之类,共相诧为神异者,求其根,皆出句股。始知吾圣人九数,范围天地,九州万世所不能易。想高明闻此,亦为抚掌一快也。❶

理由之二,前述李光地、万斯同等人在 1693 年就已经对梅氏在《历学疑问》中初步表达的西学中源说作出了反响。

理由之三,有史料表明,康熙公布《御制三角形推算法论》大约在 1702 年李光地进呈《历学疑问》之后。据查慎行(字悔余,原名嗣琏,号他山,学者称为"初白先生",1650—1727)《人海记》卷下"圣祖算学"条记载:"皇上精于算学,尝著三角形论,以示内廷诸臣,茫然无能解者。一日面示臣等法,……御笔推算法一纸,今存家少詹俒处。"❷ 考察查慎行生平,知他于康熙癸酉(1693)举顺天乡试,壬午年(1702)十月得康熙召见,并特旨每日进南书房办事,次年中进士,1704 年初授编修,1713 年因病归乡。巧合的是,查慎行为康熙赏识即开始于 1702 年李光地进呈《历学疑问》的同时同地,是年十月康熙南巡回銮驻跸德州,经李光地等人奏荐,传旨召见了查慎行,且御赐"程子视箴"条幅。❸ 从《人海记》中查氏所叙有"一日面示臣等"语句判断,知他所记此事必然发生在 1702 年末特召入南书房或 1704 年授官编修之后,否则不可能以"臣"的身份

---

❶ 《绩学堂文钞》卷一"再寄李安卿孝廉书",有关此信写作年代的断定,参见梅文鼎:《绩学堂文钞》卷一"再寄李安卿孝廉书"。因此信首语"自违海益一纪有余",一纪为 12 年,自 1693 年至 1704 年,相隔整 12 年。
❷ 查慎行:《人海记》,点校本,页 123,北京古籍出版社,1989 年。
❸ 查慎行:《敬业堂诗集》卷二十九"赴召集·赴召纪",(台湾)影印文渊阁四库全书本。又见陈敬璋:《查他山先生年谱》,1913 年刘氏嘉业堂刻本。

得到康熙"面示"。再从"圣祖算学"条叙述的文理来分析,康熙将《三角形推算法论》出示内廷诸臣,当在查慎行得到"面示"前不久。

又据笔者考知,梅文鼎对康熙《三角形推算法论》中的"西学中源"说作出明确响应,就在康、梅德州召对的第二年,即 1706 年(丙戌,康熙四十五年)。梅氏在这一年所作的一首诗中写道:"试观西说类《周髀》,盖天古术存遗翰。圣神天纵绍唐虞,观天几暇明星烂。论成三角典谟垂,今古中西皆一贯(梅氏自注:《御制三角形论》言西学实源中法,大哉王言,著撰家皆所未及)。"❶ 梅文鼎在诗中不仅更为明确地指陈西学的中国之源,并已开始公开奉承康熙的"西学中源"论。1708 年,梅文鼎在给熊赐履的信中再次引申了康熙之论:"大哉圣人言,流传自古初(梅氏自注:伏读圣制《三角形论》,谓古人历法流传西土,彼土之人习而加精焉尔,天语煌煌,可息诸家聚讼。)"❷ 显然,梅文鼎"伏读"的《三角形推算法论》必然是早于前述满汉对照本的另一个写本或刻本。从上述理由之一中已知,梅氏在 1704 年宣扬"三角即句股"之论时仍然未见引申康熙《三角形论》,故从时间上推断,梅氏伏读的《三角形论》很可能是在作诗前一年(1705),即德州召对当年得到的,若非康熙御赐,则必从李光地等群臣中借阅。这与上引查慎行"圣祖算学"条所记康熙著《三角形论》出示群臣之情形是相符的,在时机上也是相近的。

至于有学者提出,梅氏作于癸未年(1703)的"七夕后雨日试算法限二十四日"诗中"恭承钦若旨,授受奇文真"一句,其中"奇文"是否指《三角形推算法论》或御批《历学疑问》?笔者认为不太可能是前者,因为此时康、梅尚未召见,既称"授受奇文",则正指当年春

❶ 《绩学堂诗钞》卷四"雨坐山窗得程借柳书……"。
❷ 《绩学堂诗钞》卷四"上孝感相国"(之三)。

358

季发回的康熙批注《历学疑问》,岂非顺理成章。❶

综合以上分析,笔者认为梅文鼎公开宣扬"西学中源"说要早于康熙,他对《御制三角形推算法论》中"西学中源"论的附和,也在1705年康、梅德州召对之后。值得一提的是,我们在考察和评价康、梅君臣二人在清初"西学中源"说流播史上的地位时,考证他们先后倡论此说的历史真相固然重要,但更有意义的是要关注他们的学说在清初士人中的反响以及对清初学界的影响。

晚年的梅文鼎不惜改变初衷、毕其学力,与康熙帝一道大力阐论"西学中源"说。学术名家与封建君主联手,终于使"西学中源"论大为完善,几乎成为18世纪之后会通中西思潮的主宰,从而把清初会通中西之学推入歧途。

梅文鼎全面论定"西学中源"说的代表作,就是在李光地等人反复催促下,至晚年才陆续完成的《历学疑问补》二卷。❷ 书中诸如"论西历源流本出中土即周髀之学"、"论中土历法得传入西国之由"、"论周髀中即有地圆之理"、"论盖天之说流传西土不止欧罗巴"等篇目,已是开宗明义、直言不讳地宣扬西学源出中国。他在理论上主要从两个方面补充论证了"西学中源"说:

其一是论证西学的源头为《周髀》之学。梅文鼎根据中西历算内容多相吻合,而中国历算学又早于西学这一思路,推论西历之五带、地圆说与西洋简平仪、三角八线等仪器和方法等皆源于《周髀》之学。如他逐一论道:"今考西洋历所言寒热五带之说,与周髀七

---

❶ 这里还需解释一个问题,即据《榕村语录续集》卷十七"理气"记载,李光地在癸未年(1703)八月二十三日,仍在灯下读康熙《历学疑问》批注,而梅氏"七夕后雨日……"诗作于同年的七月初七,此时御览《历学疑问》不在文鼎手上,如此梅诗中所谓"奇文"岂非他指《三角形论》等书? 笔者的解释是御批《疑问》在同年春发回光地,而梅氏作"七夕"诗之前已经来到李光地保定幕府,故梅氏得悉批语内容自不待言,而原书由进呈者李光地保留也在情理之中。

❷ 收入梅瑴成《梅氏丛书辑要》卷四十九至卷五十。

衡吻合,岂非旧有其法欤";"周髀算经虽未明言地圆,而其理其算已具其中矣";"简平仪以平圆测浑圆,是亦盖天中之一器也……凡周髀中所言皆可知之";"浑盖与简平异制,而并得为盖天遗制审矣。而一则用切线,一则用正弦,非是则不能成器矣。因是而知三角八线之法,并皆古人所有,而西人能用之,非其所创也。"❶

在这里,梅文鼎已大失其"去中西之见,以平心观理"之心态,以其精研数十年中西天文历学之经历,他不会不知道西洋历学与中国古代的浑天、盖天之学有本质的差异,但却强相比附,个中原由虽然难以一言以蔽之,然而从下述梅氏在阐论三角八线法亦为古人所有之后,发表的一段议论中可以窥知,奉迎康熙至少是其动机之一:"伏读御制三角形论,谓众角辏心以算弧度,必古算所有,而流传西土,此反失传,彼则能守之不失,且踵事加详。至哉,圣人之言,可以为治历之金科玉律矣。"❷

其二是考证中法传入西方的原由和途径。梅文鼎既然提出西学源于中国,那么必然要回答几个疑问,就是中法为什么会传到西方?又是在何时、以何途径传入西方的?只有这样他的"西学中源"论才算完备。梅文鼎在"论中土历法得入西国之由"、"论周髀所传之说必在唐虞以前"等文中(均见《历学疑问补》卷一),专门作了解答。他说:"问:欧罗巴在数万里外,古历法何以得流传至彼?曰:……太史公言,幽厉之时,畴人子弟分散,或在诸夏,或在夷狄。盖避乱逃咎,不惮远涉殊方,固有挟其书器而长征者矣"。他又据《尚书·尧典》中尧命羲和兄弟四人,分至四方测里差的传说,推论因中国的东、南面皆有大海,北方又极寒冷,受地理气候条件的阻

---

❶ 《历学疑问补》卷一"论西历源流本出中土即《周髀》之学"、"论周髀中即有地圆之理"、"论简平仪亦盖天法而八线割圆亦古所有"。

❷ 《历学疑问补》卷一"论简平仪亦盖天法而八线割圆亦古所有"。

隔,中国历法难以流传到这些地方,惟有和仲走的西方没有这种限制,因此中国历法得以传入,并为西域杰出人士所接纳:"当是时,唐虞之声教四讫,和仲既奉帝命测验,可以西则更西,远人慕德景从,或有得其一言之指授,一事之留传,亦即有以闻其知觉之路,而彼中颖出之人,从而拟议之,以成其变化,固宜有之。"由此,他得出结论:《周髀算经》之学必在唐虞之前就已传入西方,同时还进一步推断《周髀》之学流传西方不止于欧罗巴,印度、回回历算也源自《周髀》之学,它们只是"得之有全有缺,治之者有精有粗,然其根则一也"。❶

然而,正如有的学者指出,西方古典天文学和周髀盖天之说是两个根本不同的体系,没有任何同出一源的证据。❷ 而印度历法与回回历法,也不是源于中法,倒是吸收了西方古典天文历法的因素。

经过梅文鼎的这番苦心论证,"西学中源"说的确大为完善。而从1711年开始,康熙又宣扬"阿尔朱巴尔即东来法"❸,即把西方的代数学也推源于中国。至1721年御制完成的《数理精蕴》,其中《周髀》经解一节,明确主张西方历算源出中国:"我朝定鼎以来,远人慕化,至者渐多,有汤若望、南怀仁、安多、闵明我,相继治理历法,间明确算学,而度数之理,渐加详备。然询其所自,皆云本中土所流传。"❹ 至此,"西学中源"说经梅文鼎与康熙帝的大力阐扬与上下呼应,终于定论为清代官方对待中西文化交流的一种指导思想,长期影响学术思想界。

---

❶ 《历学疑问补》卷一"论盖天之学流传西土不止欧罗巴"。
❷ 江晓原:《试论清代"西学中源"说》,《自然科学史研究》1988年第2期。
❸ 梅瑴成:《赤水遗珍》,《梅氏丛书辑要·附录》;王先谦:《东华录》康熙八十九互见。
❹ 《御制数理精蕴》上编卷一,影印文渊阁四库全书本。

2. 清初"西学中源"说的流播与影响

清初"西学中源"说的产生与流播,有其特定的社会、政治和文化背景。西学东渐的高潮正逢明清鼎革、社会剧变之际,明末清初学术思想界兴起的经世致用的实学思潮与西方科学文化的浸浸而入,际会于同一时空。可以说,清初实学派士人是在反思王学末流空疏学风的弊端中,改变学术宗尚,完成由虚返实、以实救虚的学术转向。本书前面论及的清初较早接受西学的士人,往往是从实学思想出发,承认西方科学在精密、实用等方面有优于中国传统旧学之处,因而主张加以吸收和利用。在这类学者中,又有相当一部分是亲身感受过空谈误国的明朝遗民士人。从本章论及的科学家薛凤祚、王锡阐到前一章讨论的方以智、顾炎武、王夫之、黄宗羲等启蒙思想家,就是其中的代表。"西学中源"论在他们这批遗民学者中兴起,自然有其特殊的时代背景。

首先,以实救虚的经世思潮,促使他们对西方科学的入传持理解、支持乃至积极吸收的态度,然而他们终究只能站在儒学思想的框架内评判与取舍西学。因此,儒学传统中的重要观念"夏夷之论",使他们下意识地对外来的西学保持着警惕,尤其是当他们还未从满族以异族身份入主中原的痛苦中解脱出来时,清廷正式采用"西洋新法"造成十足的"用夷变夏"的局面,使他们更加陷于信念与现实的困境。而"西学中源"说告诉他们,传教士们在华传播的西洋科学,并非是西洋人创造的文化成果,而是西人从中国窃取古法沿袭而来,所谓的"西洋新法"本质上仍是我们老祖宗的东西。因此,士人传习西法至多就像当年孔子问学于郯子那样,仅仅是"礼失求诸野"之举,虽然西学有可取之处,但这不会改变文野之别,动摇夏夷之论。如方以智就曾表达过类似的观点,他说:"万历时,中土化洽,太西儒来,脬豆合图,其理顿显。胶常见者骇以为

异,不知其皆圣人之所已言也。……子曰:'天子失官,学在四夷',犹信。……资为郯子,不亦可乎!"❶

可见,清初士人倡说"西学中源"论,正是他们面临西洋实学的强烈冲击,在思想与实践的矛盾中寻找出路的结果。此说既满足了他们对世代所服膺的民族传统文化的自尊性与自信心,也化解了他们对采用西洋新法是否就是"用夷变夏"的苦恼。

梅文鼎与康熙帝进一步阐论"西学中源"说,同样是在现实与理论的矛盾冲突中作出的抉择。一方面,梅文鼎从科学上、康熙从政治上都看到了西洋历算学和传教士可资利用的价值,康熙帝甚至任用耶稣会士参与国家的历法、外交、兵器制造和舆地测绘等重大事务;另一方面,随着清朝大一统局面的日趋巩固,康熙帝俨然以中国封建王朝正统的继承者自居,公开举起"崇儒重道、稽古右文"的大旗,强调贯彻"黜异端而崇正学"(圣谕十六条之一)的治国方针,❷在此形势下,引用西人、西学便不可回避地成为一个与儒学正统相抵触的政治问题。因此,如何对清廷利用西人、西学的现实,作出合乎封建正统理论的解释,就成了康熙帝一直关注的迫切问题。而梅文鼎其人其学的出现,无疑给康熙以极大的启发。

在清初朝野士人眼里,梅学的最大贡献在于平息了明末清初以来的中西学术之争,尤其以梅氏《历学疑问》的刊出为标志,时人称赞"此书出,而两家纷纭之辨可息"❸。这部经康熙御览,并得到朝野人士热烈反响(如李光地、万斯同、毛际可等人纷纷予以好评)的著作,为何能够平息中西两家聚讼? 这当然会引起康熙的极大兴趣,其中梅文鼎在书中阐述的西洋新说为中国旧法所固有的思

---

❶ 方以智:《浮山文集后编》卷二"游子六《天经或问》序",见《清史资料》第6辑,中华书局,1985年。

❷ 章梫纂:《康熙政要》卷十六"崇儒学第二十七"。

❸ 万斯同:《石园文集》卷七"送梅定九南还序"。

路,显然正中康熙下怀。如前文所述,在梅氏《历学疑问》问世之后刊布的《御制三角形法论》,康熙帝便公开提出了"西历原出中国"的观点,而康熙此论一出,梅文鼎立即倡和。君臣合作,终于在利用西学与崇儒重道之间,找到了一种理论支持,巧妙地回避了因儒家传统观念"夏夷之辨"论而再次引发中西冲突的危险。

"西学中源"论一经钦定,便获得了朝野士人的广泛响应。此后,代表官方学术思想的宏篇臣帙,均不断地宣扬"西学中源"说。1739年修成的《明史·历志》说:"西人得浑盖通宪之器,寒热五带之说,地圆之理,正方之法,皆不能出《周髀》范围,亦可知其源流之所自矣。"● 1789年定稿刻印的《四库全书总目》继续宣称:"明万历中,欧罗巴人入中国,始别立新法,号为精密。然其言地圆,即周髀所谓地法覆槃,滂沱四隤而下也。其言南北里差,即周髀所谓北极左右……西法出于周髀,此皆显证,特后来测验增修,愈推愈密耳。"❷ 而乾嘉汉学主将戴震(1724—1777)、钱大昕(1728—1804)、阮元(1764—1849)等学界名流,亦无不宗述此论,流风所及,达二百余年。

"西学中源"论的流播,对清初中西文化交流造成了深远的影响。虽然此说在历史上曾经为封建王朝和士人引用西人、西学提供过理论巧饰,但是这种本质上缺乏科学根据的应时之论,在思想和实践上造成的消极后果也是显而易见的。本章论及的薛、王、梅等清初优秀科学家,他们完全具备了理解与吸取西方科学最新科学成就的能力。从薛凤祚首次引进西方对数表,到王锡阐采用西方三角学,再到梅文鼎对开普勒磁引力思想的敏锐捕捉(见前注),都足以说明这一点。如果清初学者们沿着这种思路继续探索下

● 《明史》卷三十一"历志·历法沿革",中华书局标点本。
❷ 四库全书总目·子部·天文算法类一"周髀算经",中华书局,1965年。

去,在科学上取得创新乃至突破性的成就不是没有可能。但是,他们最终却把会通中西科学的能力投入到论证"西学中源"说上去了,丢弃了徐光启提出的"超胜"西方的目标。尤其是王、梅二人,虽有一流的科学识见,却不惜牵强附会,甚至曲意奉迎,论证"西学中源"。且不论他们本人为了编造这种在科学上的荒谬之论浪费了宝贵的科学创造力,更为严重的是,"西学中源"说包含的崇中抑西的思想倾向,借助于王、梅诸人在清初学术界的影响力而流播日广,从而在较大范围内为深层次的中西文化交流设置了思想障碍。因为按照西学源于中学的思维逻辑,那么何须深入钻研西洋科学,更谈不上吸取其科学方法上的精华,接受西方异质文化的启示了。这不能不说是会通中西的歧途!

3. 关于清初"西学中源"说的几点看法

在清初士人对西方文化冲击所作的各异其态的反应中,"西学中源"说的影响力最为深远。此说经清初最为杰出的科学家王锡阐和梅文鼎等人的深入阐论,最终被钦定为官方学术观点,而得以在康熙晚期之后的清代学术界广泛流行。因此,无论从中西文化交流史,抑或清代学术思想史的角度,都有必要对"西学中源"说的产生、流播与影响作客观的考量。笔者将结合自己的一点研究体会,对目前学术界有关清代"西学中源"说研讨中涉及的一些问题,提出几点看法,以求教于同行:

看法之一:"西学中源"说不是明末学者为缩小中西学术隔阂、引进西方科学而提出的,❶ 而是清初学者对待中西文化交汇的一

---

❶ 王扬宗先生在《明末清初"西学中源"说新考》一文中提出:"'西学中源'一说,出现于明末,它是为缩小中西学术的隔阂,引进西方科学(主要是天文历法和数学)而提出的",见《科史薪传》页74,辽宁教育出版社,1997年。

种态度和观念,从总体上看,此说对清代中西文化交流的发展和深化弊大于利。这里的关键是首先要界定所谓"西学中源"说的真正含义究竟是什么?

应当说"西学中源"论是明清之际的士人学者在比较与会通中西文化中,对如何理解、选择与对待西方文化所作的一种思考,它在很大程度上是在不得不承认西方科学有优于中国之处,甚至在不得不采用西方科学的背景下,而作出的一种被动反应。它的基本思路是通过论证中西之学的某些相似之处,又从中学比西学的学术传统更为悠久这一前提出发,推论西学的源头在于中国的传统之学,从而解决一个在儒家"夏夷之辨"传统观念支配下明清士人无法回避的理论难题:引进西学是否等于"以夷变夏"? 西学是否真的比中学独绝和优异? 而西学源出中国的结论,既使现实中对西学的引用不再有"以夷变夏"之嫌,又使中国士大夫重新恢复了对传统学术的自信。或许有人会说"西学中源"论为"名尊中学,实用西术"提供了理论巧饰。但是必须指出,此说实际上只是一种为了避免引发"夏夷之争"的权宜之论,充其量不过比杨光先之流的盲目排外论,略显明智和务实,它不可能充当引进西方科学即所谓"实用西术"的理论先导;相反,它恰恰是中国知识界面对西学东渐高涨之势被迫作出的思想回应。

再从明末清初中西交汇的历史进程来看,西方科学早在"西学中源"说盛行之前的一百年,即明朝万历年间,就已大举入传,显然清初士人接受西方科学的思想先导不可能是后起的"西学中源"论,而是从明代后期开始在中国思想学术界内部涌动的经世致用的实学思潮,它与西学东渐几乎同时兴起(参见本书第一章)。试想,明末以徐光启为代表的实学派士人,如果是从"西学中源"论出发去接受西方科学,那么何以提出"会通以求超胜"的目标? 因为从逻辑上说,既然西学源于中学,那么追求超胜西方岂非徒劳!

另外,从清初"西学中源"说造成的后果来看,此说的产生也绝非有利于西方科学的引进,相反在此说得到钦定之后,清朝当局与学界主流对西人、西学的苛责和贬斥迭兴高潮,自康熙晚期至乾嘉年间,西方科学的输入渠道日趋闭塞,几近中断。尽管导致这种局面的原因不是单一的,但是由"西学中源"论带来的消极影响不可低估。审视这一历史发展轨迹,无疑对我们反思"西学中源"说的实质是有益的。

看法之二:黄宗羲不是最先提出"西学中源"思想的学者。黄宗羲是较早接触西学并对中西历法都有专门研究的清初学者。有关他提出的"中学西窃"论,笔者已在第七章作过评述。作为清初学界声名远扬的大家,黄宗羲的鼓吹无疑对"西学中源"说的流播起过重要影响。然而笔者不同意"最先提出'西学中源'思想的是黄宗羲"❶ 这种论断。据笔者所知,最早提出黄宗羲为首倡"西学中源"论的学者是《梨洲先生神道碑文》的作者全祖望(号谢山,1705—1755),他说:"(梨洲)尝言勾股之术乃周公商高之遗而后人失之,使西人得以窃其传,……其后梅徵君文鼎本《周髀》言历,世惊以为不传之秘,而不知公实开之。"❷ 近代学者梁启超在本世纪二十年代初发表的《清代学者整理旧学之总成绩》(后收录于他的名著《中国近三百年学术史》)中也指出:"因治西算而印证以古籍,知吾国亦有固有之算学,因极力提倡以求学问之独立,黄梨洲首倡此论,定九与彼不谋而合。"❸ 现代各种著作文章中因袭此论者不

---

❶ 江晓原:《试论清代"西学中源"说》,《自然科学史研究》1988 年第 2 期。

❷ 全祖望:《梨洲先生神道碑文》,《鲒埼亭集》卷十一,四部丛刊本。

❸ 梁启超:《中国近三百年学术史·十六·清代学者整理旧学之总成绩(四)·历算学及其他科学》,朱维铮校注《梁启超论清学史二种》,页 486,复旦大学出版社,1985 年。

367

一而足。❶

笔者以为导致全祖望、梁启超下此结论的原因，或许是他们将黄宗羲开始研究西算的时间与提出"中学西窃"说混为一谈。如本书第七章第二部分所述，黄宗羲真正开始钻研中西历算之学并取得成果，约在顺治初年投身南明鲁王政权之时，期间他"暇则注授时、泰西、回回三历而已"❷。不过，现存黄氏最早的西学著作《西历假如》，定稿于康熙辛酉年(1682)，而于次年首刊(见第七章第二部分)。但书中未见表露"西学中源"的思想。今见黄宗羲阐明"西学中源"思想的文献，即被全祖望概称为"中学西窃"的惟一出处，就是他为弟子陈訏(字言扬)《句股述》所作的序言《叙陈言扬勾股述》(引文见本书第七章第二部分)。而陈訏作于康熙癸亥秋(1683)的《句股述》"自叙"称，他自丙辰年(1676)开始"获侍梨洲黄先生门下"❸，又据黄百家作于己未年(1679)的《复陈言扬论句股书》说，当年春陈氏已将一册《句股述》寄赠百家。❹ 据此推知，黄宗羲作《叙陈言扬勾股述》约在 1679 年前后，最晚在 1683 年陈訏作"自叙"之前，这也是黄宗羲正式提出"西学中源"思想的时间。

而本章前面所述王锡阐明确阐论"西学中源"说的《历说》、《历策》，据席泽宗先生考证分别大约作于 1659 年和 1668 年。❺ 前引江晓原先生一文认为《历策》"约写于 1663 年之前一点"，而反映方以智"西学中源"思想的《游子六〈天经或问〉序》一文作于 1651—

❶ 如熊月之：《西学东渐与晚清社会》，页 72，(上海人民出版社 1994 年)、龚书铎主编：《中国近代文化概论》，页 65，(中华书局 1997 年)等均因袭此说。

❷ 全祖望：《梨洲先生神道碑文》。

❸ 陈訏：《句股述》二卷清抄本，原藏清华大学图书馆，今见四库全书存目丛书·子部第 55 册。

❹ 黄百家：《学箕初稿》卷二，康熙刻本，今见四库全书存目丛书·集部第 257 册，齐鲁书社，1997 年。

❺ 席泽宗：《试论王锡阐的天文工作》，《科学史集刊》第 6 辑，1963 年 10 月。

368

1666年间。❶可见,方、王表达"西学中源"思想均早于黄宗羲。其次,江文认为黄宗羲虽然提出了"西学中源"的思想,但未提供具体的证据。此说恐也欠妥,因为黄宗羲明明说过:"珠失深渊,罔象得之。于是西洋改容圆为矩度,测圆为八线,割圆为三角",公开指证西学中所谓矩度、八线、三角之类学说,乃是中学之"珠"失落水中而被西洋水怪"罔象"所窃得的东西。❷当然,黄宗羲的阐论不如王锡阐全面倒是事实。

看法之三:"西学中源"说不等于中西"拟同"论,它兴起于遗民学者,正式形成于清初。关于"西学中源"说之发端,国内学者的观点一种认为产生于"明之遗民",并且确指黄宗羲为首倡者;另一种认为此说"最早出自明末某些爱好西方科学的学者"❸。笔者比较倾向于前者,但最先提出这一思想的遗民学者不是黄宗羲,此已论及。对于后一种观点所举证的明末学者的一些论点,笔者认为应特别注意区分中西"拟同"论与"西学中源"说的差别。

在明末著译的西学书籍中,在华西教士和中国学者鼓吹中西学术相近、相合之论,可谓比比皆是。从利玛窦论证"吾天主即华言上帝"(《天主实义》),宣称"天地图及度数,深测其秘,制器观象,考验日晷,并与中国古法吻合"❹,到徐光启指出"是法也(注:指西洋测量法),与《周髀》、《九章》之句股测望异乎?不异也"(《题测量法义》),再到李之藻定论"东海西海,心同理同"(《天主实义重刻序》),这都是所谓的西学附儒、合儒之论(参见本书第四章第一

---

❶ 前揭江晓原:《试论清代"西学中源"说》。

❷ "叙陈言扬勾股术",《黄宗羲全集》第10册。

❸ 前者如江晓原《试论清代"西学中源"说》;后者如王扬宗《康熙、梅文鼎和"西学中源"说》,(《传统文化与现代化》1995年第3期)、《明末清初"西学中源"说新考》)。

❹ 利玛窦万历二十八年十二月二十四日奏疏,见《增订徐文定公集》,1933年印本。

部分)。再以明末西士阳玛诺译撰的《天问略》为例,书中所传的西方天文历算知识,在明末学者孔贞时眼里却似曾相识,他在作于万历乙卯年(1615)的《天问略小序》中说:"予于西泰书,初习之奇,及进而求之,乃知天地间预有此理,西士发之,东士睹之,非西士之能奇,而吾东士之未尝究心也。《天问》册,特其一端,其言黄道,似沈梦泾辨九道之说;其言曰日蚀由月,似王充太阴太阳之说;其言月借日光,似张衡灵宪所什生魄生明之说"❶。

笔者以为,从徐光启、李之藻到孔贞时等明末学者,他们论述的西学与中学的相似性,显然是一种文化"拟同"论,实际上就是利玛窦等耶稣会士在"学术传教"方针下拟同中西、附儒合儒的思路。其立说之旨确实为消除中国士人对西学的隔阂,以实现"学术传教"的目标。从文化交流史的角度看,传播主体或受传对象采取拟同与调和主客方文化,以适应和满足受众的需要,或者使受传方从自身熟悉的文化因素出发,由表及里地接受外来文化,这是常见的普遍现象。因此,从本质上而言,耶稣会士和明末学者鼓吹的中西"拟同"论仅仅是一种文化传播的策略和方式,它在中西文化相遇的初期,确实起到了沟通差异、促进交流的作用。

但是,中西"拟同"与"西学中源"论是有本质差异的,因为相似未必同源,二者没有必然的联系。笔者认为,鼓吹"西学中源"说的动机显然不是为了沟通中西差异,而是要为遭受西方科学强烈冲击而明显处于下风的中国传统科学寻找恢复自信的理由。他们通过搜罗一些似是而非的证据,甚至不惜附会、臆断,建立起一套西学源出中国、中学流传西方的理论,其目的是为了有意识地贬低西学而维护中学。虽然,有人可以说"西学中源"论为利用西学找到

---

❶ (台湾)学生书局影印再版《天学初函》本,同见徐宗泽《明清耶稣会士译著提要》,页278。

了堂皇的理由，然而不可否认，这套并无科学根据的谎谬之论，对于当时在"崇儒重道"气氛笼罩下的中国士大夫而言，绝非引进和吸收西学的理论先导，反而成为助长"崇中抑西"与阻碍深化中西交流思想倾向的说教。

从以上阐述的"西学中源"说的实质来判断，将首倡此说者定位于明末清初的遗民学者群体，应该是有史实根据的、比较有说服力的观点。除本文前面提到的较早宣扬"西学中源"思想的方以智、王锡阐等人之外，卒于清顺治六年（1649）的遗民学者熊明遇，更早表达过这种思想。在第七章第一部分中已述，熊氏吸收西学的代表作《格致草》，于顺治五年作了最后订补，始由熊志学刊行。引人注目的是，熊明遇在《格致草·自叙》中总结儒家格致之学的历史演变时，谈到重黎（上古专司天地之官）子孙避乱西域时，曾把中国的天文历算之学传入此地："上古之时，六府不失其官，重黎氏世叙天地，而别其分主。其后三苗复九黎之乱德，重黎子孙窜乎西域，故今天官之学，裔土有专门。"❶ 这里，熊氏虽然并未直接推论中国历算学传及欧洲，但已触及西域历算学的源流问题。如果联系熊明遇在1614年为西士熊三拔《表度说》所作序言中的观点，则可明知他已表露出"西学中源"的思想倾向，序说：

> 熊子曰：古神圣蚤有言之者，歧伯曰："地在天中，大气举之"。伯为黄帝天师，参佐有羲和五官，历法肇明，上哉夐矣。……西域欧逻巴人，四泛大海，周遭地轮，上窥玄象，下采风谣，汇合成书，确然理解。仲尼问官于郯子曰："天下失官，学在四夷"，其语犹信。❷

---

❶ 熊明遇：《格致草》，清初《函宇通》本元册，原北京图书馆藏。
❷ 徐宗泽：《明清间在华耶稣会士译著提要》，页283。

继熊明遇之后,方以智、王夫之、王锡阐、黄宗羲、万斯同等一大批遗民学者,纷纷倡论"西学中源"说,其中熊明遇——方以智——王夫之三人的西学观,存在着明显的传承关系(详见第七章·第一、二节)。不过,"西学中源"说作为清初士人看待中西文化交汇的一种思想观念,它的全面论定与主导学界则是由王锡阐、梅文鼎等学者与康熙帝共同完成的。

结　语

　　16 至 18 世纪大批欧洲耶稣会士来华及其"学术传教"活动，引起了中西文化的首度直接交流。清初顺治、康熙时期，以清廷正式采用西洋新法及汤若望、南怀仁等先后掌理官方天文历法机构钦天监为标志，西方传教士们的在华活动进入了鼎盛阶段。为了巩固和扩大他们的布教成就，传教士们继续实施由明末利玛窦创始的"学术传教"策略，广泛结交士大夫，并著刊大量介绍西方文化的书籍。他们在宣扬天主教义的同时，也向中国知识界传授了大量西方科学技术以及一些世俗文化知识。故承明末渐趋高涨之势的西学东渐，至清初更为强劲，西学对清初学术文化领域的介入更为深广。面对西方异质文化的冲击，作为中国传统文化的主要传承者——士大夫，他们作出何种反应是考察中西文化交汇规模与深度的主要对象。

　　事实上，西学或天学一词，在 17 世纪中国文人眼里，既指由西教士传入的西方宗教、伦理、哲学方面的学说，也包括西方的天文历算及其他科学技术。从笔者考察的结果来看，清初西方文化的触角已经伸入中国士大夫的各个阶层。清初士人在耶稣会士竭力推行的"学术传教"策略下，有不少名人学者与西教士结交，而更多的是通过士人交际网络，藉同事、学友、师生、同乡等关系接触西书、西学。然而清初士人对西学的反应，既因人因时而异，也因西学的不同内容而有不同的取舍。但是，他们回应西学的一个共同前提,都是力求在儒学的框架内,去认知和评判西学。即便是主张全面接受西学的清初奉教士人,也竭力鼓吹耶儒相合,而如王宏翰辈中国奉教徒,甚至亲自尝试过会通天儒的实践,陆希言更是提出了全面沟通天儒的设想。虽然清初奉教士人对天儒会通的现实可能性,存有一厢情愿或牵强附会的幻想成分,致使他们的会通实践存在会而不通的毛病,但其中仍不乏促进中西两大异质文化交融的明智之见。

以杨光先为代表的保守士大夫,则对西学采取了全盘否定、坚决排斥的立场。不过,值得我们注意的是,他们对西学的排拒,仍然是建立在对天儒差异的辨析与认知之上的,其中对天主教的批判不无理性的成分。但是由于他们反西学的宗旨是为了捍卫固有的圣学道统,因而在拒斥与儒学传统迥异的天主教为"邪教"的同时,也将西方科学归于"邪说"而欲彻底排除。以这种态度对待西方文化,无疑会导致盲目排外而走上中外隔绝的死路。随着康熙朝"历狱"的平息,清初保守士人的反西学浪潮渐趋低落,但杨光先的卫道之举仍然赢得了相当一部分士人学者的同情。

作为清初官方学术形态理学的阐扬者,从魏裔介、江东二陆到李光地等理学名士,尽管在对待天主教信仰上表现出了截然相反的态度,但受经世致用实学思潮的影响,在清初理学形态"由王返朱"的学术实践中,他们已经将西方科学纳入其讲求实用之学的视野。以陆世仪的"六艺"实学为代表,理学内部对西方科学作出的回应,是清初西学东渐对中国传统儒学思想体系造成冲击的重要表征。

清初进步思潮的主要代表启蒙学者和科学家,他们在比较和评价中西文化优劣时,都以西方科学之"实"来贬抑明儒之"空",或以西学之"精密"来驳正传统旧学之"疏误"。究其实质,乃是由于耶稣会士所传西方科学,其学术方法和内容与明末清初高涨的实学思潮的学术旨趣相符,从而成为包括启蒙学者和科学家在内的明清实学派士人吸收和借鉴的资料。对于传教士输入的天主教神学,因其与儒学思想体系存在本质的差异,故明清之际的大多数士人都难以接受。启蒙学者们则公开指斥其"拙于言通几"(方以智语)、"无通理可守"(王夫之语),而将其判为"邪说"(黄宗羲语),并以理性主义的态度,加以排斥。值得赞赏的是清初启蒙学者和科学家吸收西方科学的动机和目的,他们打出"借远西为郯子"(方以智语)的旗号,而实质上意在引进和吸纳西学的实证精神,甚至已经深及西方科学的思维方式,即所谓西学的"所以然之源"(梅文鼎语),进而达成"因西法求进"(王锡阐语)的局面。

遗憾的是,清初启蒙学者和科学家"因西法求进"的进取精神,并未获得发扬光大,未能形成一种导致中国学术方法与思维方式发生质变的冲击力。他们中的一批代表人物,出于对民族文化的自尊与自信等因素,在主张吸收西方科学的同时,却又广泛阐论"西学中源"说。此说经康熙帝与梅文鼎的精心虚构,终于成为钦定的学术观点,在清代学术思想史上影响深远。虽然我们承认"西学中源"说这是一种为采用西学而又要避免"用夷变夏"之嫌的理论巧饰,即它有掩护实际利用西学的含义,但是必须指出,该说在科学上完全是荒谬的无稽之谈,其思维导向也是相当有害的。因为从逻辑上讲,既然西学源出中国,就谈不上借鉴与吸取西方科学中的先进因素;那么比较与会通中西的努力,也就变得没有什么多大的价值,也就必然会丢掉徐光启提出的会通中西以"超胜"的目标。更为严重的是,从鼓吹"西学中源"说表露出来的崇中抑西的思想倾向,极易导致士大夫们仍然麻木地陶醉于"天朝上国"的圣学道统之中而不思进取、不图变革。因此,"西学中源"说的形成与泛滥,不能不说是明清之际的中国社会未能抓住机遇,与西方世界同步迎来近代科学曙光的主观原因之一。

任何一个民族都会对自己的传统文化怀有自尊性和自信心，也没有哪个有独立自主意识的民族和国家，会对外来文化不加选择地全盘接受。清初士人在比较与会通中西的思潮中，同样表现出在两种异质文化交流中常见的选择与取舍、调和与综合的意识和举动。

　　然而不可否认，这种努力没有走向文化交流的最高层次——竞争与超越，相反，却在"西学中源"说的鼓噪声中，日趋固步自封。究其原因，显然在于清初社会的内部。尽管导致清初中西文化交流这种结局的历史原因错综复杂，但无论如何都与清初的时代特点和历史条件有关。我们看到，即便是被某些史学家冠以"盛世"的康熙时代，就封建社会制度而言已无活力可言，因而封建统治者只有依靠超强的政治与文化专制手段来维护社会秩序。因此，我们就不难理解清初的士大夫们，乃至其中的精英分子，即使正面遇到了西方文化的挑战，即使看到了西方先进的科学思维方式，但在"崇儒重道"的封建文化专制主义笼罩下，任何追求革新学术思想和方法的努力，都将遭到重重阻力，更何况是借鉴西方异质文化的变革思潮！清代康熙以后的历史发展轨迹已经昭示，曾经被外来的西方科学激发起一种求实、进取的学术精神的清初士人，最终依然回归到了传统经学的道路，继起的清代士林精英，更将他们的才华与智慧埋没于乾嘉汉学的故纸堆中。

附录一

主要参考文献

一 中文著作

张廷玉等:《明史》,中华书局,1974年。

傅维麟:《明书》,丛书集成初编本。

王重民:《徐光启集》,中华书局,1963年。

《中国善本书目提要》,上海古籍出版社,1983年。

上海文管会主编:《徐光启著译集》,1983年。

席泽宗、吴德铎编:《徐光启研究论文集》,学林出版社,1986年。

利玛窦等著、李之藻辑:《天学初函》,(台湾)学生书局影印,1965年初版,1986年重印本。

艾儒略著、谢方校释:《职方外纪校释》,中华书局,1996年。

徐光启、汤若望等编译:《新法算书》,影印文渊阁四库全书,(台湾)商务印书馆,1986年。

韩霖、张庚:《圣教信证》,天主教东传文献三编,(台湾)学生书局影印再版,1984年。

未知编者:《熙朝崇正集·闽中诸公赠诗》,天主教东传文献,(台湾)学生书局影印再版,1965年。

黄贞辑、徐昌治订:《圣朝破邪集》八卷,原有日本安政乙卯(1855年)翻刻本,今有国内翻印本(无日期、出版者)共8册。

沈德符:《万历野获编》,中华书局,1980年。

刘宗周:《刘子全书》,中华文史丛书第7辑,(台湾)华文书局影印本,1968年。

谢肇淛:《五杂俎》,中华书局,1959年。

熊明遇:《格致草》,清初《函宇通》本,原藏北京图书馆。

　　　　《文直行书》,清顺治十七年熊人霖刻本,原藏北京图书馆。

朱宗元:《天主圣教豁疑论》,天主教东传文献三编。

徐宗泽:《明清间耶稣会士译著提要》,中华书局影印本,1989年。

　　　　《中国天主教传教史概论》,上海书店影印本,1990年。

德礼贤:《中国天主教传教史》,商务印书馆,1934年。

裴化行著、萧濬华译:《天主教十六世纪在华传教志》,商务印书馆,1936年。

历史语言所编:《明清史料》,商务印书馆,1936年。

清实录馆臣编:《清实录》(世祖、圣祖),中华书局影印本,1985年。

中国第一历史档案馆整理:《康熙起居注》,中华书局,1984年。

康熙:《康熙御制文集》,康熙五十三年内府刻本;四库全书本,(台湾)商务印书馆影印,1986年。

永瑢等撰:《四库全书总目》,中华书局,1965年。

章梫纂:《康熙政要》,宣统二年刊本。

陈梦雷、蒋廷锡等主编:《古今图书集成》,中华书局、巴蜀书社影印本,1985年。

嵇璜等撰:《清朝文献通考》,浙江古籍出版社影印本,1988年。

蒋良骐:《东华录》,中华书局点校本,1980年。

王先谦:《东华录》,光绪刻本。

赵尔巽等:《清史稿》,中华书局,1976年。

清国史馆编:《清史列传》,中华书局,1928年。

清国史馆辑:《贰臣传》,道光刊本。

钱仪吉·《碑传集》,中华书局标点本(12册),1993年。

李元度:《国朝先正事略》,岳麓书社,1991 年。

李桓撰:《国朝耆献类征初编》,清光绪湘阴李氏刻本。

中国第一历史档案馆编:《康熙朝汉文硃批奏折汇编》,档案出版社,1985 年。

陈垣辑:《康熙与罗马使节关系文书影印本》,1932 年印本。

　　　《陈垣学术论文集》第一集,中华书局,1980 年。

　　　《陈垣史学论著选》,上海人民出版社,1981 年。

黄伯禄:《正教奉褒》,上海慈母堂第三次排印本,1904 年。

钟鸣旦、杜鼎克、黄一农编:《徐家汇藏书楼明清天主教文献》,台北辅仁大学出版,1996 年。

黄虞稷:《千顷堂书目》,适园丛书本、四库全书本、好古敏求斋本。

祁承业:《澹生堂书目》,绍兴先正遗书本。

钱曾:《也是园藏书目》,玉简斋丛书本。

　　《述古堂书目》,粤雅堂丛书本。

曹寅:《楝亭书目》,辽海丛书本。

徐乾学:《传是楼书目》,1915 年排印本。

　　　《憺园文集》,四库全书存目丛书·集部第 242—243 册,齐鲁书社,1997 年。

朱彝尊:《潜采堂书目》,晨风阁丛书本。

赵魏:《竹崦传钞书目》,郋园丛书本。

谈迁:《北游录》,中华书局,1960 年。

王铎:《拟山园选集》,清顺治刻本。

丁耀亢:《丁野鹤集》八种,清初刻本。

钱谦益:《牧斋初学集》,四部丛刊本。

薛所蕴:《桴庵诗》,顺治刻本,四库全书存目丛书·集部第 196 册。

　　　《澹友轩文集》,顺治十六年自刻本,四库全书存目丛书·集部 196—197 册。

金之俊:《金文通公集》,雍正元年刻本。

王崇简:《青箱堂诗集·文集》,清初刻本,又四库全书存目丛书·集部第 203 册。

查继佐:《罪惟录》,浙江古籍出版社,1986 年。

查慎行:《人海记》,北京古籍出版社,1989 年。

　　《敬业堂诗集》,(台湾)影印文渊阁四库全书本。

陆次云:《八纮译史》、《译史纪余》,丛书集成初编本、四库全书存目丛书·史部第 256 册,齐鲁书社,1996 年。

魏裔介:《兼济堂文集》,畿辅丛书本。

　　《魏文毅公奏议》,丛书集成初编本。

　　《樗林闲笔、续笔》,四库全书存目丛书·子部第 113 册,齐鲁书社,1995 年。

魏荔彤:《魏贞庵先生年谱》,畿辅丛书本。

龚鼎孳:《定山堂文集·诗集》,光绪重刊本。

胡世安:《秀岩集》,康熙修补本,四库全书存目丛书·集部第 196 册。

陈名夏:《石云居诗集》,清初刻本,四库全书存目丛书·集部第 201 册。

陆廷灿:《南村随笔录》,雍正刻本,四库全书存目丛书·子部第 116 册。

汤若望等编:《西洋新法历书》,清初刻本(北图藏残本)。

　　《汤若望奏疏》八册,清顺治间刻本,中科院图书馆藏。

汤若望:《主制群徵》,天津大公报馆,1915 年。

陈垣整理:《赠言》,附于《主制群徵》第三版后,1919 年。

利类思:《不得已辨》,天主教东传文献。

利类思、安文思、南怀仁:《西方要纪》,丛书集成初编本。

南怀仁:《不得已辨》,天主教东传文献,(台湾)学生书局影印再版,

1982 年。

《熙朝定案》二种,天主教东传文献、续编;又抄本 3 册,中
　　科院自然科学史所藏。

《善恶报略说》卷首,土山湾印书馆,1933 年。

《教要序论》,上海慈母堂重刊本,1867 年。

《新制灵台仪象志》,康熙刻本。

《坤舆图说》,丛书集成初编本、文渊阁四库全书本。

《坤舆外纪》,丛书集成初编本。

马若瑟:《儒教实义》,天主教东传文献续编第 3 册。

杨光先:《不得已》,天主教东传文献续编。

李祖白:《天学传概》,天主教东传文献续编,(台湾)学生书局影印
　　再版,1986 年。

许缵曾:《宝纶堂稿》,康熙三十五年稿本,四库全书存目丛书·集部
　　第 218 册。

尚祜卿:《正学镠石》,天主教东传文献三编。

何世贞:《崇正必辨》,清抄本,中国科学院自然科学史研究所藏。

王棠:《燕在阁知新录》三十二卷,康熙五十六年刻本,四库全书存
　　目丛书·子部第 100 册。

萧穆:《敬孚类稿》,近代中国史料丛刊,(台湾)文海出版社。

张宸:《平圃杂记》,庚辰丛编本。

彭孙贻:《客舍偶闻》,近代中国史料丛刊本。

程廷祚:《青溪文集·续集》,道光丁酉东山草堂刊本。

孙星衍:《五松园文稿》,岱南阁丛书本。

张鹏翮:《张文端公全集》,清刻本。

印光任、张汝霖:《澳门记略》,昭代丛书本;赵春晨点校本,广东高
　　等教育出版社,1988 年。

王宏翰:《医学原始》四卷,上海科学技术出版社,1989 年影印本。

  《古今医史》九卷,清抄本。

  《性原广嗣》六卷,康熙三十年刻本。

  《四诊脉鉴大全》九卷,康熙三十三年刻。

  《乾象坤图格镜》十八卷,康熙稿本。

范适:《明季西洋传入之医学》,"医史丛书",中华医史学会钧石出
 版基金会刊,1943年。

韩菼:《有怀堂诗文集》,康熙四十二年刻本。

王宏撰:《山志》,清初刻本六卷,四库全书存目丛书·子部第115
 册。

魏禧:《魏叔子文集》,《宁都三魏全集》康熙易堂藏版本。

毛奇龄:《西河合集》,乾隆补刊本。

彭孙遹:《松桂堂全集》,乾隆刊本。

潘耒:《遂初堂文集·别集》,康熙刻增修本,四库全书存目丛书·集
 部第249—250册。

刘献廷:《广阳杂记》,中华书局,1985年重印本。

尤侗:《西堂全集》、《外国传》,康熙中刊本。

王慎之、王子今辑:《清代海外竹枝词》,北京大学出版社,1994年。

吕留良:《吕晚村先生文集》,清代刻本。

张尔歧:《蒿庵文集》,山东书局刻本、清代笔记丛刊本。

张尔歧著、张翰勋整理:《蒿庵集、蒿庵集捃逸、蒿庵闲话》,齐鲁书
 社1991年。

张潮:《虞初新志》,清代笔记丛刊本。

  《昭代丛书》,道光世楷堂刊本。

王士禛:《居易录》,文渊阁四库全书本。

  《香祖笔记》,上海古籍出版社,1982年。

  《池北偶谈》,中华书局,1982年。

  《池北书目》,道光十二年味经书屋刘如海抄本。

《蚕尾集》卷二,清康熙刻王渔洋遗书本,四库全书存目丛书·集部第 227 册。

郁永河:《裨海纪游》,昭代丛书本、同治抄本。

《裨海纪游》合订本,方豪整理,台湾文献史料丛刊第七辑,台湾大通书局印行本。

方以智:《通雅》,四库全书本。

《物理小识》,万有文库本,上海商务印书馆,1937 年。

《浮山文集前编》十卷,清初方氏此藏轩刻本。

《浮山文集后编》、《浮山此轩藏别集》,清史资料第六辑,中华书局,1985 年。

《方密之诗钞》,清抄本,北京图书馆藏。

《膝寓信笔》,方昌翰编《桐城方氏七代遗书》本。

侯外庐主编:《方以智全书》第一册,上海古籍出版社,1988 年。

揭暄:《璇玑遗述》,乾隆三十年会友堂刊本。

刘冠寰辑:《隐居通义》,嘉庆六年爱余堂刊本。

宋荦:《西陂类稿》,1919 年重刊本。

应撝谦:《应潜斋先生集》,康熙五十年应苍璧刻不分卷本;咸丰四年海源阁刻十卷本;读我书屋抄本,复旦大学图书馆藏。

方中通:《陪集》,康熙继声堂刻本。

方中履:《古今释疑》十八卷,清康熙汗青阁刻本,四库全书存目丛书·子部第 99 册。

沈善洪主编:《黄宗羲全集》12 册,浙江古籍出版社,1985—1994 年。

黄百家:《明史·历志》,抄本,中科院图书馆藏。

《黄竹农家耳逆草》,康熙刻本,北京图书馆藏。

《学箕初稿》,康熙刻本,四库全书存目丛书·集部第 257 册。

全祖望:《鲒埼亭集》,四部丛刊本。

顾炎武:《菰中随笔》,敬跻堂丛书本。

　　　　《日知录集释》,黄汝成释,中州古籍出版社,1990 年。

　　　　《顾亭林诗文集》,中华书局,1983 年。

　　　　《天下郡国利病书》,广雅书局本。

王夫之:《永历实录》,上海古籍出版社,1987 年。

　　　　《张子正蒙注》,《船山全书》第 12 册,岳麓书社,1992 年。

　　　　《周易外传》,《船山全书》第 1 册,岳麓书社,1988 年。

　　　　《搔首问》,《船山全书》第 12 册。

　　　　《思问录·外篇》,《船山全书》第 12 册。

　　　　《大行府君行状》,《船山全书》第 16 册,岳麓书社 1993 年。

　　　　《读通鉴论》,《船山全书》第 10 册,岳麓书社,1988 年。

阮元:《畴人传》,万有文库本,上海商务印书馆,1937 年。

李光地:《榕村集》,四库全书本。

　　　　《榕村语录》,四库全书本。

　　　　《历象本要》,清刻本。

　　　　《榕村全书》,道光九年刻本。

　　　　《榕村语录·榕村续语录》上下,陈祖武点校本,中华书局,
　　　　　　1995 年。

李清馥:《榕村谱录合考》,《榕村全书》第 120 册,道光九年刻本。

陆世仪:《陆桴亭思辨录辑要》,丛书集成初编本。

　　　　《思辨录辑要后集》,清同治十三年刻本。

　　　　《桴亭先生文集》,清代刻本。

陆陇其:《陆清献公日记》,道光辛丑胜溪草堂刻本。

　　　　《三鱼堂日记》,浙江书局本。

　　　　《三鱼堂文集》,四库全书本。

吴光酉:《陆稼书先生年谱定本》,雍正写本。

张伯行:《正谊堂文集》,四库全书本。

《正谊堂文集·续集》,丛书集成初编本。

颜元:《存学编》,丛书集成初编本。

施闰章:《学余堂文集》,四库全书本。

万斯同:《石园文集》,四明丛书本。

方苞:《方望溪先生全集》,四部丛刊本。

刘声木:《苌楚斋随笔》,直介堂丛刻初编,1929 年排印本。

薛凤祚:《益都薛氏历学会通》,康熙刻本。

　　　《天学会通》,影印文渊阁四库全书本。

穆尼阁:《天步真原》,丛书集成初编本。

王锡阐:《晓庵遗书》,光绪十七年刻本。

　　　《晓庵新法》,丛书集成初编本。

张海珊编:《晓庵先生文集》三卷,道光年间抄本,华东师大、中科院
　自然科学史研究所藏。

凌淦编:《松陵文录》,同治十二年刻本。

梅文鼎:《绩学堂文钞》,乾隆刊本。

　　　《绩学堂诗钞》,乾隆刊本。

　　　《勿庵历算书目》,丛书集成初编本。

梅毂成辑:《梅氏丛书辑要》,承学堂刊本,1759 年。

魏荔彤编:《梅勿庵先生历算全书》,兼济堂刊本,1723 年。

江永:《数学》,丛书集成初编本。

阮葵生:《茶余客话》,中华书局,1959 年。

张星烺:《欧化东渐史》,商务印书馆,1934 年。

方豪:《中西交通史》,岳麓书社,1987 年。

　　　《中国天主教史人物传》上中下,中华书局,1988 年。

　　　《方豪六十自定稿》(非卖品),1969 年。

王萍:《西方历算学之输入》,台湾近代史所,1980 年。

钱宝琮:《中国数学史》,科学出版社,1981 年。

杜石然等编:《中国科学技术史稿》,科学出版社,1982年。

杜石然主编:《中国古代科学家传记》,科学出版社,1993年。

陈遵妫:《中国天文学史》,上海人民出版社,1984年。

中国天文学史整理研究小组编:《中国天文学史》,科学出版社,1987年。

樊洪业:《耶稣会士与中国科学》,中国人民大学出版社,1992年。

论文集:《纪念利玛窦来华四百周年中西文化交流国际学术会议论文集》,(台北)辅仁大学出版社,1983年。

朱谦之:《中国哲学对欧洲的影响》,福建人民出版社,1983年。

沈福伟:《中西文化交流史》,上海人民出版社,1985年。

萧一山:《清代通史》,中华书局,1986年。

陈鼓应等主编:《明清实学简史》,社会科学文献出版社,1994年。

梁启超著,朱维铮校注:《梁启超论清学史二种》,复旦大学出版社,1985年。

张力、刘鉴唐:《中国教案史》,四川社会科学院出版社,1987年。

张维华:《明清之际中西关系简史》,齐鲁书社出版社,1987年。

江文汉:《明清间在华的天主教耶稣会士》,知识出版社,1987年。

梅荣照主编:《明清数学史论文集》,江苏教育出版社,1990年。

陈卫平:《第一页与胚胎——明清之际的中西文化比较》,上海人民出版社,1992年。

黄时鉴主编:《解说插图中西关系史年表》,浙江人民出版社1994年。

孙尚扬:《基督教与明末儒学》,东方出版社,1994年。

朱维铮主编:《基督教与近代文化》,上海人民出版社,1994年。

萧萐父、许苏民:《明清启蒙学术流变》,辽宁教育出版社,1995年。

刘迎胜:《丝路文化·海上卷》,浙江人民出版社,1995年。

张永堂:《方以智的生平和思想》,台湾大学历史所博士论文复印本。

任道斌:《方以智年谱》,安徽教育出版社,1983 年。

蒋国保:《方以智哲学思想研究》,安徽人民出版社,1987 年。

李兰琴:《汤若望传》,东方出版社,1995 年。

林金水:《利玛窦与中国》,中国社会科学出版社,1996 年。

二 西文论著与外文中译论著

Eloise Talcott Hibbert: *K'ang Hsi , Emperor of China* , Part II , p. 80, London, 1940.

Jonathan Spence: *To Change China : Western Advisers in China 1620— 1960* , Boston, 1969.

John E. Wills, Jr: *Embassies and Illusions* , Harvard University Press, 1984.

Dunn, Gerorge H. , S.J. : *Generation of Giants : The Story of the Jesuits in China in the last Decades of Ming Dynasty* , University of Nort Dame Press, 1962.

Rowbotham, Arnold H. : *Missionary and Mandarin : The Jesuits at the Court of China* , University of California Press, 1942.

Joseph Sebes: *The Jesuits and the Sino - Russian Treaty of Nerchinsk* (*1689*), Rome Institutum Historicum S.I. 1961.

Edited By Charles E. Ronan and Bonnie B.C. Oh: *East Meets West : The Jesuits in China 1582—1773* , Loyola University Press, Chicago, 1988.

Mungello D.E: *Curious Land : Jesuits accommodation and the origins of Sinology* , University of Hawaii Press , 1989.

Oxham, Robert B. : *Ruling from horseback : Manchu Politics in the Oboi*

Regency 1661—1669, University of Chicago Press, 1975.

W.T. de Bary: *The Unfolding of Neo - Confucianism*, Harvard University Press, 1975.

George Minamiki, S.J.: *The Chinese Rites Controversy*, Loyola University Press, Chicago, 1985.

Roger A. Blondeau: "Did the Jesuits and Ferdinand Verbiest Import Outdated Science into China?" *Ferdinand Verbiest*, *S. J*: (*1623—1688*) *Jesuit Missionary*, *Scientist*, *Engineer and Diplomat*, Edited by John W. Witek, S.J., Steyler Verlag·Nettetal, 1994.

Xi Zezong: "Ferdinand Verbiest's Contributions to Chinese Science", *Ferdinand Verbiest*, *S. J*.: (*1623—1688*) *Jesuit Missionary*, *Scientist*, *Engineer and Diplomat*, pp.204, Edited by John W. Witek, S. J., Steyler Verlag·Nettetal, 1994.

John E. Wills: "Some Dutch Sources on the Jesuit China Mission, 1662—1687"(《关于1662—1687年耶稣会中国团的一些荷兰史料》), 丁向阳译,《清史研究集》第七辑, 光明日报出版社, 1990年。

Eugenio Menegon: "Yang Guangxian's Opposition to Adam Schall: Christianity and Western Science in his Work Bu de Yi"(《杨光先对汤若望的敌视——从〈不得已〉看基督教与西方科学》), 陈村富主编《宗教与文化论丛》, 东方出版社, 1994年。

W.J. Peterson: "Fang Yi Chih: 'Western Learning and the mvestigation of Things'(《方以智的西学与格物》), Edited by Prof. W.T. de Bary: *The Unfolding of Neo-Confucianism* (《理学的发展》), Harvard University Press, 1975.

(英)李约瑟:《中国科学技术史》, 科学出版社, 1975—1978年。

(意)利玛窦著, 罗渔译:《利玛窦全集·利玛窦书信集上下》, (台湾)光启社、辅仁大学出版社, 1985年。

（意）利玛窦、金尼阁著，何高济等译：《利玛窦中国札记》，中华书局，1983年。

（法）费赖之著，冯承钧译：《在华耶稣会士列传及书目》，中华书局，1995年。

（法）荣振华著，耿昇译：《在华耶稣会士列传及书目补编》，中华书局，1995年。

（法）裴化行著，管震湖译：《利玛窦评传》，商务印书馆，1993年。

（德）魏特著、杨丙辰译：《汤若望传》，商务印书馆，1949年。

（法）白晋著，马绪祥译：《康熙帝传》，《清史资料》1980年第1辑，中华书局。

（法）白晋著、赵晨译：《康熙皇帝》，黑龙江人民出版社，1981年。

冯作民：《清康乾两帝与天主教传教史》，（台湾）光启出版社，1966年。

（法）张诚：《张诚日记》，商务印书馆，1973年译本。

沙不列撰、冯承钧译：《卜弥格传》，（台湾）商务印书馆，1950年。

（法）古洛东著：《圣教入川记》，四川人民出版社，1981年。

耿昇译：《耶稣会士书信选译》，《清史资料》第六辑，中华书局，1985年。

杜文凯编译：《清代西人见闻录》，中国人民大学出版社，1985年。

（美）恒慕义主编：《清代名人传略》(Eminent Chinese of the Ch'ing Period 1644—1912)，中国人民大学清史研究所译，青海人民出版社，1995年。

朱静编译：《洋教士看中国朝廷》，上海人民出版社，1995年。

（法）谢和耐著，耿昇译：《中国和基督教》，上海古籍出版社，1991年

（法）安田朴、谢和耐等著，耿昇译：《明清间入华耶稣会士和中西文化交流》，巴蜀书社，1993年。

（德）夏瑞春编，陈爱政等译：《德国思想家论中国》，江苏人民出版社，1989年。

（法）艾田蒲著，许钧、钱林森译：《中国之欧洲》，河南人民出版社，1992年。

（英）赫德逊著，王遵仲、李申等译：《欧洲与中国》，中华书局，1995年。

（荷）包乐史、（中）庄国土：《〈荷使初访中国记〉研究》，厦门大学出版社，1989年。

（英）J.F.巴德利著，吴持哲等译：俄国·蒙古·中国，商务印书馆，1981年。

（日）丹波元胤编：《中国医籍考》，人民卫生出版社1983年第二版。

（美）乔纳森·波特（Jonathan Porter）：《中国近代早期的科学界》，《科学史译丛》，1983年第3期。

（日）小川晴久：《东亚地动说的形成》，《科学史译丛》，1984年第1期。

（日）山田庆儿：《近代科学的形成与东渐》，《科学史译丛》，1984年第2期。

（日）桥本敬造：《中国清朝初期的天文历算学》，《科学史译丛》，1984年第2期。《从〈崇祯历书〉看科学革命的一个过程》，《科学史译丛》，1984年第3期。《伽利略望远镜及开普勒光学天文学对〈崇祯历书〉的贡献》，《科学史译丛》，1987年第4期。

（比）南怀仁，张美华译：《扈从康熙皇帝巡幸西鞑靼记》，《清史研究通讯》，1987年第1期。

三　中文论文

向达：《明清之际中国美术所受西洋之影响》，《东方杂志》第27卷第 1 期,1930 年 10 月。

罗常培:《耶稣会士在音韵学上的贡献》,《历史语言所集刊》第 1 本
第 3 册,1930 年。

张荫麟:《明清之际西学输入中国考略》,《清华学报》第 1 卷第 1
期,1932 年。

洪煨莲:《考利玛窦的世界地图》,《禹贡》第 5 卷第 3、4 合期,1936
年。

陈观胜:《论利玛窦之万国全图》,《禹贡》第 1 卷第 7 期,1934 年;
《利玛窦对中国地理学之贡献及其影响》,《禹贡》第 5 卷第 3、4
合期,1936 年。

陈受颐:《明末清初耶稣会士的儒教观及其反应》,原载《国学季刊》
第 5 卷第 2 期,1930 年,又收入其著《中欧文化交流史论丛》,(台
湾)商务印书馆 1970 年。

沈康身:《梅文鼎在立体几何上的几点创见》,《杭州大学学报》(自
科版),1962 年第 1 期。

席泽宗:《试论王锡阐的天文工作》,《科学史集刊》第 6 辑,科学出
版社,1963 年;《十七、十八世纪西方天文学对中国的影响》,《自
然科学史研究》,1988 年第 3 期。

费海玑:《裨海纪游研究》,(台湾)《书目季刊》,第 6 卷第 1 期。

白尚恕:《〈测量全义〉底本问题的初探》,《科学史集刊》,第 11 辑。

林健:《西方近代科学传来中国后的一场斗争——清初汤若望、杨
光先关于天文历法的论争》,《历史研究》,1980 年第 2 期。

臧嵘:《明清之际来华耶稣会士的评价》,《北方论丛》,1981 年第 4
期。

任道斌:《方以智简论》,《清史论丛》第 4 辑,1982 年。

潘吉星:《阿拉里柯拉的〈矿冶全书〉及其在明代中国的流传》,《自
然科学史研究》,1983 年第 1 期;《康熙帝与西洋科学》,《自然科

学史研究》,1984 年第 2 期。

曹婉如等:《中国与欧洲地图交流的开始》,《自然科学史研究》,
　1984 年第 4 期。

李兆华:《〈几何原本〉满文抄本的来源》,《故宫博物院院刊》,1984
　年第 2 期;《简评"西学源于中法"说》,《自然辩证法通讯》,1985
　年第 6 期。

冯宝琳:《康熙〈皇舆全览图〉的测绘考略》,《故宫博物院院刊》,
　1985 年第 2 期。

林金水:《利玛窦输入地图学说的影响与意义》,《文史哲》,1985 年
　第 5 期;《试论南怀仁对康熙天主教政策的影响》,《世界宗教研
　究》,1991 第 1 期;《明清之际士大夫与中西礼仪之争》,《历史研
　究》,1993 年第 2 期。

郭永芳:《西方地圆说在中国》,《中国天文学史论集》第四集,科学
　出版社,1986 年。

刘建:《十六世纪天主教对华传教政策的演变》,《世界宗教研究》,
　1986 年第 1 期。

刘钝:《清初历算大师梅文鼎》,《自然辩证法通讯》,1986 年第 1
　期;《梅文鼎的若干几何学贡献》,载《明清数学史论文集》,江苏
　教育出版社,1990 年;《〈数理精蕴〉中〈几何原本〉的底本问题》,
　《中国科技史料》,1991 年第 3 期;《欧罗巴西镜录提要》,《中国
　科学技术典籍通汇·数学卷》第 4 册,河南教育出版社,1993 年。

萧萐父:《十七世纪中国学人对西方文化传入的态度》,《文化:世界
　与中国》,三联书店,1987 年。

罗炽:《方以智对西学的批判吸取》,《湖北大学学报》,1988 年第 2
　期。

汤奇学:《"西学中源"说的历史考察》,《安徽史学》,1988 第 4 期。

葛荣晋:《清代实学思潮的演变》,《文史哲》,1988 年第 5 期;《明清

实学简论》,《社会科学战线》,1989 年第 1 期。

严敦杰:《〈西镜录〉跋》,《自然科学史研究》,1988 年第 3 期;《梅文鼎的数学和天文学工作》,《自然科学史研究》,1989 年第 2 期。

江晓原:《王锡阐及其〈晓庵新法〉》,《中国科技史料》1986 年第 6 期;《开普勒天体引力思想在中国》,《自然科学史研究》,1987 年第 2 期;《第谷天文学说的历史作用:西方与东方》,《大自然探索》,1987 年第 4 期;《试论清代"西学中源"说》,《自然科学史研究》,1988 年第 2 期;《中国古代历法与星占术》,《大自然探索》,1988 年第 3 期;《十七十八世纪中国天文学的三个新特点》,《自然辩证法通讯》,1988 年第 3 期;《通天捷径——明清之际耶稣会士在华传播的欧洲天文学说及其作用与意义》,载《基督教与近代文化》(朱维铮主编),上海人民出版社,1994 年;《中国古代到底有没有地圆学说》,《中国典籍与文化》,1997 年第 4 期。

许文德:《四库全书收录西书之探析》,(台湾)《国立中央图书馆馆刊》第 23 卷第 1 期,1990 年。

梅荣照:《明清数学史概论》,梅荣照主编《明清数学史论文集》,江苏教育出版社,1990 年。

朱亚宗:《康熙"中体西用"的先驱》,《求索》,1990 年第 4 期。

施礼康等:《明清西方传教士的藏书楼及西书流传考述》,《史林》,1990 年第 1 期。

于春松:《明清实学研究概况》,《哲学动态》,1990 年第 1 期。

潘鼐:《梵蒂冈藏徐光启〈见界总星图〉考证》,《文物》,1991 年第 1 期;《17 世纪初首屈一指的恒星图》,《科学》,1991 年第 4 期。

郝镇华:《斯帕法里〈出使清帝报告〉辨析》,《清史论丛》第 8 辑,1991 年。

庞天佑:《略论西学东渐与清初考据学》,《武陵学刊》,1991 年第 2 期。

冯佐哲:《试论顺康雍三朝对西方传教士政策的演变》,《世界宗教研究》,1991年第3期。

何桂春:《近十年来中国基督教史研究综述》,《世界宗教研究》,1991年第4期。

黄谷:《国外近年来明清中外关系史研究》,《中国史研究动态》,1991年第9期。

何桂春:《十年来明清在华耶稣会士研究述评》,《中国史研究动态》,1992年第5期。

路遥:《汤若望评议三题》,《文史哲》,1992年第4期。

刘梦溪:《汤若望在明清鼎革之际的角色意义》,《中国文化》第7号,1992年。

安双成:《汤若望案始末》,《历史档案》,1992年第3期。

胡铁珠:《〈历学会通〉中的宇宙模式》,《自然科学史研究》,1992年第3期。

伊世同:《康熙天体仪:东西文化交流的证物》,《中国文化》第7号,1992年。

许明龙:《试评18世纪以前来华的欧洲耶稣会士》,《世界历史》,1993年第4期。

郭熹微:《天主教与明清实学思潮》,《世界宗教研究》,1993年第3期。

谢方:《〈职方外纪〉和中国新世界地理观念的变化》,中国历史博物馆馆刊,总15期。

黄一农:《汤若望与清初西历之正统化》,收入吴嘉丽等主编《新编中国科技史》下册,台北银禾文化事业公司1990年;《杨光先家世与生平考》,(台湾)《国立编译馆馆刊》,1990年第2期;《杨光先著述论略》,(台湾)《书目季刊》第23卷4期,1990年;《择日之争与康熙历狱》,(台湾)《清华学报》,1991年第2期;《康熙朝涉

及"历狱"的天主教中文著述考》,《书目季刊》第 25 卷 1 期,1991
年;《耶稣会士汤若望在华恩荣考》,《中国文化》第 7 号,1992
年。清初天主教与回教天文家间的斗争》,(台湾)《九州学刊》
第 5 卷 3 期,1993 年;《张宸生平及其与杨光先的冲突》,《九州学
刊》第 6 卷 1 期,1993 年;《清前期对"四余"定义及其存废的争
执》上下,《自然科学史研究》,1993 年第 3—4 期;《扬教心态与天
主教传教史研究》,(台湾)《清华学报》,1994 年第 3 期;《明末清
初天主教传华史研究的回顾与展望》,(台湾)《新史学》第 7 卷 1
期,1996 年。

冯佐哲:《康熙、乾隆二帝与传教士关系比评》,《清史论丛》,1994
年刊。

顾卫民:《中国的汤若望研究介绍与研究的回顾(1799—1992)》,
《基督教与近代文化》,上海人民出版社,1994 年。

陈伟明:《近年明清中外文化交流史研究述评》,《中国史研究动
态》,1995 年第 12 期。

顾宁:《汤若望进呈顺治帝的地平日晷》,《中国科技史料》,1995 年
第 1 期。

贺威:《试论李光地的中国传统天文学》,《自然科学史研究》,1995
年第 3 期。

孙小淳:《〈崇祯历书〉星表和星图》,《自然科学史研究》,1995 年第
4 期。

尹斌庸:《利玛窦等创制汉语拼写方案考证》,《学术集林》卷 4,上
海远东出版社,1995 年。

邹振环:《明清之际的西书中译及其文化意义》,《宋明思想和中华
文明》,学林出版社,1995 年。

王扬宗:《康熙、梅文鼎和"西学中源"说》,《传统文化与现代化》,
1995 年第 3 期;《明末清初"西学中源"说新考》,《科史薪传》(刘

钝、韩琦等编),辽宁教育出版社,1997 年。

章文钦:《澳门与明清时代的中国天主教士》,收于《澳门与中华历史文化》,澳门基金会出版,1995 年。

石云里:《崇祯改历过程中的中西之争》,《传统文化与现代化》,1996 第 3 期。

耿昇:《16—18 世纪的中学西渐和中国对法国哲学思想形成的影响》,《中法关系史论》(楼均信、郑德弟等主编),杭州大学出版社,1996 年。

莫小也:《近年来传教士与西画东渐研究动态》,《中国史研究动态》,1996 年第 11 期。

韩琦:《君主和布衣之间:李光地在康熙时代的活动及其对科学的影响》,(台湾)《清华学报》新 26 卷第 4 期,1996 年 12 月;《从明史历志的纂修看西学在中国的传播》,《科史薪传》,辽宁教育出版社,1997 年;《康熙朝法国耶稣会士在华的科学活动》,《故宫博物院院刊》,1998 年第 3 期;《白晋的〈易经〉研究和康熙时代的"西学中源说"》,(台湾)《汉学研究》第 16 卷第 1 期,1998 年。

[香港]冯锦荣:《明末熊明遇〈格致草〉内容探析》,《自然科学史研究》,1997 年第 4 期。

王庆成:《清代西教在华之环境——康雍乾道咸朝若干稀见文献考释》,《历史研究》,1997 年第 6 期。

徐海松:《论黄宗羲与徐光启和刘宗周的西学观》,《杭州师院学报》,1997 年第 4 期;《黄宗羲与西学》,《东西交流论谭》第 1 辑,上海文艺出版社,1998 年;《从"会通中西"到"西学中源"——清初科学家的思想轨迹及其影响》,《中西初识》(《中外关系史论丛》第 6 辑),(河南)大象出版社,1999 年;《王宏翰与西学新论》,刊于《东西交流论谭》第 2 辑,上海文艺出版社;《耶稣会士与中西文化交流论著目录(1980—1999)》,刊《东西交流论谭》第

2 辑。

邓建华:《明清之际"西学中源"说考析》,《河南社会科学》,1998 年
　　第 5 期。

张先清:《1990—1996 年间明清天主教在华传播史研究概述》,《中
　　国史研究动态》,1998 年第 6 期。

附录二

外国人名中外文对照表

Antonio de Sancta Maria,利安当(1602—1669)

Antoine Thomas,安多(1644—1709)

Andre Pereira,徐懋德(1690—1743)

Andre－Xavier Koffler,瞿安德(纱微,1613—1651)

Christopher Clavius,克拉维斯(1537—1612)

C.Grienberqer,格林伯格(17 世纪初天文学家)

Christian Herdtricht,恩理格(1624—1684)

Dominicus Parrenin,巴多明(1665—1741)

Emmanuel Diaz Junior,阳玛诺(1574—1659)

Francois Pasio,巴范济(1551—1612)

Francois Furtado,傅泛济(1587—1653)

Ferdinand Verbiest,南怀仁(1623—1688)

Frans Flettinger,弗兰斯·弗勒廷格(1686 年 7 月来华)

Galileo Galilei,伽里略(1564—1642)

Gabriel de Magalhaens,安文思(1609—1677)

Giacomo Rho, 罗雅谷(1592—1638)

Ignatius Koegler,戴进贤(1680—1746)

I.Newton,牛顿(1642—1727)

Joseph Dehergne,荣振华(1903—1990)

Juan Bautista de Morales,黎玉范(1597—1664)

Jean Terrenz, 邓玉函(1576—1630)

Julio Aleni, 艾儒略(1582—1649)

Johann Adam. Schall Von Bell, 汤若望(1591—1666)

Jean Valat, 汪汝望(1599—1696)

Joannes Franciscus Gerbillon, 张诚(1654—1707)

Joachim Bouvet, 白晋(1656—1730)

Joseph - Henrg - Marie de Premare, 马若瑟(1666—1735)

J. Bayer, 巴耶尔(1572—1625)

J. Kepler, 开普勒(1571—1630)

Jean - Nicolas Smogolenski, 穆尼各(1611—1656)

J. D Cassini, 卡西尼(1625—1712)

Louis Buglio, 利类思(1606—1682)

Matteo Ricci, 利玛窦(1552—1610)

Michel Borm, 卜弥格(1612—1659)

Martinus Martini, 卫匡国(1614—1661)

Matteo Ripa, 马国贤(1682—1745)

Nicolas Longobardi, 龙华民(1559—1654)

Nicolas Trigault, 金尼阁(1577—1628)

N. Copernicus, 哥白尼(1473—1543)

Ptolemy, 托勒密(约 90—168)

Philippus Couplet, 柏应理(1624—1692)

Philippus - Maria Grimaldi, 闵明我(1639—1712)

P. de Lahiere, 德拉伊尔(1640—1718)

Tycho Brahe, 第谷(1546—1601)

Thomas Pereira, 徐日昇(1645—1708)

Theodoricus Pedrini, 德里格(1670—1747)

附录三

图　片

这是一幅神话图。图中描绘明末清初在华的欧洲耶稣会士利玛窦(右)与汤若望(左)共同举着一幅东亚地图,并注视着地图上横亘于中国北方的万里长城。

身着清朝官服的洋教士汤若望。

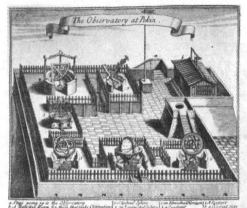

The Observatory at Pekin.

左图为清朝北京观象台，安置着由耶稣会士南怀仁负责制造的六架天文观测仪器。该图原为法国来华耶稣会士李明所著《中国现状新志》中的插图。

乾象坤图格镜卷之十一

古吴浩然子忠源王宏翰纂

这是作者翻拍的王宏翰《乾象坤图格镜》稿本之书影。有关论述参见本书第四章第三节。

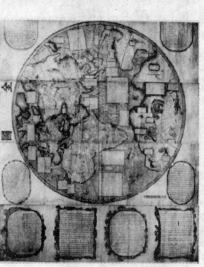

这两幅图是南怀仁在康熙 13 年（公元 1674 年）绘制的世界地图——《坤舆全图》。
此据天津工商大学翻照本

402

后　记

　　本书是作者在原博士论文的基础上修改而成的。约五年前，我在导师黄时鉴先生的指导下确定以"清初士人与西学"作为研究专题时，黄先生就告诫我必须要从大量的原始文献中发掘材料，踏实、认真地得出客观的结论。然而，随着对史料的搜集和研究的深入，我发现这个题目涉及的范围太广了，在限定的时间内显然难以考究详尽。但是，时不我待，我还是义无反顾地投入进去了。

　　承蒙导师与各位师长的关爱，我的博士论文顺利通过了答辩，同时还得到了许多宝贵的意见和积极的鼓励，从而为我继续深化本课题的研究提供了强大的信心和力量。因此，我在论文答辩以后近两年的时间里，在从事教学工作之余，利用各种机会，多次赴北京、上海等地图书馆和学术研究机构搜集新的资料，包括1998年在国内外两次参加国际学术研讨会，期间又得到了不少专家学者的指点和帮助，有的还为我提供了重要的研究资料。正是有了这些良好的机遇，我才得以将论文扩充成一部书稿面世，奉教于诸位师长和读者朋友。

　　值此书稿完成之际，本人除了由衷地感激恩师黄时鉴先生多年来的谆谆教诲，还要衷心感谢复旦大学周振鹤教授、上海汉语大词典出版社徐文堪编审、中华书局谢方编审、原杭州大学校长沈善洪教授、历史系包伟民教授、中国美术学院范景中教授、中科院自然科学史研究所韩琦博士，以及"大航海时代"主编北京外国语大学海外汉学研究中心张西平教授等各位学者,他们在我写作论文和修改本书的过程中,提出了许多富有启迪的意见,并给予实际的帮助,使我获益匪浅。东方出版社的方鸣先生和夏青女士,也为本书的出版付出了很多心血,借此机会特向他们表示诚挚的谢意。再需说明的是,本书作为浙江省"九五"社科规划1999年度课题"清初学者与西学研究"的主要内容,得到了省社联规划办公室提供的部分资助,在此一并志谢。

我深知,"学无止境,不断进取"是每一位学人应有的理念。本书对于"明清之际的中西文化交流"这个研究领域,至多就像是为一座摩天大厦添了一块砖、加了一片瓦,并且还是站在学界先贤们开拓的基地上才完成的。何况,限于本人现有的学识和占据的资料,本书对于不少问题的探析,未及深究而仅仅止于表面,留下了诸多遗憾。因此,我衷心希望将来有机会对本书再作修订,使它更加完善一些。而要实现这个目标,我渴望获得一个重要前提:师长与读者们的真诚批评和指正。

为了学术的进步,我热切地期待着!

徐海松
1999 年 8 月